Best Time

白 马 时 光

最美遇见你

【完美纪念版】

顾西爵作品
GUXIJUE

百花洲文艺出版社

图书在版编目（CIP）数据

最美遇见你 / 顾西爵著. — 南昌: 百花洲文艺出版社,
2013.12（2017.2重印）
ISBN 978-7-5500-0822-9

Ⅰ. ①最… Ⅱ. ①顾… Ⅲ. ①言情小说–中国–当代 Ⅳ.
①I247.5

中国版本图书馆CIP数据核字(2013)第276323号

出 版 者 百花洲文艺出版社
社　　址 江西省南昌市红谷滩世贸路898号博能中心20楼　　邮编：330038
电　　话 0791-86895108（发行热线） 0791-86894790（编辑热线）
网　　址 http:www.bhzwy.com
E-mail bhz@bhzwy.com

书　　名 最美遇见你（完美纪念版）
作　　者 顾西爵
出 版 人 姚雪雪
特约监制 何亚娟
责任编辑 张　越　程　玥
特约策划 何亚娟
特约编辑 狐　辰
封面绘图 三　乖
封面设计 郑力珲
经　　销 全国新华书店
印　　刷 三河市兴达印务有限公司
开　　本 1/32　880mm × 1230mm
印　　张 11.25
字　　数 327千字
版　　次 2014年1月第1版
印　　次 2017年2月第7次印刷
定　　价 28.00元
ISBN 978-7-5500-0822-9

赣版权登字：05-2013-378

目 录
Contents

第一章

第三根肋骨

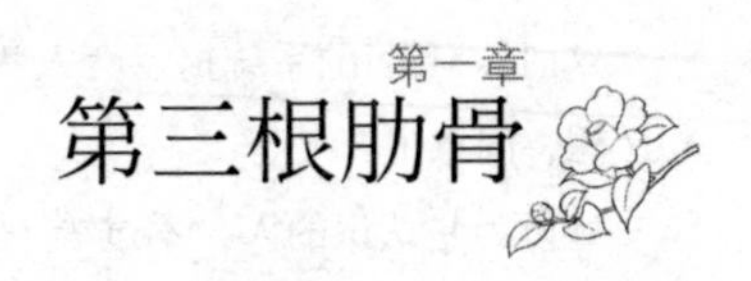

1

周末，李安宁在书房里捣鼓域名，要把它从Godaddy迁移到name.com，但由于Godaddy后台十分变态，搞得安宁异常纠结。此时MSN上毛毛呼叫，问她什么时候回学校，顺便非常迅速地发了一份研二第四周的实验大纲。安宁一看，受惊了，竟然连帮导师搬家的事情也在大纲里。

安宁：能不能叫搬家公司啊？

毛毛：你出钱，我赞成。

安宁：……

毛毛：你说我跟你咋就那么背呢?被点名当搬运工，怎么朝阳她们就能逃过一劫？难道选这个是看长相？靓女才会被选中？！

安宁：你想多了……随机抽的吧。

这时，MSN的系统提示有人新加她为好友，“Mortimer”，安宁想了想，同意了。

她以为是认识的人，不过等了好一会儿对方都没消息过来，安宁也没多想，关了电脑，找妈妈吃饭去也。明天就要回学校了，她很恋家，多少有些舍不得。

总体来说，李安宁在校的日子是这样的，每天早上七点起床，YY半小时，回归现实，然后做杂役，实验，SPSS；实验，杂役，PPT……

返校第二天，安宁出门就碰到隔壁寝室的蔷薇，对方一见她就热情地打招呼：“阿喵啊，周末回家逍遥得happy啦？”

安宁笑道：“早，薇薇。”

一头长卷发、外表怎么看怎么淑女典雅的傅蔷薇一听这话面部瞬间变得狰狞起来：“为什么我要那么早起啊？为什么我要天天通宵赶报告啊？为什么我就是没有男人啊！！你说，为什么？！”

安宁汗颜：“那个，其实我也没有男人。”

“不行，我今天一定要请假，我要去找男人！喵，你想办法帮我跟老太婆请假！”

安宁问：“要不……事假？”

蔷薇忽然深沉地盯住李安宁：“奇怪了，你这女人，外貌身材头脑冷幽默一应俱全，咋也没男人呢？”

安宁同样悲愤：“就是说！莫非现在的男人要求都太低了？”

“……我终于知道为什么了。”

安宁身负使命去上课。学校很大，而物理系的实验室是在最偏远的角落，她决定骑她的新座驾过去。之前她买过两辆自行车，一辆被盗，一辆被毛毛抢去至今未归还，这次她大手笔买了辆“小绵羊”，外加两把锁。迎风而骑时，安宁深觉自动挡的果然比脚动挡的惬意。

正当她惬意之际就撞上了一辆轿车，事情是这样的：拐弯，撞上。

李安宁从地上站起来时，她的“小绵羊”“扑哧”一下，熄灭了。

“小姑娘，你没事吧？”司机大叔赶忙下车询问。

“我的‘绵羊’……诈尸了。”

大叔估计没听明白，于是又问了一遍：“你有没有受伤？要不要送你去医院看看？”

安宁叹了口气，拍去身上的灰尘：“我没事，你给我张名片吧，如果我家‘绵羊’真的挺尸了……”她回头看到那辆轿车闪亮的车门上有一道长长的刮痕，“唔，算了，各自收尸吧。”

大叔瞬间无语了。

此时旁边有一人经过，他没看她，但安宁却很精准地看到他笑了。

李安宁后来才想起来，那人是他们研究院文学院的师兄，很有名的，虽然不知道为什么有名。

而车内后座上的人，摇下车窗，是一位威严的中年男人，他把司机叫过去说了两句，那司机点了点头，之后走到安宁身边摸出一张名片递给她：“小姑娘，需要什么赔偿，可以联系我。”

安宁接过名片来，其实她想说“不必了”，不过这样似乎能快些解决这件事，因为她快要迟到了。

而这一天，她还算幸运没有迟到，不过，她走错了教室，进了一个音乐进修班，还很悲催地被点了名。

安宁可以非常确定，她的本命年走的绝对是悲情路线！

那老师点她起来后就问：“《伏尔塔瓦河》的特色在于不断重复主题及变奏，那么这种重复的节奏表达了什么？”

“重复，重复……呃，就是无限循环小数。”

双方都没明白。

老师正色状：“那么，你觉得这个曲调适合运用在什么地方？”

安宁小声说：“适合做闹铃。”

“你课后留一下。”

李安宁生平第一次被留了堂。

下课时，当所有学生都笑着看了她最后一眼离开后，安宁被老师叫到前面，面黑板思过，黑板上写着：《伏尔塔瓦河》（*La Moldau*）选自斯梅塔纳交响诗《我的祖国》；作曲家以细腻委婉的笔触，刻画了沿岸秀丽的风光，描绘了捷克人民的生活习俗，以独具一格的音符倾吐了对祖国的深沉的热爱……爱……

安宁有些眼花了，眼珠转了一圈瞟向写在黑板右上方的一栏奖励生名单上：

钱琳琳、李波、徐莫庭、徐莫庭……莫庭……安宁突然有点儿想笑，莫庭，是不是他的父母希望他永远都不要停下来呢？

看到安宁一副专心致志的研究模样，严苛的老师终于露出了满意的微笑，于是说："今天就这样吧，你可以走了，下次注意。"

"哦。"下次我应该不会再走错教室了。

2

这一整天安宁过得都不怎么顺利，上午就不说了，下午做完实验后打算去图书馆整理资料，顺便还上次借的两本书，结果遇到了一件让她很多年后都在猜测是巧合还是肇事者有意为之的事件。这天图书馆里人倒是不多，只有四五个在排队。安宁习惯性地在等待的时候茫然注视前方，这次是一道高挑的背影，她的视线平行过去只到他的心上第三根肋骨处，何谓心上第三根肋骨，即左边心口上方第三根肋骨。安宁心说，他应该超过一米八了吧？

然后她听到经常说她拖欠还书日期的"黑面"老师对前面的人说："同学，你的卡消磁了。"

安宁精神一振，她看着前面那道身影，只听他说："这样的话，就给我写张单子吧。"

佩服啊，她通常都是对着"黑面"点头道歉的。

"黑面"又说："你当这是商店吗？赶紧去换了卡再来借书。"

对方微微沉吟，而安宁不知道怎么就很勇敢地探出了脑门："那个，用我的卡吧。"

于是，"黑面"黑着脸刷了卡。

那男生接过书，看了她一眼，说："984932，我号码。"

安宁摆手："你还了书就可以了。"

最后，对方说了声谢谢点头离开。

安宁继续跟"黑面"打交道，后者脸色一直很不好，安宁心中叹息，今天绝对出师不利。

安宁弄完资料回宿舍时已经将近七点，一进门就看到毛毛撅着屁股在墙上蹭，不由得一惊："莫非猴子附体？"

毛毛给了她一记白眼："是我坐太久啦，估计屁股起疹子了。"

基本上毛晓旭这个人每天就是对着电脑看小说，境界可以强到十二小时屁股不动一下，直到某一刻霍然而起："憋死我了，憋死我了！"然后冲进厕所，一分钟后满面笑容地出来，继续回到位子上将页面上的"嗯嗯……啊……""不要……""人家，人家已经……"慢慢地刷下来。

作为一个研二生，毛毛能把日子过得如同大二一般，也是一种能力，安宁深深佩服，哪里像自己，过得跟无限循环小数似的。

隔壁寝室的傅蔷薇勒着裤腰带走到她们门口："阿毛，你要我们等到什么时候？食堂快没饭了。"

蔷薇室友丽丽跟在后头："我说薇薇，你就不能塞好了裤子再从厕所里出来？"

蔷薇转向她嫣然一笑："人家喜欢在大庭广众之下勒裤腰带嘛。"然后转头，"毛毛！！"

"等等等等，马上要高潮了！"

众人一头黑线。

等一干人吵吵嚷嚷地离开去吃晚饭后，安宁打开了电脑。她今天太累了，实在不想再出门，就麻烦毛毛回来时带份外卖。电脑一开，MSN一上线，表姐的头像就闪过来：在的话吠一声。

安宁：喵。

表姐：我给你发张美男图吧。

安宁：不要了吧。

表姐：只是让你YY一下，又不是让你上他，你紧张什么？

安宁：我没紧张啊。

一分钟后，表姐：丫的你版本过低。

安宁终于被迫装上最新版本的MSN。她看到了美男，有点儿面熟，貌似以前在表姐电脑里看到过，然后她闲来无事……嗯……PS着玩儿了一下。要的就是这种：巧笑倩兮，美目盼兮，增一分则太长，减一分则太短，着粉则太白，施朱则太赤。

安宁只恨不能拍手：好！

表姐：好像PS得过了点儿，我怎么看着都成女的了，丫谁P的？！

安宁潜了。

这天晚上，安宁的另一个室友沈朝阳从广东赶回来，这人开学没两天就请假回了家，说是忘了东西要回去拿，结果回去第一天就说自己摔断了腿，要多请一周假，也是安宁帮忙请了“事假”。不过，当沈朝阳用草上飞的速度朝她们奔跑过来时，安宁觉得自己怎么就那么傻。

沈朝阳热情地拉着安宁，顺带毛毛、蔷薇，去了本城最高档的面店——“一碗面”。

在面店里，长相中性偏帅气的沈朝阳撩拨了下她的短发，笑道：“我觉得我胖了。”这句话说出来通常是让人家反驳的。

于是毛毛、蔷薇立刻说：“哪有！”

安宁说：“嗯，是有点儿。”

面条上来后，朝阳叹息：“我是不是应该减肥了？不过我喜欢躺在床上，不喜欢运动。”

安宁思考了一秒：“那就……床上运动？”

众惊：“喵，你下流！”

安宁无语：“是你们不纯洁吧。”

蔷薇“切”了一声：“人家最纯情了！

安宁折服：“话说，英国大选结果出来了，打赌我赢了哦。”

蔷薇说：“我就知道我选的那个没出息！”

安宁道：“其实克莱格就是身家不够，实力还是有点儿的。”

蔷薇“嗯”了一声：“如果我有身家，我自己去找人拍AV，你说多好。”

安宁摇头：“卡梅伦也没见得有多好，只是现在金融危机，有钱总是好办事。”

众：“……”

安宁：“算了，以后再讨论吧。”

然后安宁听到旁边桌有人笑了出来，侧头看过去，是一个长发的女孩子，此时正津津有味地看着她，安宁有点儿不好意思了。下一刻，安宁看到女孩对面的人，咋又那么眼熟呢？嗯……第三根肋骨。对方抿着唇，侧脸很好看。

安宁事后想想，幸亏她是安宁，不是蔷薇、朝阳她们，否则丢脸死了。

3

吃完饭回寝室之后，安宁上线，那个叫Mortimer的人发消息过来：“早点儿休息。”

安宁回了一个“哦”字过去，然后她发现自己貌似不认识他。

而对方没有再回。安宁想，大概是发错对象了。

周五下午，安宁等人从实验楼回来，路上看到一辆献血车，停在校体育馆门口，人潮涌动。

蔷薇柔声道：“想当年啊，我去献过，结果被赶了下来。唉，当天B型血太多，说B型的不要……B型怎么了？！你才B型呢！你们全家都B型！！”

安宁说：“其实父母是B型血，出生的孩子百分之七十五是B型的，所以，全家都是B型的概率是相当高的。”

蔷薇终于暴走了，毛毛和沈朝阳闷头笑。

最后，毛毛跟安宁去献血，朝阳安抚蔷薇。

结果那天毛毛的B型血被选中了，安宁的O型血被淘汰，原因是她体重不足九十斤。

对方的原话是：“姑娘，你的体重没达标，不到指标献血容易出问题。你看，你献了血，回头我们还得给你输血——”

“……”

其实安宁够九十斤的，勉强到，她甚至指天发誓冬天那会儿能飙到一百，但人家很明确地拒绝了她：“小姑娘你脸太白了，一看就有点儿贫血。”

安宁郁闷了，决定这周要增肥，然后帮毛毛在献血名册上签下她的大名时，看到上面某行里有一个似曾相识的名字——徐莫庭，很漂亮的笔迹。安宁想，他一定练过书法。

因为等毛毛的时候无聊，就在旁边的废纸上描摹起这个介于行书和草书之间的名字。本来是她想来献血，毛毛只是陪同人员，此刻，安宁看到毛毛痛苦的表情……只能默默扭头去看车门外。

这时有人上来，安宁"咦"了一声，第三根肋骨啊……他跟抽血的两名护士微颔首，看到她坐在那里似乎愣了一下，随即走过来轻扫了一眼桌面，然后找到了那只被纸张覆盖住一半的灰色手机。走开时，他又似有若无、若有所思、狐疑地瞟了她临摹的名字一眼。

安宁当时想的是：莫非她涂鸦的草稿纸是他的？

不过对方并没有给她答案，又看了她一眼后就下了献血车。

晚上安宁一如既往地跟表姐聊天。

安宁：我今天去作陪献血的时候看到了一个帅哥，事实上是第三次看到。

表姐：噢。说起来我今天竟然吃中饭了，本来是决定不吃的。

安宁：你平时都不吃吗？

表姐：什么平时都不吃啊？！今天第一天决定不吃，结果还是吃了！

安宁：……

又是平静的一天过去。

隔天周末，安宁去图书馆消磨时间，主要是因为那里有空调。

这次她刚进去，"黑面"就朝她"喂"了一声："同学，过来一下！"

安宁左右一看，没人，无可奈何地走过去："老师，有事吗？"

只见对方从后面架子上抽出一本书扔在柜台上："以后别把私人物品留在图书馆里，这会增加我们的工作量。"

"这不是我的。"虽然她看的书很杂，但是，《当代中国外交概论》她应该还没看过吧？

"你叫李安宁，我没记错吧？"

"是……"不是吧？已经记住她名字了？

"那么就是你的了。前天来还书，这本夹在里面。行了，赶紧拿走。""黑面"不再理她，俯身忙碌地玩着电脑，安宁从后面的玻璃里看到“黑面”在……偷菜，唔，果然很忙。

最后安宁拿着那本《当代中国外交概论》，找了一处位置坐下，看了一会儿自己的书后，看到手边的那本封面很牛×的“外交”书，歪了歪头，拿过来啃起来。

中途有两名女生坐到她对面，坐了大概十分钟，开始低声聊天。

比较瘦小的女生说：“我不是跟你说今年暑假我去男朋友那儿了吗？他那房子楼下那户人家煤气爆炸失火，烧到我们楼上，我跑出来的时候我男朋友已经在外面了。我当时就问：你怎么不等我？我男朋友说：当然要先跑出去啊，我不跑出去回头怎么救你？我瞬间窒息了。”

另一名偏胖的女生说：“这就是你跟他分手的原因？”

“其实呢——”瘦小女生说，“我老早就想跟他散了，你知道，我一直欣赏江师兄的。”

“江师兄啊……我记得物理系的傅蔷薇不是经常来我们文学院找他吗？真不知道安的啥心？”

“司马昭之心呗。”

安宁说：“其实，蔷薇以前确实是姓司马的。”据蔷薇说，她亲生老爸姓司马，她爸在她很小的时候去世了，她妈再嫁后，她就改了后爸的“傅”姓。

“……”

对面两人在一分钟之后离开了现场，安宁继续回归书本。中午回宿舍，路上习惯性问两名足不出户的室友要不要带午餐，二人均回答减肥中。在快到“美食家”门口时倒是看见了蔷薇，她正拉着个人说话，安宁随后想起来，这人是上回“绵羊”撞轿车事件时走过的那位有名的师兄。

“喵！”

她原本想悄无声息走另一扇门的奢望被那声响亮的猫叫声扑灭了，只能走上去。

蔷薇热情洋溢：“来来，给你们介绍一下，这位是我好姐们儿李安宁。”

“有名师兄”这次对着安宁终于笑得明目张胆了：“是你呀？”

“……不是。”

蔷薇说：“安宁，这位是我以前高中母校的师兄，也是现任师兄啦，哈哈……你说我们是不是特有缘？高中同一学校不说，分别四年，读研又绕到了一起。师兄以前在高中弹吉他唱歌，可真迷倒了一大片女生。当然现在也厉害，你绝对听说过他，我们学校中国民间文学系的江大才子，我们学校的期刊校报都是他在做。”

安宁见两人都看着她，似乎应该说点儿什么，于是：“师兄，你——叫什么名字？”

据江旭后来回忆：李安宁这厮绝对能温温婉婉地把人活活气死！

这天安宁陪同蔷薇和“有名师兄”吃了饭，的确是吃饭，安宁一直在默默地吃，因为很饿了。期间收到表姐一条短信：“减肥的黄金时段应该是25岁之前，我也觉得25岁之前减肥很容易。”简直是放屁！

安宁感叹减肥果然是世界的主流啊。

4

周一安宁啃着早餐去上公开课，她一向是踩着铃声进门的。蔷薇在位置上朝她招手，看着安宁慢条斯理地走上来，不由得对旁边的沈朝阳说：“你说喵是来上课啊还是逛大街啊？张老头都在瞪她了。”

沈朝阳叹气：“你有见过她对什么事情急躁吗——你说我的实验报告怎么办啊？眼下就要交了！”

蔷薇一笑：“兄弟，早死早投生吧！”

“你陪葬？”

“我烧纸钱给你。”

“有本事你烧真钱给我！”沈朝阳把包拿开让安宁坐下，“阿毛呢？”

安宁说：“她扭到腰了。”

蔷薇惊讶：“毛毛那腰……都那么粗了，怎么还能扭到啊？”

这时旁边的甲同学靠过来对安宁说：“喵啊，你刚才太可惜了，如果早来五分钟就能见到帅哥了。”

朝阳“啧”了声：“也不怎么样吧，就身材好点儿。”

后座乙笑道："某阳，你这绝对是酸葡萄心理。"

丙说："他好像是来跟老张交涉什么事的，莫非想来上我们的课？"

丁说："我先前上去交报告时故意停留了一下，他说话的声音真是低沉性感啊！"

安宁打开背包，随便说了句："应该是学生会的人吧！"

众人均一愣，回想起那架势，觉得甚像。

蔷薇不怀好意地笑了："莫非学生会终于要做本校的黑名单了，来我们班级要名单？"

甲、乙、丙、丁、沈朝阳同时指着她："那你绝对是第一个！"

那天老张的量子统计课结束之后，安宁原本想去生物工程那边旁听一堂医用课，结果出来发现外面在下雨。三人之中只有沈朝阳带了一把小洋伞，蕾丝边，中间还有几朵镂空的绣花图案。

蔷薇说："你说你这伞是用来干吗的啊？它遮太阳也漏光吧！"

朝阳道："我这不是看它漂亮嘛。"

蔷薇指着外头说："行。去，去雨里兜一圈，让姐姐看看有多漂亮，喵的，你——"

安宁皱眉："嗯……薇薇啊，请不要把喵当脏词的代名词，谢谢。"

蔷薇再次暴走。

最后打电话让扭了腰的那人送伞过来。

毛毛很委屈："我腰扭了呀。"

蔷薇发飙："那你就给我扭着腰过来！！"末了加了句，"再多说废话以后别想让我帮你点名。"

毛毛飞奔过来时，朝阳笑着拍拍她的肩："辛苦了，兄弟！"

安宁安慰："腰没事就好……"

众人沉默。

时间"嗖嗖"过去，很快到了帮老师搬家的日子。这其实是一件挺郁闷的事，做好了是应当，做得不好那就是能力问题，说不定还影响"平时成绩"。安宁跟毛毛相偕走进办公室的时候，里面已经有两位同学了。

导师向她们介绍："这两位是外交学系的同学，这周活动他们跟你们一组，虽然不同系，但我希望你们也能互相帮助和提升。”

“一定一定！我们一定会互帮互助的，老师您请放心。”这是昨天晚上挂了导师电话后一度诅咒他祖宗十八代全搬祖坟外加指天发誓如果再回他一句话她就跟他姓的毛某人说出的第一句话……安宁很无语，只能望向窗外美好的夏末秋初的景色。

安宁想，这物理系跟外交学系搭不上一点儿边，怎么互相帮助啊？后来安宁觉得自己很傻，真的，当她跟外交学系的同学一起扛着一张桌子往二楼搬的时候，她深深体会到了那句互相帮助和提升的深刻含义。

中途休息的时候，安宁坐在小花台边乘凉，一同学走过来坐在她旁边，“你叫……李安宁？”

“嗯。”安宁正在慢慢地喝水。

“还记得我吗？”

安宁偏头看她：“你是……”这种情况通常表示不记得了。

对方也不介意，笑道：“上次在面店里听到你跟你朋友的一番对话，印象深刻，只是不知道你叫……李安宁。对了，还没自我介绍，徐程羽。”

她每次在说“李安宁”前的那一秒停顿总让安宁觉得暗含深意，于是安宁回答：“哦，我叫李安宁。”

这时手机响了一声，是表姐的信息：“‘胴体’，我去！这个念dòng啊，我一直念tóng呢！你念念看，当场笑抽过去了我！”

安宁念了一下，咬唇，唔，的确是有点儿变态的发音。

徐程羽微微扬眉：“什么这么好笑？”

安宁咳了一声，想了想说：“上帝欲使人灭亡，必先使其疯狂。我觉得这句话挺有道理的。”

冷场。

一旁外系的那名男生也听到了，笑出来：“上帝说的话原来这么有意思啊，他老人家还说过什么话来着？”

安宁道：“呃，其实这话不是上帝说的，是古希腊历史学家希罗多德说的。上帝说的话很多，你可以去翻《圣经》。”

外交系两人顿时无语。

事后他们自我检讨，怎么会被个物理系的人弄得搭不上话呢？他们将来可都是要靠嘴皮子吃饭的啊。得出的结论是：这个姑娘思路不对。

搬家事件之后安宁整整休息了一天，隔日正巧是周末，安宁便打算回家一趟，让母亲大人在她腰椎骨上贴狗皮膏药去。安宁回家每次都是到学校后门坐公交车，路程大概是五十分零十七秒，她做过平均差、中位数和众数，这个答案很精准。

晚上安宁在家陪同母亲大人看电视，看到一幢老洋房，李妈妈说："宁宁，这房子真漂亮啊。"

安宁点头："嗯，是啊，地板好像是上桐油的。"

"是啊是啊。"

"桐油好像烧起来很快的。"

李妈妈顿时无语了。

嗯……安宁承认自己很会冷场。

5

这次安宁回家住了两天，收到关怀无数，主要是让她回去的时候带吃的。只有毛毛坚决反对，说食物进宫会给她带来莫大的精神折磨！安宁看着群里的人集体围攻毛毛，偶尔发一张笑脸上去，证明围观中。

蔷薇私下找她：在干吗？

安宁：看一个翻译贴，原帖是个俄国人写的。

蔷薇：什么东西？

安宁：《尸体的最佳处理办法》和《关于化尸水的可行性报告》。

蔷薇：这种东西很恶心吧？！

安宁：我看得很happy啊。

蔷薇：你不一样。对了，昨天我跟江旭吃饭，他说起你了。

安宁：噢。

蔷薇：没啥别的了？！

安宁：嗯，谢谢记挂。

蔷薇：……

蔷薇：回来给我带烤鸡！

安宁：好。

蔷薇：阿喵，我要是男的我就娶你。

安宁：就为了一只烤鸡？

蔷薇：哈哈，是啊！

翌日安宁回学校，给同学们带来了肉和希望,以及精神折磨，冬装的大衣袋子里满满一袋，如果是精神折磨的确挺残忍的。

在经过食堂后面的篮球场时，看到一道熟悉的身影——第三根肋骨，好像不小心注意他之后就会经常看见他。

场外许多人在观战，安宁在外围看了一会儿，他把球抛给同伴时像忽然注意到了什么，停下来往这个方向望了一眼。安宁左右看了看，嗯……好多美女啊。

“李安宁？”身后有人叫了她一声，安宁回头，是“有名师兄”。

江旭走过来：“怎么拿那么多东西？刚从家里回来？”

“是啊。”

他笑道：“我帮你拿点儿吧？”

“不用。”

“不必客气。”

“不是，我跟你不同方向。”

有女孩子拒绝他已经算是少有的事了，再加上又是以这种理由，江旭头一次觉得哭笑不得。当回过神来时对方已经慢条斯理地朝她的方向走去。

周一第一堂课是老张的量子统计课，安宁这次难得在铃声响起前进教室门，然后，她没有看到朝阳等人朝她招手，却在第一排的地方见到了“他”，这也未免太频繁了吧？而他看到她，竟然淡淡地说了一句：“你过来。”

正当安宁不明所以之时，他又说了句："坐这儿吧。"语气从容自若又彬彬有礼，却让人无法拒绝。安宁坐下才发现——她坐在了他旁边。

安宁侧头看了他一眼，对方已经在一本正经地翻看书本。

他叫她来干吗的啊？

一整堂课，他都在听讲。偶尔放在桌上的手机亮一下，他会回条短信。安宁不敢明目张胆地看他，于是只能看着他的灰色手机以及跳跃在手机上的修长手指……

安宁发誓，她其实不是想看他的，只是想问他干吗叫她过来……

"呃——"

"听课。"不变的文质彬彬的语气。

这样很难会有人听得进去吧？

他似乎感觉到她在"注视"他，微偏头看过来，淡淡地问了一句："带了《外交概论》吗？"

"嗯，带了。"虽然她仍旧是云里雾里的，但还是把最近随身带的《当代中国外交概论》递过去。他单手接过，翻到序页，写了点儿东西，然后又递还给她。

安宁下意识地去翻看，漂亮的书法字体，未干透的字迹，徐莫庭。

6

原来第三根肋骨就是徐莫庭！

安宁躺在床上思量，世界上还真是无巧不有，绕了一大圈原来他就是徐莫庭啊！不过，又好像不觉得突兀，突兀的反而是下课后他要她电话号码那个场面，那么天经地义，怎么能有人如此理所当然地去做一些事？

沈朝阳一进来就看见安宁抱着枕头、戴着耳机蜷在床上，微讶道："阿喵，你没去上课啊？"

安宁抬起头："去了，回来了。"

朝阳看手表："都十一点了呀，我做实验都做昏头了。唉，你们上周的实验都过关了，唯独我……还要逃课做实验写报告，太悲哀了！对了，今天蔷薇跟毛毛去隔壁大学看篮球比赛了，让你帮忙点名——"

安宁已经摘下耳机，下床找拖鞋："我下了课才看到短信，不过今天老师没点名。"

"嘿，运气不错。"朝阳说着递给安宁一张海报，"路上人家发的，挺有意思的。"

海报上写着一行大字——"江泞大学形象大使火热征集中"。安宁毫无兴趣，随意应了一声："哦。"

"嘿嘿，我们让毛毛去参加吧？如果她被选中了，做了学校的形象大使，那我校明年招生人数估计会下滑一半不止，以后上图书馆看书也清净点儿。"朝阳笑着随手拿起安宁桌上放着的一本书，"《外交概论》？你怎么看这种书？"

"嗯。"安宁已经走到饮水机旁，倒了水喝了两口。

沈朝阳翻了两页，刚要放下时又看到了什么重新翻回，"徐……莫庭？阿喵，这书不是你的呀？"

"唔，不是。"

"徐莫庭，这名字怎么有点儿耳熟？"

"姓徐的人蛮多的。"

朝阳忽然淫淫一笑："喵啊，这样是不行的，坦白从宽，抗拒从严！"

安宁投降："我从严吧。"

徐莫庭这边，在上了一堂就内容而言毫无用处的课程之后，回到宿舍放了东西，张齐看到他不由得一惊："你今天不是在外办吗？"

"过来办点儿事。"

徐莫庭做事一向低调，研一时已经在外就职，学校有事情他才会过来一下。"办事？学校出了什么大事我不知道吗？"

徐莫庭拍了拍他的肩膀："私事，与你无关。"

"哈，说起来你最近来学校挺频繁的，老大，这不像你啊——该不会真如程羽妹妹所说，你看中了咱们学校某个女生了吧？"

徐莫庭一笑："我不否认。"

徐莫庭听到手机上MSN中好友上线的提示声音。

Mortimer名下，只有一个联系人。

他看着对方的名字，李安宁。

他很早以前就知道她在这所学校里，回国一年，跟她在同一所学校一年，他不动声色，只是因为还没有把握。

这次呢？他不知道，他只知道自己无论如何也放弃不了，这么多年了，都无法做到将她真的忘记。

安宁再次见到徐莫庭是在三天之后的“形象大使”报名现场，沈朝阳跟她是被蔷薇胁迫来的，最后竟然是蔷薇吵着要参加这项比赛。至于毛毛，她表示最近物色到一枚帅哥，对其他事一概不感兴趣。而此刻，徐莫庭身边陪着的人是上次和她一起搬家的女生。远远望过去就觉得帅哥美女很养眼，徐莫庭正和那女生说着什么，应该没看到安宁。

安宁昨晚被表姐拉去玩了大半夜的游戏，困得要死，看报名的不少，轮到她们起码还要半个小时，此时李同学只想找处安静的地方眯一眼：“朝阳，我去外面坐会儿，你陪薇薇吧。”

沈朝阳昨夜亲眼目睹某喵打着瞌睡玩魔兽，于是大手一挥：“去吧！”

安宁刚出体育馆侧门，表姐的电话就打过来了：“我被吵醒了！”

“法老说，打扰别人睡觉会下地狱的。”

“你来执行吧，让打我电话的浑蛋下地狱。”

“我能执行今天早上就不起来了，以及，昨天晚上……”

“什么？”

“嗯……今天天气不错，我想睡一觉了。”

“你别是在暗示我我该下地狱吧？”

“事实上，我是明示。”

表姐大笑出来：“你这女人，行了，下次不拖你玩那玩意儿了。”

安宁笑道：“谢谢表姐大人开恩。”

“唉，谁让我是如此地爱你啊！”

“我也爱你。”只要你不半夜拖我玩游戏。

说完“爱”之后安宁挑了一张树荫底下的木椅坐下，闭目养神。

迷迷糊糊的她感觉到身边好像坐了个人，又迷迷糊糊地把头靠在了对方肩上。

安宁是被蔷薇叫醒的：“你怎么还真在这大庭广众之下睡着了啊？就不怕有人劫财劫色？”

安宁道："大家都是文明人。"

蔷薇顿时无语。

"朝阳呢？"

"去厕所了。"

朝阳跑回来的时候见一辆豪华跑车从她身边经过，不由得感慨万千："我一直想要经历一幕跑车180度转弯，停下，玉腿伸出来的场景——蔷薇你就实现我这愿望吧！"

蔷薇露出鄙视的神色："我连驾驶座的位置都没坐过一次，要是让我开，两人直接升天得了！"

朝阳呵呵一笑："我刚看到一帅哥，就是上次来老张课上要黑名单的那位。"

蔷薇疑惑："你上回不是说不过尔尔吗？"

"上次太远没看清楚，啧啧，近距离迎面过来，才知道什么是堂堂七尺男儿，玉树临风——安宁，你又错失良机，太可惜了。"

"哦。"

蔷薇搂住安宁的肩："咱们家李安宁同学才不是那么肤浅的人呢，见到帅哥就犯花痴，是不是啊？阿喵？"

安宁想了想："是的——是挺可惜的。"

蔷薇再次无语。

沈朝阳已经笑趴在安宁身上。

"形象大使"比赛报名过后，女生寝室各个角落一度传出练声的鬼哭狼嚎，用朝阳的话说是"实力啊"，用安宁的话说是"法老该下地狱"。

7

蔷薇记得首次对安安静静的阿喵同学印象深刻是在大一军训完了之后的那个周末，寝室里六个女孩去外面唱歌，当所有人都高亢激昂、深情嚎歌的时候，安宁小朋友依然正襟危坐仿佛古典仕女一般含羞带怯楚楚动人。于是她爬过去打算说一句，"大家都是同学，不需要害羞啊"之类的话，当时，安宁美人抬起眼睑，用政府公务员一般正直庄严而又优美动人的嗓音对她说了一句："来，给爷笑一个。"

那时候她们还没认识沈朝阳和毛晓旭。算起来，她跟安宁认识的时间算是最久的，大学四年，研究生又同班，虽然寝室分开了，但完全不影响她们的"交流"。所以近六年的同进同出让傅蔷薇深刻了解到，跟李安宁在一起，总有"惊喜"发生。

蔷薇一走进安宁寝室就看见毛毛跟朝阳围着阿喵在问史实。

毛毛用特有的大嗓门嚷着："我想写一个古代神话爱情故事，要华丽丽的。"

蔷薇笑道："新版嫦娥奔月？"

安宁说："后羿和嫦娥的故事发生在夏朝，那个朝代有点儿原始社会的感觉。"

"原始社会？不要不要不要！连厕纸都没有吧？！"毛毛拖长声音继续，"下一个！"

朝阳提议："商代。"

毛毛问："这朝代大致有多少年？"

两人对视一眼期待地看向安宁，安宁低叹："我不可能连这种事情都知道吧，我查下年表。"结果安宁google了半天夏商周断代史也查不出一个清楚的年表，"其实有一个人物可以用，商纣王，也就是帝辛，名字叫作殷受。"

毛毛大惊失色："受？！"

蔷薇喷了："好名字啊！"

安宁也笑了："以前我一直在想，当年帝乙怎么会给儿子取这种悲剧的名字，唔，可怜的娃，说起来，妲己是他的王妃。"

朝阳说："我突然想到一幕，妲己很亲昵地叫：'大王，受受……'"

毛毛"啧"了一声："这俩谁是受啊！？"

安宁笑道："殷受的爷爷叫子托，子托的父亲也是一个很有意思的人，他拉满弓，射过天，后来被雷劈死了。"

蔷薇乐了："估计大雨天的去举箭射天，结果成引雷针了。"

毛毛道："阿喵，你讲下后羿吧，我对他有点儿兴趣，大不了让他穿越到有厕纸的年代。”

安宁沉吟：“你要听正史还是野史？”

三人同时看她：“哪个比较有趣？”

安宁想了想：“正史是后羿被寒浞杀了，其实他的生平一点儿都不有趣，有趣的是，唯一可以被证实的就是他的老婆的确是嫦娥的原型，她是‘妻凭夫贵，鸡犬升天’的典型。野史是他射日触犯天条被煮了，差不多就这样。”

毛毛“唉”了声：“我觉得我还是继续看我的NP文吧。”

众：“……”

安宁手机响了一下，是短信：

在做什么？

讨论嫦娥奔月。

嗯，晚点儿我来学校，你没其他事情的话，跟我一起吃顿饭吧？

好啊。

然后，安宁发出去之后才后知后觉地注意到号码是陌生的……嗯……984932？谁啊？

蔷薇问：“阿喵，谁啊？”

“不知道。”

众人满头黑线，“不知道你也回得那么积极？”

“人家挺友好的嘛。”

蔷薇沉吟：“我有的时候觉得你挺邪恶的，怎么有的时候又看着那么单纯呢？！”

安宁微笑：“这样才吸引人嘛。”

朝阳“切”了声：“我就没见过比你还与世无争的人。”

那天晚上安宁按照对方发过来的“七点你楼下见”的短信，到了寝室楼下，安宁当时想到有两个可能，一是恶作剧，二是真的有人挺友好地打算请她吃饭。

于是，当李安宁七点整看到某道高挑身影朝她走来时，她惊讶于自己怎么就没想到呢，早知道就不下来了，不对不对，应该下来……也不对，不，要下来，谁让她回了“好啊”，诚信问题……可是，她跟他不熟吧？真的不熟吧？

当对方轻笑着跟她说了句 “久等了” 的时候，她下意识回了句：“不，不久等。” 唔，她一定是被色诱了。

8

那天，安宁跟在徐莫庭的身后，离他一尺远的地方小心翼翼走着，然后走了大概十米远，他侧身对她说了句：“如果你想看我的背影，我不介意，但是，我更喜欢你走在我旁边。” 安宁却在想，原来真的有人可以笑起来熠熠生辉。

最终某人犹豫地走到帅哥身边，徐莫庭放慢脚步，他微抬手的时候，安宁心口不禁一跳，然后，他把左手插进了裤袋里，唔，她以为他会牵她的手，某人无比惭愧地低下头。

走了一会儿，安宁又觉得不自在，她是习惯走人右边的，可是，如果现在再绕过去会不会看起来很傻呢？

他偏头看她：“什么？”

他的敏锐度有必要这么高吗？“我叫李安宁。” 似乎还没有跟他说过自己的名字。

“我知道。”

知道？好吧，她的名字可能已经在黑名单里了。

“那个，我随便问问的，你跟其他女生出去吃饭的时候——”

“我以前从未跟女生出去吃过饭。”

“咦？那我上次还看见你……” 她想问的不是这个吧？她想问你跟其他女生出去吃饭的时候习惯走哪一边，然后她可以含沙射影地道出自己喜欢走右边。

“徐程羽是我堂妹。” 他一顿，然后隐约笑了一下，“所以，你不用担心。”

我没担心啊，安宁绝望地想着，完了，误会大了。

“想吃什么？”

“青菜面。” 说出口后她才发现好像寒碜了点儿，不过，她的确想吃面条。

他又笑了，似乎得出一个结论："你很好养。"

这算是夸奖吗？

"唔，我能问下，你为什么要请我吃饭？"

徐莫庭面不改色道："谢谢你借我卡借书，以及，谢谢你帮我找到了那本《外交概论》。"

"哦……但那本书，你还是没拿回去。"

对方淡淡答："嗯，送你了，留作纪念吧。"

"……"作为什么的纪念啊？

两人到了学校后面的一家面馆，人不多，但安宁进去就遇到了认识的人，江旭看见她便上来打招呼："真巧，你也来这边吃饭啊？"

"嗯，我来吃面。"

"……"

江旭这时也看到了她身后站着的徐莫庭，不由得一愣，脸上有明显的讶异，最后转头对安宁说："那不打扰你们吃饭了，我里面还有朋友在，回见。"走开时又补了句，"代我向薇薇问好。"

"好。"

徐莫庭说："你找位子坐，我去点单。"

安宁一坐下，表姐的短信便发了过来：啊……多么销魂的一天！今天弄了一天的图纸都得重画，让死机来得更猛烈些吧！！

安宁：荀子说心胸要宽广。

表姐：姐都D 杯了，还不够广哪？！说一句安慰的话吧。

安宁：……广。

表姐：……

徐莫庭过来时手上拿着两罐饮料，他将一罐橙汁递给安宁，他喝的是雪碧。

"呃，雪碧还是少喝的好。"

徐莫庭看着她，笑了一下："我很少喝。那边没什么好买的，随便拿了一罐。"

"哦……"你干吗要多管闲事啊李安宁，他看你的眼神就像是在看……看管家婆？

等面的空当，安宁听到隔壁桌的两名女生谈话，不是偷听，因为她们讲得很大声。

“最近新下了一款游戏，发现里面好多武器是专打脸的。”

“打人不打脸啊！”

“我男朋友的武器是一块纯金圆盘，投掷系的。”

“很强大吧？”

“这就要看他扔的是一块还是一堆了。”

“一堆纯金？你男朋友真是有钱人啊，话说回来，圆盘应该可以回收吧？”

旁边一直插不上话的第三名同伴笑出来：“回收？难道扔出去，不管中不中，跑去捡回来，再扔，再捡……”

男友武器是纯金圆盘的女生耸肩：“反正他有钱啦，捡不回来也没事儿。”

安宁默默扭头，刚好对上徐莫庭的眼睛，他似乎也听到了，于是浅笑着：“怎么了？”

鉴于他们离旁边桌太近，安宁只好俯身过去对他说：“按金庸的逻辑，用奇怪兵器的人都不是主角。”

他似乎有一瞬的停顿，也不知是因为她的话还是她的接近。

而安宁此刻想的是杨过那把玄铁重剑，剑重一百二十公斤，力压千钧，其实也挺诡异的吧？

面条上来后，在安宁同学低头吃面条的时候，有人走过来叫了声徐莫庭：“你今天在学校啊？！”

莫庭已经起身：“过来交点儿东西。你呢？”

“学生会有点儿事情要处理，一群菜鸟，什么事儿都干不了，哥都退出学生会一年多了，还不让我省心。”对方看到徐莫庭对座的李安宁，不由得多瞄了几眼，倒也没多说什么，“对了，我一直想问你来着，近期学校有个‘形象大使’的比赛，你能不能抽空做一下初试的裁判？”

安宁不由得拉长了耳朵听，因为蔷薇报名参加了这个活动。

“我可能没时间。”

耶？安宁抬头望着他，答应吧，这样她就可以走一下后门了，呃，不对，走后门关系要很好才行啊，要不送个礼啥的？

徐莫庭好像又感受到了她的“意念”，侧头问了她一句：“怎么？”

这人其实是神吧？

“不如，你做一下裁判？”

安宁坚定忽视那位中途过来的陌生人投注过来的视线以及意味深长的笑容，反正……那位当事人大概早已经误会了。

然后当事人笑着回了陌生人：“初试的裁判吗？可以。”

安宁沉吟，她可不可以也误会一下他喜欢她呀？

9

晚饭后被人谦谦有礼地送回，安宁顾盼自若地说了声“再见”，对方也很君子，回了句“晚安”。

安宁走进宿舍，听见毛毛在说：“不想相亲，我要邂逅，纯天然的，像路口、咖啡店、飞机上。”

朝阳说：“如果你在咖啡店或者飞机上看见一个符合你要求的人你想怎么做？萍水相逢而已吧。”

毛毛兴奋道：“这种时候我YY得不知道多熟练了，当然是看准角度、风向，算准速率，唯美地撞过去啊！”

安宁点头：“原来如此。”

毛毛笑道：“当然旁边一定要有你在啦。”说完勾住刚进门坐下的安宁。

朝阳疑惑了：“如果那人在吃东西，然后因为你冲过去而毁了他一身的阿玛尼被人家怨恨、讨厌了怎么办？”

毛毛说：“所以我说旁边一定要有喵在嘛。”

安宁问：“给你付干洗费？”

毛毛道：“被怨恨、讨厌了由你来挡，当然，被喜欢了就由我来给他洗衣服啊，哈哈哈哈，生活真美好啊！”

朝阳直翻白眼：“是YY真美好吧？”

“总的来说就是‘被仇视了阿喵上，被看上了我上’，当然如果安宁看中了想接手也可以，我去物色新猎物，男人啊男人，一整个飞机呢。”

其他两人无语。

“对了，阿喵，你刚跟谁去吃饭了？”朝阳问。

“嗯……蔷薇呢？”

朝阳摇：“太明显了吧，转移话题？”

安宁微笑：“被看出来了呀？”

毛毛问：“明天谁陪我去爬江泞第一大山？上面有道观哦，我们可以参佛，求男人。”

朝阳鄙视：“毛晓旭，你真的很猥琐。”

“我明天要回家。”安宁想着要不要告诉毛毛，进道观参佛，结局一定不会乐观。

“朝阳，你呢？”毛毛问。

“不去，我进道观会控制不住情绪。”然后沈某人遥想当年，“三年前的一个春天，我顶着感冒跟同学去白云观玩。一进大堂，看到案上供的是菊花……我当场就囧了，然后上二楼，供的是玉帝王母，结果案上是百合……然后旁边俩小厅，供西王母和东王公的，分别也是供菊花和百合。问题是，西王母身边是女童，配以百合，东王公身边是道童，配以菊花。最后我笑得太厉害没控制住喊道：‘啊，真相啊！’因为太大声，结果悲剧了！当天就感冒加重，失声……有此珠玉在前，导致我后来一进道观就怪笑不已。”

毛毛也跟着大笑起来：“世界大同啊。”

安宁低叹：“子不语怪力乱神。”

被无视掉。

这天，安宁在洗澡的时候毛毛来敲门：“阿喵，你电话响好久了，要不要给你递进来啊？”

“你帮我听一下吧。”

于是，一分钟之后，毛毛猛敲门：“是男的！我跟他说你脱光了在洗澡，他说他等会再打过来，我说要不我跟你聊聊啊，他婉言拒绝了，顺便说一下，他说他姓徐。”

下一秒安宁拉开了门，脸上红扑扑的：“你……跟他说什么了？”

“要不我跟你聊聊？”

“上面一句。”

“你脱光了在洗澡。”

安宁呻吟：“毛毛，我再也不要理你了。”

结果是那天到睡觉前安宁的手机都没再响起过，她不知为何倒小小地松了口气。

隔天一早，安宁去学校后门坐公交车回家，然后碰到了……徐莫庭。

对方靠在站牌边，一身休闲装束，因为身材好所以整个人看起来特别的英挺。安宁望着这道侧影，心里有些为难，她要不要走近然后说声早安什么的呢？可是，她跟他好像又没什么特别的“交情”……纠结，然而安宁的纠结没持续太久，因为徐莫庭看到了她。

于是某人努力装作偶遇的样子，事实上就是偶遇吧？走上去腼腆地笑了笑：“你也来这边等车啊？”

徐莫庭站直了身子：“不是，我等你。”

“……”

“你室友说你今天回家。”

他不会是来送她的吧？

事实证明他的确是来送她……上车的。

然后，安宁第一次在公交车上没有去验证五十分零七秒这个数字的偏差，一路上都在想……徐莫庭。

中午在家跟母亲大人吃饭的时候不知怎么聊到了“对象”这一话题，李妈妈的意思是：“闺女啊，你也不小了，是不是可以找个男朋友来处处了？”

“我才二十四岁。”安宁很乖巧地一笑。

“我二十四岁的时候你都会叫我妈妈了。”

“嗯……那您希望自己四十五岁的时候有人叫你奶奶吗？”

“……你还小，再等两年也行。”

在帮妈妈洗碗的时候安宁心想，如果她一辈子都不结婚会不会很不孝呢？也许爸妈离婚的事情并没有给她带来太多的伤害，不过，沮丧和难过还是有的。

第二章

后援团

1

晚上安宁和母亲大人聊了会儿天，蔷薇线上找她，李妈妈也有点儿困了，打着哈欠跟女儿说了句“早点休息”就回房去了。

蔷薇：又在看旁门左道的东西？

安宁：在吃零食。

蔷薇：胖，努力胖！

安宁：我吃的是花粉，貌似是减肥的。

蔷薇：干吗吃这种东西？！乖，快去吃肉，去，去去！

安宁：下午的时候看到一位老太太背着一大袋蜂蜜啊花粉啊什么的在我们小区里面卖，我看她大雨天背这么重的东西不容易，就买了一罐蜂蜜一罐花粉，买了当然得吃，浪费不好。

蔷薇：啧，讲正题，江旭今儿跟我说了件事，他说昨天晚上看到你跟个男生出去吃饭了。

安宁：师兄好眼力。

蔷薇：他说那人是外交学系的，一个神龙见首不见尾的人物。我说你什么时候招惹了这么一个人物啊？

安宁：嗯，我也在想，什么时候呢？

蔷薇：……算了。下周二比赛，你觉得我应该唱什么歌？

安宁：《两只蝴蝶》？

蔷薇：再配以扭一轮秧歌？我说你能不能认真点儿建议啊？！

安宁莞尔地看着对话框里跳出来的一排凶狠表情，晃眼瞄到书桌上的手机，犹豫着拿起……

“你喜欢听什么歌？”

安宁发出去后才觉察，她这样算不算套裁判的话呢？

她正决定无视前一刻的行为，结果对方直接来电，于是心惊肉跳地按下通话键：“……喂。”

“还没有睡？”他的声音在电话里听起来有些低沉，又带着点儿轻轻柔柔的味道。

“嗯，正要睡。”

对面传来一道低柔的女声，他说了句“稍等”，安宁想其实“再见”也可以的。在“稍等”中看群里蔷薇跟毛毛聊天。

蔷薇：“Spice girls hot，spice girls hot，spice girls spice girls hot hot hot！”

毛毛：= =!

蔷薇：哦？你看懂了啊，我还以为要给你翻译呢。

毛毛：= =！这个符号代表我不明白。

蔷薇：不明白啊？

蔷薇：辣妹子辣，辣妹子辣，辣妹子辣妹子辣辣辣！！

毛毛：= =!

蔷薇：我去，中文的也不明白啊！

安宁笑出来，电话那头的声音这时传过来：“你是不是申请了学校的专项学术研究？”

安宁微讶，他怎么知道的？她昨天才到导师那里填写的申请表，目的是为了多拿两个学分，多学一分知识，多掌握一些经验，呃，简言之，就是为了少上一堂课。

安宁心虚而又正直地回答："嗯，为了多学点儿东西。"

"找到合作的人了吗？"对方打断了她的话。

"有两个同学跟我一起。"

徐莫庭略沉吟："我知道了。"

知道什么？安宁无知了……

"你有什么要跟我说的吗？"对方轻声问。

"没……"

徐莫庭"嗯"了声："那好吧，你早点儿休息，如果你有话想跟我说，随时可以给我打电话，我不关机。晚安。"

"晚安……"

后来跟表姐聊天，安宁问：有没有可能……一个长得很好看又非常聪明的人……中意我呢？

表姐：不大可能。

安宁：……

表姐：除非聪明反被聪明误。

安宁：……

安宁周日下午返回学校，一进寝室门就被蔷薇拉出去买衣服。

她们一帮人中最不能逛街的就属安宁了，逛半小时就喊累，不会还价，还时不时给乞丐零钱，导致她们自己没零钱坐公交车回去。不过，蔷薇无奈地想，她还是最喜欢带安宁同学出去的，因为讨喜。

蔷薇问："你觉得我穿这件好看还是那件好看？"

"都……"

"都好看啊？"多么讨喜的孩子，蔷薇想。

都差不多……安宁想。

逛了半小时后，安宁揉着膝盖说："薇薇，我脚好酸，能不能让我先坐一会儿？"

蔷薇今天心情好，于是大方开恩："坐吧。"

安宁刚找了店里的小沙发坐下，就见有人推门进来，很巧的是同校同学，而安宁之所以会认出来，是因为上次在图书馆里跟她们说过一句话。

进来的两人第一眼就看到了在镜子前左右摇摆的蔷薇："真是冤家路窄。"

蔷薇回过头来："哟，原来是江旭的学妹们啊。"

彼此一番两看两相厌之后，各自看衣服，之后那两个后进来的女生开始聊天："其实衣服这东西还是要人来衬的。"

"人不好看穿什么都像套麻袋。"

"你说这么老了还参加什么'形象大使'活动啊，我们大二大三的玩玩还差不多。"

"有些人就是不知道什么叫'自知之明'。"

蔷薇转身："说谁呢你们？"

瘦点儿的女生说："我指名道姓了吗？不过，你自己想要对号入座我们也不介意。"

安宁起身走到蔷薇身边，疑惑地问了句："薇薇，她们跟我们不是同龄吗？我以为是同年级的或者是学姐呢。"她是真这么觉得的。

蔷薇一愣，狂笑出声！

而那两个女生脸色一白一红，随即认出安宁："你不就是——"

瘦的女生的话说完整了是：你不就是上次冷了我们的那人吗？

胖点儿的女生的话说完整了是：你不就是上次我去报名时看到的跟外交学系的男神徐莫庭靠在一起的女生吗？

两个女生最后灰溜溜地走了。

终于买完衣服，安宁跟着蔷薇走进市区的一家中式餐厅，蔷薇目不斜视地冲到一张视野极好的靠窗位子坐下，伸手："Taxi！"一愣，"错了，Waiter！"

安宁一瘸一拐地跟过去入座："我请客吧!"

"为什么？今天应该是我犒劳你才对。"

安宁笑道："等会儿吃饱了你背我回去。"

蔷薇瞪眼："你走出去随便一喊，很多人愿意背你的，姑娘。"

"可是我怕生嘛。"

“喏，熟人来了。”蔷薇低头看信息，“毛毛说要请我们吃甜点，虽然我个人觉得她都胖成那样了就不能吃点儿咸的？”她刚放下手机又有电话进来，一看名字，顿时心花怒放。

蔷薇一接起就眉开眼笑道：“江师兄啊，对，对，在吃饭呢，你看到我们了啊？你在附近？！这么巧，那过来一起吃吧？”

于是十分钟后，安宁再一次和江旭面对面吃了一顿饭。

吃饭期间江师兄关怀地问了她两个问题，一：“不介意我跟薇薇一样叫你安宁吧？”

“嗯……薇薇极少叫我安宁的。”

二：“你认识徐莫庭啊？”

“认识。”

江师兄沉默了，转头和薇薇交谈起来。饭后江师兄叫了出租车送她们回学校，说他还有事情不回去，但给她们先付了车费，只多不少。到学校后去宿舍的路上，蔷薇一直无休止地念着：“我的罗密欧啊，哦，我的罗密欧……”直到安宁止住脚步，蔷薇斜眼看她：“咋啦？”

“毛毛……”

二号食堂门口，此时毛晓旭正手举一张纸板，上写“十七大精神总结”，被进出食堂吃饭的人围观。

“同学们，今天我毛某想从十七大报告出发来谈谈我校饮食工作需要改进的几个地方。

“在十七大上，主席指出，这次大会的主题是高举中国特色社会主义伟大旗帜，以邓小平理论和‘三个代表’重要思想为指导，深入贯彻落实科学发展观，继续解放思想，坚持改革开放，推动科学发展，促进社会和谐。

“我校的食堂工作，长期以来以‘为人民服务’为宗旨，积极开发新的菜品，以稳定的品质服务于师生，为江大的教学、科研活动提供了坚实的后勤保障，可有些方面依然做得不足啊，所以为了更好地建设和谐社会，贯彻党的十七大精神，我向学校饮食部门提出以下建议：一、食堂的面量好少！能不能增加一些？二、可否在食堂仍然提供鸡肉和牛肉食品？以素鸡代替鸡不是长久之计。

“我希望学校能够以贯彻落实科学发展观的决心，增加面量，恢复鸡肉和牛肉的供应，合理定价，走一条可持续发展之路！”

蔷薇默念：“我不认识她，我不认识她……跟我们没关系，跟我们没关系……”

毛毛又说：“在这里我顺便提一下，这周二我朋友傅蔷薇要参加学校的‘形象大使’比赛，傅蔷薇，研究院物理系十班，我朋友！希望大家多多支持，多多投票！”

蔷薇仰天长啸：“嗷，让我死了吧！”

安宁笑道：“薇薇，出来混，总是要还的。”

“咳咳。”身后有人似乎非常君子地忍住笑轻咳了一声，安宁一回身便愣住了。

他看了眼五米外人形圈的中心：“你同学？”

可不可以说不是……“嗯，室友。”

“刚从外面回来？”

“嗯。”

“我也刚过来，陪我走走？”

如此高风亮节风度翩翩，可是，她能不能说不啊？

此时蔷薇正震惊地看着他们！

安宁一时无语。

徐莫庭微微扬眉：“怎么？”

安宁说：“走吧。”

蔷薇惊呆了。

2

安宁那天出去陪走，其实没怎么走，对方见她腿脚不便，就选了一家校内的餐厅入座。

这家位于学校休闲区的中式咖啡店，说它中式是因为里面提供各类中式菜式，包括蛋炒饭、牛肉面、砂锅等，她以前跟毛毛来过一次，回去之后，毛某人在校园论坛上发过一则“关于休闲街祥和咖啡店牛肉面之警示录：一、请自带牛肉！二、大碗是指碗的直径，与面无关！”

安宁想，毛毛喊着要减肥其实是喊着玩的吧，一直以来……

“笑什么？”徐莫庭看着她浅笑。

嗯……我有笑吗？安宁正直而严谨地望回去。

对方咳了一声，手搭放在唇畔，心中沉吟：怎么会，竟然还会紧张？

徐莫庭说：“叫饮料吧？”

“呃，我可不可以喝纯净水？”

莫庭叫了咖啡和纯净水，然后安宁喝着水恍惚想到一个关键问题，我来干吗的啊？

或者说，他们到底是在干吗啊？

正想说点儿什么，对方手机响了，他拿起来听了两句，挂断后对她道：“有两个朋友要过来——”

咦？“那我先——”

“你见一下吧。”

“……”

来者是徐莫庭的室友张齐，及他的女朋友。

张齐一来就对安宁上上下下左左右右打量了一番，最后笑着对莫庭说：“漂亮！”惹得旁边女友啧啧摇头。

“坐吧。”徐莫庭指了指对面的位子。

自我介绍之后，张齐的女友对安宁说了句：“名如其人。”

张齐笑了笑，跟莫庭说正事：“林教授那边你打算怎么答复？他让我来当说客呢。”

徐莫庭说：“我会考虑，但基本不会答应。”

“呵，让你说出肯定的话，可不比登上喜马拉雅山再刻上一个‘到此一游’容易多少。”

这边张齐女友跟安宁聊了一会儿后，问：“你不是我们系的？”

“嗯。”

张齐女友挺喜欢这姑娘的，秀秀气气，有点儿文弱的样子——她大概有保护弱者的倾向。

“你也是研究院的，什么专业？”

“应用物理。”安宁想了想还是说了一句，“其实，喜马拉雅的山顶终年覆雪，刻不上字的。”

正跟徐莫庭说话的张齐停下来，一时无语。

张齐女友大笑出声：“她可真是可爱。”

呃，她要不要说声谢谢呢？

张齐女友对她说：“咱俩换张桌子聊吧？让他们谈事去。”

安宁无所谓，刚要起身，徐莫庭伸手轻拉住她：“不用，坐这就好。”

在对面两人面面相觑的眼神中，安宁莫名其妙红了脸。

这天他送她回宿舍，安宁有些迷迷糊糊，因为他一直牵着她的手，到了她宿舍楼下他跟她说：“上去吧。”安宁愣愣点头，直到进了寝室门才彻底回神，确切地说是被吓回了神。

朝阳：“阿喵！”

蔷薇：“喵！！”

毛毛：“喵！！！”

一片猫叫声……

“呃，春天来了吗？”

蔷薇呻吟：“我本将心向明月，奈何明月照沟渠，坦白从宽，说！”

“说出事实真相！”

“男人！”

安宁一头黑线：“容我想想。”走到床边坐下，她今天脚酸死了，“应该是妲己暗恋伯邑考，但是伯邑考身为文王长子，无心情事——”

“什么东西？”

“别转移话题！”

“男人！！”

安宁无辜：“我本将心向明月，奈何明月照沟渠，这句话是妲己对伯邑考说的。”

“……”

众人就这么看着阿喵转移了话题后倒在床上。

后来安宁跟表姐MSN聊天。

安宁：我今天跟一男生手牵手了。

表姐：哦。

安宁：没什么要说的？

表姐：人如果没欲望，那和咸鱼有什么区别？

意思是她以前是咸鱼吗？还是现在依然是咸鱼？安宁纠结了。

3

安宁纠结了一天一夜，直到隔日一成语冲进脑子，“咸鱼翻身”，豁然开朗！中午开朗的某喵还有点儿心情围观班级的群聊了。

甲君：我前天回家我家狗狗竟然不认识我了！这才分开多久啊？！死没良心的！

朝阳：唉，毕竟不是亲生的啊。

蔷薇：有AV吗？

乙君：我昨天在食堂吃饭，吃了白菜和冬瓜，真辣啊，是不是他们换了四川籍的大厨？怎么也不事先通知我们一声呢？

丙君：我说你就不能先用眼睛看看上面有没有辣椒？

蔷薇：有AV吗？

甲君：墨西哥那边猪流感复发，是不是咱们又不能吃猪肉了？

毛毛：那就改吃素呗，反正最近我也刚好信佛中，哈哈哈哈！

朝阳：中国跟墨西哥隔了太平洋，传过来还早着呢，吃吧！

丙君：某阳，你不知道猪也可以坐轮船吗？

蔷薇：有AV吗？

……

甲：蔷薇，你明天不是要参加那个什么“形象大使”比赛吗？怎么还有时间看AV啊？

乙：就是，好歹你也是咱们研究院的代表，别第一轮就给刷下来了啊。

丙：免得大学部的人老说咱们年老色衰，喵的！

乙：这么一说……阿喵同学在不？

朝阳：刚还在，这会儿去玩ikariam了。

甲：说到这个web游戏，义愤填膺啊！我玩的时候不小心惹到一个睚眦必报又死缠烂打到极致的家伙，没事就堵我，一天攻击我七八次，我都被折磨得没心情玩了——我就不明白了，现在玩网游的都这么渣吗？！

朝阳：遇人不淑而已，也或许是相爱相杀。

毛毛：都十一点了呀，怪不得我觉得我肚子小了一圈！走吧走吧，都吃午饭去吧！

突然间，N多人涌上来：

还早呢！

还没有人回答傅同学的问题啊！

蔷薇的后援团是庞大的。

朝阳转头问安宁："薇薇她是故意的吧？"

安宁已经关掉游戏："嗯……本意。"

她看到线上"Mortimer"的头像亮着，然后看着看着，突然"啊"了一声，M……t……莫庭？安宁颤颤巍巍地打字过去：徐莫庭？

对方回过来：嗯。

"……"

安宁百感交集，在"你怎么不说明啊"和"你逗我啊"中左右为难，最后回了一句：好巧啊。

电话响起，正是徐莫庭，安宁接通后他便说："一起吃午饭吧？我到楼下等你。"

他们什么时候成彼此的吃饭对象了？

正想推拒一下，对方问："十分钟后可以下来吗？"

"……可以。"

于是，阿喵怀着复杂的心情下楼吃午饭了。

后面有人喊："阿喵你要出去啊？那我们就不出去了啊，你回来的时候记得带外卖！"

"……"

"形象大使"比赛当天，也就是隔天，安宁早上有两堂选修课，所以当她赶到文体中心时，比赛已经开始了，现场人潮汹涌，果然食色性也，人之大欲存焉，想她当年参加力学竞赛时来看的人不过二十，其中包括八名参赛者，同样是校级比赛，却是天差地别啊。

安宁给朝阳打电话，得知她们在里面了，门口里三层外三层站满了人，好不容易挤进去，望见毛毛在中间的位置占了地，之所以安宁能这么迅速地找到组织，完全是因为毛某人今天的一身上红下绿，鲜艳得扎眼。

朝阳见安宁过来就说：“刚有人唱了曲《江山》，又不是春节晚会，搞得这么老年化干吗？”

毛毛答：“个人爱好吧。”

朝阳“哈”了一声：“那我一定唱一首《东方不败》！”

安宁问：“蔷薇第几位出场？”

“倒数第三，也就是说我们要熬到最后了。”

毛毛眼睛一直盯着某个方向没转开过：“还好啦……看评委席吧，左边第二个，虽然只是一道背影……呵呵，呵呵呵！”

朝阳寻思：“刚我就在想这人有点儿眼熟，现在想起来了，不就是上次来班里要黑名单的那帅哥嘛，顺便说一句，毛毛，你的笑声太淫荡了。”

安宁抬眼望去，舞台下面第一排上的某个人，英挺的背影，一副正派的感觉，他应该是一个意志坚定、严谨又条理分明的人。

安宁沉思：后门一定很难走吧？

下一秒安宁就收到一条信息：“要走后门吗？”

徐莫庭的手机被盗了吗？“你是？”

这次对方好一会儿才回过来：“徐莫庭。”

安宁似乎看到了对方犀利沉毅的眼神，唔，弄巧成拙了，第一次走后门就出师不利。

于是某人按照自己的贿赂模式乖巧地发过去一条：“我送你礼物吧？你想要什么？”

“晚上陪我吧。”

不会想歪的人不是人，安宁石化了。

毛毛的声音传来：“他侧着脸，手搭在嘴唇边的样子真性感啊！”

朝阳一惊：“你哪里弄来的望远镜？”

毛毛心无旁骛地看帅哥中。

两小时后，蔷薇上场："有人问我为什么这么'老'了还来献丑，没办法，我就是爱献！人生就像一盘磁带，出生，求学，毕业，工作，生子，老死，一路快进，为什么我们不在这最有活力的年月里及时行乐，想做什么就做什么？所以，问我这个问题的人纯粹是没事找碴儿欠抽的！Well，接下来这首歌我要献给我们研究院的同仁，物理系的同胞，十班的兄弟姐妹，两个寝室的六位姑娘，我最爱的阿喵同学！《为了遇见你》，谢谢。"

浩瀚星海中
坚持一种梦
你手中的温暖
我好想触摸
茫茫人海中
我与谁相逢
你眼中的温柔
是否一切都为我
为了遇见你
我珍惜自己
我穿越风和雨
是为了交出我的心
直到遇见你
我相信了命运
这未来值得去努力
为你……

第三章

同学会

1

蔷薇晋级初赛，在意料之中情理之外，她唱歌本来不差，但作风不够正统，在热爱党热爱江大的横幅下其实是应该被刷掉的，但是一位裁判说了：“我喜欢猫科动物，所以，你唱得不错。”

在六成人不明所以、三成人不明所以的“帅啊”和一成人“果然外交学系的老大就是高深莫测”的感慨中，观众热烈鼓掌！

蔷薇下来的第一件事是对后台还未出场的二人之一，就是上回买衣服起了冲突的其中那位胖点儿的女生微微一笑说：“实力，是检验真理的唯一标准。”

“傅蔷薇，有意思吗？”

“有意思啊，我正等着你上去验证另一半呢。”随即她哈哈大笑晃出帘幕。

据傅某后来描述当时的感觉：宛如天堂。

总而言之，蔷薇很嘚瑟，更让她嘚瑟的是她曾以为安宁跟某个人物之间有猫腻，没想到，果然有猫腻！

跑回台下研究院地盘时傅某人得到了热情的欢迎："蔷薇啊，出息啊。"

蔷薇谦虚："没没没，实力而已。"

"可是阿薇啊，为什么你没有说到我啊？为什么你只说到阿喵啊？为什么啊？！"受冷落的同学问。

蔷薇笑着搂住一旁正帮朝阳调试相机的安宁："自然是因为阿喵同学最讨喜咯！"

此时舞台上，被蔷薇刺激了的女生正在唱《一个人的精彩》，而一心一意瞄着舞台下的毛毛发出一道惊疑之声："咦？他要走了吗？！"

只见徐莫庭朝旁边的一位老师微点了下头，起身一手插裤袋一手拨着手上的手机从最前门走出了会场。

朝阳嘿嘿一笑："估计去给女朋友回短信吧？"

蔷薇沉吟："怎么走了啊？不是——"下意识瞄某人。

这边安宁调试完焦距抬起头，手机响了，是短信。

"临时有点儿事情，我明天过来。"

"阿喵，相机好了吗？"朝阳朝安宁挥手，"发什么呆呢？"

安宁不知怎么脸有点儿红红的："我明天要请假回家。"

初赛结束，进入决赛的傅蔷薇请大伙儿去吃了顿火锅。

而安宁第二天真的请了"事假"回家了，其实她确实有事情，母亲大人前段时间跟她说身体偶感不适，她就一直想什么时候陪着母亲去趟医院检查一下，择日不如撞日，就这天了。

在李妈妈跟主治医生聊天时，安宁百无聊赖地拿手机上网浏览古埃及的资料，正在公元前27世纪游荡时，有人叫了她一声。

在这种地方居然会遇到高中同学，有些诡异。

"你是李安宁？！"对方也很诧异，"好久不见啊。"

安宁微笑中。

“我们以前是同桌，虽然只做了一年的同桌，但你不至于真不记得我了吧？”

呃，真没什么印象了。

“你借给我五十块钱我至今没有还呢，哈哈！”

这个……真忘了。

一轮寒暄之后，对方要了她的手机号码：“有空多联系啊。”

“好。”安宁想，其实估计以后不会怎么多联系的吧?

没想到就在她回学校的第二天，这位同学便给她拨了电话，说是周末在某餐厅开高中同学聚会，让她去，是组织已久的。

这下不止意外了，这种同学聚会该有多生疏啊，安宁反应过来，想说她可能没有空，也是实话，刚申请的学术研究批下来了，他们组她负责找资料，她要一马当先，结果她刚要开口，对方甩过来一句：“李安宁啊，你都消失五六年了，怎么说也得来一次吧？”

“……”

“阿喵，过来看照片。”朝阳在位子上唤她，“没想到蔷薇还挺上相的，不错不错。”

毛毛叹息：“可惜帅哥只拍到了背影。”

安宁挂断电话走过去看了一眼：“嗯……”

朝阳问：“不错吧？”

“可惜。”

“……”朝阳问，“你刚跟谁通电话呢？一副纠结的模样。”

“高中同学，说礼拜六要聚会。”

毛毛道：“聚会？去！不吃白不吃啊！”

“我是答应了，只不过……”一直不怎么习惯触及往昔，高中，是父母离异时她最难过的一段时期。

周六当天安宁还是应约到了那家酒店门口，看到两名男生站在外面迎客，有点儿面熟，不过已经叫不出名字，跟记忆中的模样相去甚远，染着头发，穿着夹克，其中一人的手上还夹着一根香烟，安宁不由得感叹当年的少年如今都长大成人了。

两人看到她有点儿惊讶，其中那位抽烟的男同学亲自领她到了包厢里，中途挺犹豫地说："你大概都不记得我了吧？"

安宁尴尬，的确不记得了："对不起。"

对方笑起来："你还真是没变多少啊。"

包厢里已经有十来个人了，有人看到她进来就"咦"了一声："李安宁啊？"

上次在医院里碰到的那人站起来笑着说："我了不起吧，竟然把我们班的乖乖女也请到了！"

站门口没走的男同学接话："了不起了不起。"引得不少人笑了。

这次聚会还是跟隔壁班一起办的，安宁记得高中时一个班级是三十多个人，今天一共来了二十五位，不错了。不过开始时大家都蛮拘谨的，偶尔搭一两句话，更多的是跟旁边的人低声细语："哎，刚那是谁谁谁吧？都认不出来了。"

正式上餐桌吃饭的时候，大家倒都放开了，笑着交换着各自的信息，谁谁谁读研了，谁谁谁工作了，谁谁谁出国了，谁谁谁结婚了。

"李安宁，你怎么不说话啊？"有人朝她敬酒，安宁拿起果汁回敬。

"我们李同学就是这么文静啊。"

安宁乖巧微笑，淑女形象无坚不摧……

坐在她旁边的副班长幽幽地说："想当年啊，追你的男同学，包括我，你都给了好人卡，唉。"

咦？有这么回事吗？她完全不记得了。

这时候隔壁班的一位男同学过来向副班长敬酒，副班长现在在日本留学，于是这位同学一脸色狼相地问："能不能给我带点儿光碟回来呀？"

副班长认真地回答："嗯，不过都挺贵的，要一两百块一张。"

"哎呀，再不买就来不及了啊！你看，武藤兰死了，饭岛爱也死了，难得松岛枫复出了。"

安宁说："呃，武藤兰没有死。"

男生摆手："死了，死了的！"

"那只是网络上的谣言，后来她正式出面辟谣了。"

世界瞬间暂停了，那男生满脸惊疑地问："你怎么会知道这些的？"

……蔷薇说的。

这时有人推门进来，安宁听到副班长唤了一声：“徐莫庭。”

现在是什么状况？他跟她是高中同学？

安宁看着徐莫庭与人打招呼，文质彬彬、斯斯文文，刚跟副班长要光碟的男同学则雅痞地一手搭到了徐莫庭肩上：“老同学，好久不见啊。”

所以，他是隔壁班的？

她竟然一点儿都想不起来了。

“我记得上星期是你来找我通知我的。”他的声音低低的，好像有点儿感冒了？

那男生呵呵收回手：“忘了老大不喜欢跟人勾肩搭背了。”

徐莫庭但笑不语，走过来拉开安宁旁边的一张空座位坐下，他似乎没有注意到她。

副班长递给他一罐啤酒：“你能来真不容易啊。”

“有空就来了。”他晃了晃手上的啤酒，拿起右边的一杯果汁喝了一口，坐在一旁的安宁赧然：“那个，是我的杯子。”

徐莫庭侧头，轻声问：“是你的又怎样？”

“……”好吧，他是老大，安宁识时务地说，“请慢用。”

离他们最近的副班长看到这一幕，不可置信地瞪大了眼睛：“徐莫庭，你欺负女生？！”

这音量以及内容立刻引来不少注视。

徐莫庭微扬眉，但还没等他开口，旁边的姑娘已经解释：“没没，他没有欺负我，我自愿的。”

“……”

什么叫越抹越黑，这就是了。

安宁意识到之后恨不得钻桌子底下去，为什么每次碰到他就这样啊？鄙视自己！

“我们中年龄最小的应该是李安宁了吧？”之前带她进来的男生岔开话题帮忙解围。

安宁感激地瞟过去一眼，旁边的徐莫庭仿若有些漫不经心，食指有一下没一下地轻敲着玻璃杯。

“我记得安宁是比我们小上一两岁。”副班长惆怅回忆，“我当初对她的‘八六年’一直耿耿于怀啊，比我小竟然还每次考试都超过我！”

安宁非常不好意思地低下头：“我尽力了。”

副班长一愣，明白了她的意思，她尽力了，尽力考得差了，他开玩笑地说：“我不活了！”

这一出闹下来，去了生疏，气氛好了，聊的话题也开始百无禁忌起来，期间不乏荤笑话，搞得几位女生频频笑骂。安宁想，这个时候蔷薇、毛毛要是在肯定会很愉快，而且，技压群雄。

有人拿了酒过来：“李安宁，我敬你一杯吧？”

安宁见是刚才出手帮过她的人，正要接过，旁边的人比她先一步：“她晚点儿还有事，不能喝太多酒，我替她喝吧。”

什么叫抹黑之后装裱，这就是了。

已经有人狐疑地瞄着李安宁，大伙承认，谁也不敢瞄徐莫庭。徐莫庭喝完酒后，男生悻悻然走了。

副班长笑道：“知道为什么我跟我前女友分手吗？因为她连灌三瓶XO面不改色，我当时看到这一幕，就觉得我们的缘分尽了。”

所有人大笑：“是不是女友太强悍有失面子啊？”

“嘿嘿，主要是我想找一个一杯倒的。”

“兄弟你学坏了，再不是咱们当初品学兼优的副班长了，不过，依然是学习的榜样啊！”

副班长说：“有李安宁在，‘品学兼优’这个词我可不敢当，再说了，徐莫庭也在呢。”

安宁同学无奈地微笑着，而她感觉身边的人虽然始终浅笑着，却有些心不在焉，于是，伸手去拿被他放置在一边的那罐啤酒，结果刚碰到边缘就被对方阻止了，确切地说是他的手心覆住了她的手指。

他转头看她：“怎么？”

“……渴。”

徐莫庭笑着打开罐口，然后推到她面前：“别喝太多。”

她又不是酒鬼，阿喵心说，而且……安宁看着对方拿起她的玻璃杯慢慢喝着果汁，她可不可以怀疑他一直在耍她啊？

一女同学忽然问道："李安宁，你是在江泞大学读研吗？"

"嗯。"

"那就是说现在跟徐莫庭一个大学喽？"

"嗯。"

"呵。"

安宁无语了。

徐莫庭盛了两勺玉米骨头浓汤放到她的碗里面，低语了句："别只顾着跟人说话。"

哪有？安宁郁闷了，垂头吃东西。

坐在旁边的副班长凑过来："徐莫庭跟你说啥呢？"

安宁想了下："如果是现在的话，那就是不要跟你说话。"

副班长顿时无语。

另一侧的雅痞男听到了，不由得大笑出声，也非常同情地拍了拍某人的肩："唉，那啥，十年如一日啊，兄弟。"

副班长哭笑不得。

这时对面刚跟安宁聊了两句的那位女同学过来敬酒，雅痞男刚要兴致勃勃起身，她便说："不好意思，我是来敬我们班徐莫庭的。"

"我也是'我们班'的啊！"雅痞男不乐意了，"姑娘，瞧不起不到一米八的啊？"

对方一讪："没瞧不起，只是没兴趣。"

雅痞男惨叫一声，扑进旁边副班长怀里……

安宁看他们恶搞，不禁失笑。

这边女同学已经向徐莫庭举杯："先干为敬，你随意。"

然后，徐某人真的很随意地拿果汁敬了一下对方。

最后，安宁在女同学意味深长的注视下，只能转头望向墙角美好的壁灯，即使脸红也是灯光照的。

2

一顿饭吃了将近两个小时，出来时副班长竟然还建议续摊去唱K，安宁不得不佩服他的精力，正等着众人提反对意见，结果大伙儿都兴致盎然。

安宁犹豫着说："我……"

"李安宁，去吧，难得的，我记得你唱歌很好听啊！"同班的一位女生过来劝说她。

她唱歌好听吗？据蔷薇说是五音不全的。

不过安宁向来不太会拒绝女孩子，正左右为难时，两米外一手插裤袋与人闲闲交谈的徐莫庭朝她招了下手。

安宁不由得嘀咕："你要不要再丢一根骨头呢？"

女同学不可思议地看着她，一时竟也说不上什么了。

一旁有人叫住要走开的安宁问了句："你回学校吗？"正是那位想对她敬酒却敬成了徐莫庭的男同学。

"嗯。"

"我送你过去吧？我家就在江大附近。"

"呃，不用了，谢谢。"安宁也有点儿感觉出他对她的"特别关照"，所以，更加不能麻烦人家了。

对方望了眼不远处的徐莫庭："我当初以为你会报离本城远一点儿的学校呢。"

安宁疑惑："为什么？"

"那时候你家——"

"安宁，走了。"徐莫庭这时轻唤了她一声。

安宁并没注意到这是他第一次叫她的名字，只想着如何顺水推舟地跟这位男同学道别："那个，他叫我了……再见。"

安宁快步走过去的时候，又有两位同学过来跟徐莫庭要电话号码。安宁等了一会儿，心想，要不她先走，其实她本来就不需要等他的嘛。

"你手机在响。"徐莫庭提醒了她一声，他表情淡淡的，完全看不出先前是他半诱导半命令地招她过来的。

安宁慢一拍掏出衣袋里的手机，是表哥的电话，正要走开去接，只听徐莫庭说："在这接吧，马上走了。"

安宁无奈，电话接起时对方直接就问她，这周末约好的到她家拿东西怎么人不在？！

“我忘了。”安宁说了声对不起，“嗯，我今天不回去了，东西在我房间里，门没锁，你自己进去拿吧……”

挂上电话时面前的两位同学均一脸笑意地望着她，其中那男生率先开口：“李安宁，男朋友啊？”

安宁尴尬：“没……”

那女生也忍不住开了几句安宁的玩笑，后者很是无奈。而徐莫庭似乎是最不在意这个话题的人。

副班长过来再次确定他们不去唱歌后，不禁连连惋惜：“徐某人是大忙人也就算了，李安宁你怎么也不去啊？”

安宁低叹：“难道我看上去真的是很闲的人吗？”

这时徐莫庭倒是笑了一下，跟副班长说了句：“你们玩吧，我们先走一步。”

副班长还来不及说话，安宁就已经被徐莫庭轻搭着肩膀带走了。出租车驶远时，不知是谁感慨出一声：“李安宁男朋友不就是徐莫庭吗？简直就是徐某人所有，碰者杀无赦嘛。”

有人笑着附和，有人微感苦涩，有人若有所思，高中毕业这五六年的背后都有几分感触。

这边，安宁同学坐在车里，只觉得很安静，非常安静，身边的人望着窗外的街景，有点儿走神的样子，他的侧面清冷而俊朗，安宁一直觉得他似曾相识，可又觉得，也许对方只是长得好看，所以在大学校园中擦身而过时无意间注意到过，结果，没想到竟然真的是相识的！

这该怎么说好呢？安宁并不习惯主动搭话，于是，只偶尔看他一眼，然后继续保持安静。

直到他转过头来，幽深的眼睛对着她：“怎么？”

这是他的口头禅吧……“你以前就知道我们是同一所高中的吗？”

“以前是多久？”

呃，好冷淡，安宁有点儿受挫，低头不说话了，也隐约感觉到自己哪里得罪了他。

“你记得林文鑫？”他问了一个风马牛不相及的事，“我还以为隔壁班的你都不记得了。”

林……那位雅痞男？吃饭的时候副班长叫过几次这个名字，安宁不知道该怎么回复他，于是沉默着，而他也似乎并不想知道答案。车里播放着电台的音乐节目，主持人正用甜美的嗓音介绍一位男歌手的新专辑。

这一天的最后，徐莫庭跟她说了一句话，而这句话让安宁久久不能平静。

他说："我也曾给你写过一封信，你记得吗？"

很久很久之后某人的脑子里都是纷纷乱乱的，今天的意外真的是太多了。

她竟然拒绝过徐莫庭？

3

这天过后的好几天，安宁都有点儿神思恍惚，虽然症状不明显，但确实是心不在焉的。

比如跟表姐聊天，表姐嘚瑟地说："今天有人叫我神仙姐姐了！"

阿喵答曰："许仙姐姐啊。"

然后，表姐不再理她了。

安宁感觉自己本来单纯平静的人生像是忽然被什么东西搅乱了，于是，决定修身养性一段时间，等待否极泰来。

这天心平气和地走在校园内，旁边蔷薇在哼第二轮比赛要唱的歌曲，她则看着秋天的枯叶慢慢落下，不由得想徐……呃，不对不对，想秋天为什么会落叶呢？

安宁无力垂头："太牵强了。"

朝阳道："听说这次形象大使的冠军能拿到一万块的奖金，蔷薇你可要加油啊，赢了请咱们去五星级大酒店搓一顿。"

蔷薇说："一定一定。"

毛毛问："不知道上次那位帅哥还会不会出现？"

朝阳恨铁不成钢："我说你的脑袋除了想男人还能干什么啊？"

毛毛嗤之以鼻："少装了，说得好像你没想过一样。"

蔷薇笑道："那人我还真不敢想。"

"同学，请等一下！"一个声音叫住了她们，一个看上去挺……健康的男生跑近。

对方在安宁面前站定，神情有些腼腆："你好。"

蔷薇和朝阳自动退开一步，男生看着李安宁，微风吹动她的长发，这样温婉的女孩子才称得上美吧……

没退开的毛毛柔声笑道："同学，有事？"

"也没什么事……"男生犹豫着摸了摸脸颊，又看向安宁，"你后来怎么都不去上音乐赏析了？"

呃，她没必要主动再走错一次教室吧？

男生一咬牙，终于说出来："我叫刘楚玉，大二的，同学，你有什么困难可以随时来找我。"

安宁"哦"了声："我研二的，目前没什么困难。"

手机在这时候响起来，如果不是在这个时间点安宁会看清号码再接，或者不接，但现在想着如何早点儿结束眼前这段莫名其妙的对话，所以没有片刻犹豫就按了通话键："喂？"

"如果不去上课，可以过来看我打球。"听到对方低低的语气，安宁全身一凛，下意识地有些感应，扭头看向左后侧的篮球场，十来米外的地方，徐莫庭正坐在球架的下方，一手搭在膝盖处，一手拿着手机，闲散的坐姿，鲜明的存在感。

"是他啊！" 密切注意周遭的毛毛十分激动地吆喝出声，扯了扯旁边安宁的衣角，"Look，帅哥！"

"……"

那天后来是怎么样的……帅哥最后朝她们的方向走过来，毛毛低声问："他怎么好像认识你啊？"

一目了然，徐莫庭的眼光只锁在一人身上，那就是我们可怜的阿喵同学。

安宁还没缓过神来回答，他的手已经不着痕迹地搭上她的肩膀，向旁边的三女一男说："能否跟她单独谈一谈？"谦恭有礼的语调。

安宁用眼神告诉朋友们要团结一致，结果朝阳、毛毛做忙碌状，蔷薇朝路边刚巧经过的一个老师响亮地唤了一声："老刘，忙吗？"（老流氓吗……）

老刘淡定地转头看过来。

安宁条件反射地拉住徐莫庭，快步脱离丢脸区域。

他看她的手抓着他的衣袖，一抹笑意爬上嘴角，他不想承认，就在十分钟之前，他徐莫庭，居然就在球场上，吃一个不明男生的醋！

他一向心高气傲，那时给她写的那封信，是他做过的最出乎自己意料的事情。

没有回音，当时是什么感受，愤怒吗？有一点儿，更多的应该是挫败。

这边安宁咳嗽一声，为自己的鲁莽道歉："对不起。"她已经放开手，脸上是真切的不好意思。

莫庭皱了下眉，倒是有礼貌地说了句："没关系。"

另一方面，某三人五步齐回头。

蔷薇说："这样不行，太明显了，我们一个一个来，阿毛你先。"

毛毛回头，两眼放光："哦哟，那微皱的眉，那优美的嘴唇，我以前怎么就没发现我们学校有这么一男人啊？"

朝阳回头："一看就是挺牛的人，而这种人不是高调到众所周知就是低调到神龙见首不见尾，说起来，刚才那小男生怎么跑了？！"

蔷薇回头："抱她抱她抱她抱她！"

朝阳忍了下："阿薇，你的表情像老鸨。"

毛毛回头："阿喵过来了！"

于是，三人作留恋落叶状……

安宁问："等我？"

众人顿时无语。

蔷薇嘿嘿笑："这回总得交代一下了吧？"

朝阳也有点儿不依不饶的感觉了："说吧，他到底是谁？"突然又想到什么，"你以前拿回寝室的那本书，那上面的名字就是他吧？"

毛毛依然回首中："背影都那么迷人。"

安宁笑了一下："刘宋也有一个人叫刘楚玉，第一美人，我记得没错的话她的称号叫山阴公主。"

众人都不明就里地看着安宁。

安宁道："这位年轻貌美的公主以豢养面首以及与自己的弟弟乱伦而闻名，要不要听？"

蔷薇说："面首是不是指男宠啊？"

毛毛回魂："乱伦！？"

安宁笑道："公主的驸马爷，叫何戢，从史料来看是颇为隐忍的一个人。说起来当年山阴公主曾中意当朝的一名官员褚渊，向皇帝，也就是她的弟弟，讨来在家里锁了十天。"

毛毛心潮澎湃："监禁？！"

朝阳、蔷薇同时道："然后呢？！"

"然后褚渊同学宁死不屈宁弯不直，没有屈服于山阴公主的淫威，而是与忍辱负重的驸马爷产生了某种超越……的革命感情。"

众人无限YY中。

安宁这时才得以回身望了一眼后方，轻咬下唇……唔，他一定是故意的吧，那么一本正经地走过来，就为了说声"没关系"，然后就放她走了吗？

4

这天去实验室一伙人迟到是必然的，不过难得的是严苛的教授没有追究。

毛毛后来笑道："看来我最近参佛还是有用的。"

朝阳摇头："想到上次被你拖上山，你在寺庙门口大喊，我要吃肉！我觉得应该不是你的功劳。"

"心诚则灵嘛，而且阿喵说很多仙人都是人修炼成的，他们也是过来人，能够体谅我的苦楚的。"

蔷薇莞尔一笑："我要是修炼选都不用选的，直接立地成魔！"

这时同班的一名男生过来跟蔷薇说事："阿薇，听说你跟江旭挺熟的，能不能介绍我跟他认识啊，我对他有兴趣。”

毛毛“呀”了声，她最近在看同性恋题材的小说不能自拔，所以一有风吹草动就直往那方面想。毛毛语重心长地说：“孩子，你还小。”男生道：“我不小了。”毛毛说，他对你不会有兴趣的。男生说，我对他有兴趣就行。你还是放弃吧。我不会放弃的。是没有结果的。我只要经过。

最后才弄清楚这位仁兄其实只是受新闻系的师妹之托要结交江旭、尔后说服他让他接受采访。

而台上的教授好不容易克制住的脾气，终于还是爆发了出来：“傅蔷薇，你们当这是菜市场吗！？要说话到外头说去！”

蔷薇抑郁了：“喵的，我就只说了一句吧！？”

教授皱了皱眉，刚要起身，安宁指向黑板：“是这样的，教授，你的公式写错了。”

“……”

当晚安宁得到一份免费大餐。

隔天一早安宁去见专项研究的带头老师，对方问了个问题：“为什么要申请做项目？”

安宁正直地答：“为了多学一些知识。”

老师笑了笑，似乎颇欣慰，然后说：“原本你们这个题目是批不下来的，上周外交学系的一名学生过来跟我们科研组说了，他做你们的顾问——”

李安宁的搭档某男开口：“老师，外交学系跟我们不太搭吧？”

“他做过项目，成绩优异，当然，他只是教你们一些套路，内容还要你们自己努力。”

某男点头：“行！”

“李安宁你是组长，你过来把他的名字和电话记一下，回头跟他联系，有什么问题可以先请教他，不懂的再来问我。”

安宁：“……”

老师见她不动：“有什么问题吗？”

“没。”当安宁走过去拿过老师手边的本子，慢慢誊写那漂亮的书法字体时，一点都不意外是谁，意外的是自己学写他的名字竟学得有七分像了，刚写一半手机铃声响起，很认真在写字的安宁下意识接通：“你好？”

对方也非常礼貌地回了声“你好”，他的声音有点儿哑，带着点儿鼻音，“你在哪里？”

安宁是真的措手不及，呐呐道：“在写东西，老师办公室。”写的还是你的名字。

对方想了想：“大概还要多久？”

“我可不可以说很久？”口随心想问了出来，安宁顿悟过来之后唯一的想法是：完蛋了！

那边沉默。

安宁亡羊补牢：“请、请在‘哔’声之后留言……”

双方就这样停顿了几秒，直到徐莫庭那边先挂断电话。

安宁呻吟：“我怎么不再蠢一点儿啊。”

周边的旁观者，包括在场的老师们均无语地看着这位长相讨喜的姑娘自我唾弃着。

因为这件事，一连数日原本凡事云淡风轻的阿喵姑娘突然之间劳心费神起来，导致寝室里的人诚惶诚恐。来串门的蔷薇率先提出可能性：“你们说阿喵会不会突然变邪恶啊？”

朝阳呻吟：“如果她真变坏了，我觉得我们谁也镇不住她。”

毛毛疑惑：“我们什么时候镇住过她？”

朝阳无语了。

蔷薇复赛当天，安宁忙完手头的事，五点多跟毛毛她们在文体中心碰头。当晚的比赛还吸引了不少老师到场，参赛者更是使尽浑身解数博弈。

比赛的中途听到有人窃窃私语：“可惜啊，上次那个评委没有来。”“听说三号叫徐程羽的是他女朋友。”“怎么我就找不到这么养眼又有能耐的男朋友啊？”“我印象最深的是他走路的样子，特别有味道。”……

安宁听见在她身边的朝阳感慨：“简直是非线性的特点嘛，横断各个专业，渗透各个领域，无处不在、比比皆是。”

安宁叹息，不由得往舞台下方的评委席上看了一眼，没来由地也有点惆怅。等到比赛结束散场时，她们久久不见蔷薇从后台出来，朝阳跟毛毛过去找人，安宁有些闷，就说先去大门口，然后在边等朋友们边玩手机的时候按了某个号码，铃声响了两下那边就接起了，但接的人却不是他。

“抱歉，徐莫庭现在不方便接听电话，有什么事情我可以帮你转达。”

“嗯……没事。”

对方顿了一下：“你是李安宁？”

安宁也听出是他室友的声音：“嗯。”

“哈！”张齐笑出来，“你的名字他用的是英文备注，我都看不懂！那啥，我把电话给他啊。”

安宁迟疑，其实是有点儿怯：“他不是不方便吗？”

“呵呵，在睡，老大这几天忙得要死，前两天又感冒了，这会儿在医务室挂点滴，没事儿，我把他叫醒——”

“不用了，也没什么事情，我晚点儿再打。”几乎没等对方的回话就收了线。

没一会儿朝阳从后面揽住她：“想什么呢姑娘？”

“她们呢？”

“跟两个大二的学妹掐架呢，我真觉得这两人是越活越回去了，走，咱们吃饭去！”

“也好。”

朝阳又偏头看了她一眼：“你怎么看起来有点儿无精打采的啊？”

安宁微笑道：“好像感冒了。”

5

因为自己说了感冒，不出意外地最后被朝阳拖着去药店里买了药……而现在看着手上的几盒感冒退烧药，安宁很是头痛，这计划是一回事，操作起来却显然有点儿难度，难道还真跑去找他递上这几盒药以示歉意不成?

最后犹豫不决地……跟朝阳一起回了寝室，安宁实在有些垂头丧气，走到宿舍楼下时倒是见到一个颇熟悉的身影，江旭是背对着她的，而此时面对他的人是毛毛，熟悉的音调传来：“要不你从了我吧帅哥?不然，我从了你也行啊。”

安宁按了按眉心，最近有些精神疲劳，还是绕道走吧，只是，她忘了身后还有一个朝阳，“阿毛！？”

毛毛“啊”了一声笑着蹦跶过来：“小伙子来找蔷薇，蔷薇去买水果了，我说要不我先陪你聊聊啊，他说好啊。”

这会江旭已经走到安宁身边：“好久不见了。”

安宁也回了句“好久不见”，她跟这位师兄实在无话可说，于是岔开话题，“你找蔷薇?”

“算是。”对方这话回得有点儿意味深长。

安宁哦了声，一低头，手机又响了，说了声“不好意思”便走到旁边接听：“喂?”

“你找我?”稀疏的语调，不容错辨的嗓音。

可这号码不是他的啊，大概是他室友的吧。

“你找我?”他又淡淡地问了一遍，“我手机没电了。”

安宁第一反应是为自己先前的鲁莽行为默哀，于是，临时抵赖：“没啊。”

那边停了一下：“是吗?”简短冷淡到极点的回复令安宁呆了一呆。

毛毛问：“阿喵，谁啊，是不是蔷薇?是就让她赶紧回来，有人等着呢。”

本想装腔作势地再说点儿什么，可毕竟不擅长，就在这时江旭凑过来跟她说了句：“完了吗?我有点儿事情跟你讲。”

安宁皱起眉头，下意识后退了一步，电话那头的人似乎说了句“算了”就要挂电话。“等等。”唤出来之后才发觉自己没有理由。

“我买了感冒药。”还是讲了出来，有些紧张，如果对象不是徐莫庭，她的表现能稳当得多，但不管如何，安宁希望自己至少要做到坦诚，“你在哪里?”

“刚回宿舍。”

“我过去，你等一下。”

他应了一声，没多废话，收了线。

他淡漠的态度让安宁觉得自己多此一举了，人家都去过医务室了，怎么可能还没配药呢。一转身，发现三双眼睛都盯着她：“怎么了？”

“是那个人？”毛毛笑道，似乎掌握着第一手内幕，“帅哥跟你讲什么了？”

朝阳也顿悟过来：“好啊，阿喵，前面说感冒其实是另有其人对吧？”

安宁难得面露尴尬，然后毅然决然地往外走，不多作停留：“我出去一下。”

那天跑出去后才想到还不知道他宿舍号，回拨了刚才的号码过去，本来想直接问他室友倒是方便，结果对方一接起就转给他：“莫庭，你女友电话。”

安宁顿时无语了。

“4号楼，217。”原本冷淡的语调此时似乎已经消融了，不过，他也太神通广大了吧？她都还没问呢。

这男生寝室楼，安宁是头一次进，不免有些胆战心惊，在敲响那道门之前，有人比她先一步开了门，张齐笑眯眯道：“动作真快啊，老大还让我下去接一下你呢，进来吧！”

安宁温婉一笑，尽量表现得镇定一些：“打扰了。”

“呵，这是我们的荣幸。”

“老张！”里面有人佯装等得不耐烦地冲这边轻嚷，“快让美女进来啊。”

安宁刚踏进去，徐莫庭正巧洗了脸从卫生间出来，就这样两人打了照面，他的脸色有点儿苍白，嘴唇也有些干涩，眼神却依然幽深锐利。

那个之前喊话、略显老成的男生走过来，手搭在张齐肩上跟安宁打招呼，安宁礼貌应对。

莫庭看了她一眼，就走到茶几边倒水喝，男生宿舍比女生宿舍宽敞，尤其外交学系的这幢楼，学校明显偏心嘛，竟然还有小客厅。

“药呢？”等安宁走到他旁边，他轻声问了句，顺便拉了她一下，让她坐在身边，而这引起所有在场人士的关注，张齐笑道：“老大，该跟我们说明一下了吧？”

“想听官方发言还是内部声明？”徐莫庭已经看完某人递过来的几盒药片上的服用方式，拿了两粒和着水吞下肚。

“可否据实以告？”

“我还以为已经足够眼见为实了呢。”徐莫庭答复。

老成男生直感叹：“不得了，不得了。”

安宁循规蹈矩坐一边，对他们的说辞算是半知半解，不过以她的修为基本能做到泰山崩于面前而不改色。只是安宁本来想送完药表示下慰问就回宿舍的，结果却被那两位男生拉着唠家常了，八卦果然是不分性别啊。

而徐莫庭，竟靠在她肩上闭目养神了，原想不动声色地移开一些，却在看到他眉宇间明显的倦意时不敢多动一下了。此时旁观的两人声音越来越小，最终非常识相地闪了人。

安宁望着一下变得空荡荡的寝室，偶尔有人经过的走廊，欲哭无泪：至少把大门关上吧！

6

安宁望了望窗外昏暗的蓝天白云，回头见走廊无人，似有若无地伸出手，结果刚要碰到徐莫庭肩膀就被拉了下来，对方淡淡说了句：“别动手动脚的。”

阿喵欲哭无泪：“徐莫庭……”

“嗯？”

“你没睡着啊？”

“嗯。”

“……我肩膀酸。”

他居然很合作，放开手，直起身子。正当安宁松一口气时，他说：“那去床上吧。”

某喵一瞬间冰封。

这时有人敲了一下他们开着的门，安宁立即感恩戴德地望过去，这位仁兄看到她时愣了一下，随即对徐莫庭道："知道你在，老大，千万得帮我一个忙啊！否则我就要卷铺盖走人了。"

"哪有那么夸张。"他的语气还有些倦，但听得出情绪尚佳。安宁突然很想唉声叹气，他对她总是很严厉，"我冷漠的高傲颓然跌倒在印着你足迹的地上……"不知哪儿看到过的一首现代诗，此时有感而发嘀咕了出来，然后阿喵发现门里门外的两人都望着她。

徐莫庭竟然轻笑了一下，最后转头应允同学："我这两天都在学校里，你有什么问题可以随时来找我。"

"大神啊，谢啦！"对方欢呼一下，走开时又想起了什么，"老大，你女朋友很漂亮啊！美女，也谢你啦！"

跟她有什么关系吗？阿喵思绪有点儿混乱了，见莫庭看着她，不知怎么心虚起来，于是决定聊点儿轻松的话题缓解氛围："呃，大神……神，其实在西方神话里，神这种生物是很难权衡的，虽然能力强，但是性格力量都是不稳定的……"在对方若有所思的注视下，安宁声音越来越小，最后消音，沉默，无言以对，不过安宁想她运气真的不错，因为又有人来敲门了，徐程羽见到她时倒没有露出太惊讶的表情，只是对着堂哥笑得有些意味深长："听说你感冒了过来看看，看来多此一举了。"

"进来吧，要么出去把门关上。"轻声却不失威慑力，徐程羽连忙举手表态："这就走这就走。"完了又补了句，"李安宁要不要一起回去？"如果是以往她可没这胆量，难得大哥体弱一回，身边又恰巧有能影响他的人，当然不肯错失良机，即使事后可能会被红牌警告。

安宁在想的是……嗯，面熟，于是惯例微笑应对，少说少错，但是关于回去的问题："回！"

程羽没想到这姑娘这么直白，不由得笑出声，莫庭抬手按了按眉心，最后说："程羽，麻烦你送她回去。别乱说话。"后面一句是带点儿警告味道的。

徐程羽挽着阿喵出来时，嘴角一直是四十五度上扬，能从堂哥手上抢到东西，而且还是这种级别的，这经历算是首次，侧头看看身旁的人，不免自言自语道："这感觉像不像是'虎口拔牙'？"

安宁想了想接上："酒吧里，服务员上来问：'先生还需要什么吗？'他答：'不用，请让我静一静。'点明：他忘了带钱包。"

"嗯？"

"不是在玩笑话接龙吗？"

程羽张口结舌，她被鄙视了？这女生不是手段高超，就是真的思路异于常人。

跟徐程羽道别后安宁走进宿舍楼，然后又见到了江旭，他正跟宿管老师聊天，此人的口才似乎男女老少通吃，他看到她便起身走过来。

安宁惊讶："蔷薇还没回来？"

"我等你。"

"等我？有什么事吗？"

江旭左右看了看，随即压低声音开腔，语气夹带着不可置信的意思："你真的跟徐莫庭在一起了？"

当晚安宁跟表姐通电话："我得罪了一个人……"

表姐感慨："同病相怜啊，我今天在公司，刚上班就跟客户掐架来着。简单地说，因为远程服务器终端鬼魅的权限设置，我不得不和遥远的有着四分之一天时差的欧洲客户通电话，然后，由于我极差的口语，以及对方极诡异的发音，在交流二十分钟后，我们各用自己的语言，应该说是方言，掐起了架！"

此时蔷薇嚷嚷着进来："上午就发现Opera mini不断404（错误提示），当时就有不好的预感，喵的，'中国用户访问mini.opera.com请立刻升级至opera mini中国版，更快更稳定。'稳定你个头，你们全家都稳定！"

毛毛从电子秤上跳下来："饿着真难受，可以瘦下去我倒还能忍忍，丫还给我胖起来了！！"

现在是在比谁更惨吗？这么说来好像她还不算太惨，只是得罪了一位学校的有名人士，其实"嗯……关你什么事？"这不算太过分吧？只是实话实说啊，但对方的确拂袖而去了。

蔷薇嚷道："喵，你帮我看看，能不能解决啊！"

“中文版不好吗？”

“我跟中文版有代沟！而且英文版我都用顺手到可以盲打了，不想迁就中文版。”

毛毛提议：“要不使用Opera china论坛下载的国际版改国内服务器版本？”

“嗯……”安宁刚要开口，毛毛打断：“虽然吾退出Opera江湖多年，汝也不要随意刺激江湖外的人啊。”

“我只是想说——”

毛毛惊吓：“汝想做什么？！阿喵仔住手啊！控制你的兽性，停下你的暴行……不可啊！罪过啊！咱们这样下去是错误的啊。”

蔷薇白眼：“我想摁死你啊!”

安宁叹气：“毛毛，我只是想说，你的回答不错。”

“……”

第四章

名正言顺

1

难得的周末时光，蔷薇怂恿大伙去附近的公园野餐，结果傅同学还没享受微风多久，甚至还没YY 到偶遇帅哥什么的，就接到了家里大姐要来看她的消息，瞬间萎靡了。

毛毛问：“你姐什么样的？”

蔷薇答：“据传说，很小就出门打架，曾经抄着砖头出去打，除了上房揭瓦什么都干过。传说很多，标准级别的杀伤力5000，噩梦啊，我表哥一辈子活在她的阴影下，说起来我哥早年很帅的，近几年……唉，不说了，都是泪，其实也没什么……不就是早残了二三十年嘛。”

“……”

朝阳惊恐：“她只是来看看你的总决赛而已，应该不会做什么事吧？”

蔷薇深沉地摇头：“你是温室里长大的，不会明白的。”

毛毛转头看向某处："我们怎么忘了还有一个隐秘杀伤力一万的人在这里！"

此时正靠着树干打瞌睡的人被众人一喊，睁开惺忪的眼，只见面前三双发亮的眸子正闪着某种光芒注视着她："开饭了吗？"

"阿喵，想吃什么跟姐姐们说，吃饱了，回头保护我们就全靠你了。"

结果傅家大姐来的当天，也就是隔天，蔷薇寝室全部列队恭迎，毛毛和朝阳也在，只有安宁因当时项目小组开会缺席，其实阿喵宁愿去列队喊欢迎欢迎热烈欢迎的。

"还有什么问题？"熟悉的徐式官方语调，此刻首位坐着的人正是他们组被临时安排进来的顾问，也可以说是成员，直白一点儿就是幕后老大。

安宁坐尾端，另外两位合作的同学各坐左右，其中某男小王同学似乎有些跟首座人较劲的意思，连番提出刁钻问题，对方倒并不介意，从容作答，最终小王同学颓然败下，问无可问，他私底下跟阿喵关系不错，于是朝阿喵挤眉弄眼，妄图得到"组长"支持，安宁真的很想告诉他，一、你向他问问题你已经输了；二、她像是会去自动找碴儿的人吗？而且对象还是他。

另一位合作的女生开口："能否问一个私人问题，师兄？我是不是在哪里见过您啊？"

小王同学啧了一声："你这招也太俗套了。"

"你管我啊。"姑娘说着倒有点儿生气了，在有好感的异性面前是最恨别人拆台的。

安宁扣指轻敲了一下桌面，阻止两位同伴起火，首座的人翻了两张资料纸，抬眼扫了一眼在座的人，最后对那位女同学道："在这里我们就谈你们要做的课题，至于是不是见过，同一个学校，也不是没可能。"

安宁觉得他讲话可真是周全，然而跟她说话的时候总是词不达意，好吧，她自己有时也词不达意。

"李安宁，你的资料没填完整，怎么回事？"

他正看着她，安宁回过神来："我填得很完整了啊。"

“出生年月，家庭电话。”

这种对于项目来说无关紧要吧……“可不可以不填？”

他的目光闪了一下，严肃了些：“你说呢？”

小王同学逮住时机立马帮腔：“其实这些不填也没事啊，而且，李安宁怎么说也是我们组长。”意思已经很明确，你得听她的。可显然徐莫庭并不在意：“我没说她不是。”

虽然回答了却等于没回答，但也无从挑刺，小王饮恨，忘了对方是外交学系的。

“我再补充一下吧。”安宁觉得她现在是典型的墙头草。走到他旁边填写的时候，原以为在浏览资料的人不会注意她，“这里。”

安宁一愣：“嗯？”

修长的手指点了一处：“出生地。”

“哦。”为什么连这种都要填啊？唔，感觉像是人口调查。

那天项目大纲讨论完后，小王同学是第一个走的，而那位女生要赶去活动，于是安宁负责善后，而剩下的那人，闭目养神中。

安宁将手头今天讨论的资料整理归档后，朝靠坐在椅子上休息的人望去一眼，柔和的光线打在他的面颊上，脸色看上去竟有点儿透明了，想到他感冒可能尚未痊愈，就来这边忙了一下午，安宁的愧疚之心油然而生。

“徐莫庭……”

“嗯？”他睁开眼睛，望向她。

“你感冒好点儿了吗？”

他微扬了下嘴唇：“托福。”

今天其实是挺“和睦”的一次会面，只是两人在离开时发生了点儿意外，确切地说是碰到了一桩意外事件。安宁刚打开小教室的门，发现外面与之相连的实验室有人在，一男一女，而且，画面儿童不宜，虽然是傍晚时分，但还没到夜黑风高啊。阿喵当场愣在了原地，后面的人轻揽住她，将她往后拉了一步，她下意识要出声时对方先行捂住了她的嘴。

“你傻了啊。”他低低的声音里似乎还夹着些许叹笑。

安宁是反应过来了，可是，此刻身后人的气息吹拂着她的颈项，她的后背全贴着他，可以清晰地感觉他胸膛均匀地起伏着。安宁竟比先前看到那一幕纠缠热吻还要紧张了。

莫庭靠近她耳边轻声笑道："别舔我手。"

哪有？她只是想说话，刚想要拉下他的手，结果外头两人似乎察觉到了这边的动静："谁？"

安宁再不敢动一下，时间一分一秒过去，听着外面让人面红耳赤的喘息声，阿喵长太息以掩涕兮：还是让她死了吧。

这是安宁生命中迄今为止最尴尬的一次记录。

当晚跟毛毛她们说起这事，当然前提是屏蔽自己当时这一边的处境，然后得到的结论是："江大真是越来越开放了！"以及傅家大姐的一句："恨生不逢时啊。"

2

傅大姐是来江泞市出公差的，为期一周，顺带看看妹妹，大半天下来已经跟毛毛她们混熟，此时她正靠在315寝室的窗户边，手上夹着一根燃着的烟，仰望天空，一半明媚，一半忧伤。

毛毛刷着网页感叹："这几天青岛在大阅兵，N多水兵啊！好想立刻飞过去围观！"

蔷薇呵呵笑："毛，你越来越风流了。"

毛毛说："人不风流枉少年啊。"

傅大姐道："谁的风流比过我？"

"嗯……有一个人。"一道慢慢悠悠的声音，"他14岁就结了婚，几乎五年换一个对象，对象包罗万象，有萝莉、御姐、烟花女子。"

"……"

傅大姐眼角抽了一下："小姑娘，你写小说的吧。"

安宁莞尔，指了下电脑："别人写的，挺有意思的。"

蔷薇："姐，你放过她吧，她不是有意的！"

傅大姐："你脑子有病啊。"

当晚傅大姐便搂着阿喵同学去看电影了，大姐看人一向凭直觉，相中就能瞬间玩儿一起去！可怜阿喵这只日行性动物，夜间活动堪比精神折磨，可又不擅长拒绝人，而旁边朋友更是全躲墙角毫无义气，于是只能半夜……其实也就七点钟，出门看电影了。

看的是《蝎子王》，对于一只喜欢考据的喵来说，很痛苦，故事发生在金字塔时代之前……最早有史料佐证的阶梯金字塔始建于公元前27世纪，应该是第三王朝时期，与此同时，黄河流域的熊氏族长姬轩辕正在和九黎部落掐架，“所以如果影片大环境设置在公元前27世纪之前，那应该是一个遥远的近似于传说或者神话的时代，这个时代会有马镫和火药吗？唔，虽然他们自称是中国来的魔粉，可是，黄河流域还是氏族社会啊。”

后半段阿喵完全是歪着脑袋在睡觉了。直到身边的人咳了一声：“小姐，散场了。”

安宁睁眼发现右边位子上的大姐不在了，而自己则靠在另一侧的一位男士肩膀上，立刻端正坐姿，非常不好意思地道了声“对不起”。

对方笑了一下:“电影很无聊？”

“……还好。”

他的笑容似乎更明显了些，站起来说：“你朋友去厕所了，她让你在电影院门口等她。”

安宁点头道谢，跟着这位衣冠楚楚的男士走出去，对方见她哈欠连连，忍不住揶揄：“睡了一个小时，还没醒？”

安宁有些赧然，不过也没再多说什么，她处事是有些认熟的。

走到外面的马路边等时竟看到一位很面熟的人士，嗯……他跟她前世一定有过五百次的擦身而过，不然怎么会在这种地方都能碰到？从对面豪华餐厅出来的徐莫庭也看到了她，安宁几乎立即就神清气爽一点都不犯困了。

今天的他穿着正统、黑色的西装，一看便知的精英分子形象，安宁看得稍有些失神，然后脑海中闪现出那天在小教室里，他低头在她肩颈处亲吻了一下，“轰”的一下，一股亲密的感触涌上胸间，而他朝她这边微颔首，跟先前一起出来的一行几人坐入一辆黑色轿车离开。

傅家大姐过来时见阿喵在发呆：“怎么了？”

安宁抬起头，眼中的波光流转让问的人竟愣了一下，俗称“惊艳”，而阿喵这时幽幽说了一句：“想穿越时空回到一个月之前。”那个专项学术研究什么的不应该申请的。

这学期的任务步入正轨之后，安宁再过两天就又要去龙泰公司实习上班了，这是李妈妈给她找的一份工作，因为地点比较远，所以基本上每天都要六点半起床洗漱，七点前揪着背包出门，然后和小学生一起排队买早点，和中学生一起赶路挤地铁，这个作息时间表每次都让阿喵有种回到了遥远的萝莉学生年代的感觉。

于是，安宁晚上在寝室里上网时看表姐在线，忍不住吐槽了一下。

安宁：又要开始去实习了。

安宁：自由时间都没了。

安宁：接下来只有加班的份儿了……

安宁：太悲惨了。

表姐：我隔三差五就有假期。

表姐：等我这次出差回来，再买一相机玩儿。

安宁：我希望今年能活着去九寨沟。

表姐：真可怜，我想去哪里随时都行。

表姐：哦，自由啊！

表姐：你看上礼拜我陪客户玩深圳，这周又跟公司一拨人逛香港。

表姐：累死了。

表姐：要是我也学物理就不会有这种悲剧了。

当晚表姐被拉入黑名单……一周。

毛毛气喘吁吁地跑进门：“运动了一小时，然后吃了很多，我琢磨着还不如不动不吃！”

朝阳问：“毛毛，你是不是动了我的移动硬盘啊？都三天没见到它了。”

毛毛摆手：“谁动它啊，大概下界为妖去了，三天了，小U盘都生了吧？”

通常这时候阿喵会淡淡地接一句终结话题，所以朝阳、毛毛均下意识地看向趴在桌子上的人，后者无辜问：“怎么了？”

“没没！”

安宁这边在想的是……徐莫庭，沉淀了一下情绪，终于拿出手机，第二次主动地拨了他的号码。只不过对方接到电话时正在开夜工。莫庭看到来电显示，示意两位同僚暂停讨论，转身走到窗口接听。

“你好。”他说得不动声色，但嘴角已经轻轻上扬。

“我只是想问，如果我明天请你吃饭，你比较喜欢吃中餐还是西餐？”

徐莫庭的确很意外，随后说：“什么都可以，你决定吧，我不挑。”

安宁知道自己一定脸红了，心跳也有些加快，于是决定速战速决：“那，明天晚上见可以吗？”

“好。”

这通电话对于徐莫庭来说可谓是撩拨心神的，一向不走柔情路线的徐莫庭，此时眼睛像沾了水似的清亮。

至于李安宁为什么要请徐莫庭吃饭，是因为那天在电影院门口远远地看到他，觉得有那么点儿心虚，因为那之前他发短信问过她一次喜欢看电影不，她说不太喜欢。的确是不喜欢，她更喜欢看历史书之类的。但是没两天就被他撞见她“背着”他去看电影了……

“唔，希望明天顺利，毕竟是个特殊的日子。”

而关于去实习这件事，安宁再次被众人围住晓之以大理：“正所谓内行人不说外行话，工作期间要随时随刻关注有无可攻之目标，随时回报！”

安宁很有些哭笑不得：“尽量。”

出于某种原因，上月开始在画廊打杂工的毛毛颇感慨：“最近我接触的倒都是有钱人啊有钱人，要么就是一级的画家啊画家，感觉真TM言情啊言情，但是但是，我不敢上啊！”

朝阳说：“你存在的意义不就是钓金龟婿吗？！不敢出手你活着还有什么意义啊？”

毛毛鄙视：“你说得简单，只有一个在就好了，通常是一堆啊！”

安宁点头：“嗯，什么东西只要一堆一堆出现都挺让人毛骨悚然的。”

朝阳道：“跟前跟后努力凸显自己的存在嘛，然后等着他落单时出手。”

蔷薇插话："悲哀，真悲哀！你说咱几个，多青春活泼开朗，竟然活到二十四五岁了都没有男朋友，悲哀！"

毛毛抗议："谁说我没有了，早年追我的多了去了！就是中途碰到一个极品，让我晚年有了阴影，丫把我逼墙角，'喜不喜欢我！喜不喜欢我！'最后被拒绝之后竟暴出一句'把钱交出来！'"

"……"

蔷薇问："于是造就了你如今只敢意淫、不敢出击的德行？"

"我当时只是想要'欲迎还拒'一下而已，苍天啊！！"

安宁安慰："毛毛，凡事都有第一次的。"

"……"

隔天晚上，安宁如约出门，她挑的餐厅在市中心，朝阳推荐的，说是口味独到享誉江泞市。安全起见，安宁带足了money。从学校前门打的过去二十分钟，原本是想跟他一起去的，省车钱，也合情合理一点儿，但徐莫庭这几天都不在学校里，很好，呃，很可惜。安宁提前半小时就抵达目的地了，选了一处安静的位子。结果她一坐下就开始发怔，之前的淡定也被紧张取代，突然想临阵脱逃，但是，是她约的他，如果真溜了，估计明天会被格杀勿论吧？

二十分钟后，徐莫庭推门进来，从容不迫地四处打量了一圈，望见坐在窗边的人，双手滑入裤袋慢慢走过去。

当他站在她身旁时不禁轻叹了一声，拉开对面的位子坐下，修挺的背脊不紧不慢地靠向椅背，干净的手指交叉着随意搁在大腿上，望着面前趴在桌上睡着的人。

李……安宁。

对于徐莫庭来说，如果一个人他记着五六年还忘不掉，那么，就干脆记一辈子了，因为他清楚不可能会有第二个再出现。

其实安宁并没睡着，听到动静就睁开了眼，看到对座的人，前一刻闷头做的心理调试瞬间瓦解了，抬起头故作镇定地打了招呼："嗨。"

"没有睡好吗？"他的语气透着股隐隐的关切。

"嗯，偶尔会失眠。"

莫庭仿佛想起什么，看着她平静地开口："没想到你也会失眠。这几天晚上活动挺多的？”

安宁很可怜地反射性地说：“我也不想晚上出去活动啊。”

而徐莫庭听到这句话，恍然觉得自己真是……现在居然会动不动就走进那种不平衡的状态里去，抬手按了下眉心，叫来服务员点菜。

“那个，前几天我翻东西找到了我的出生证，原来我是午时出生的，而且，很有可能是午时三刻。”安宁为了融洽气氛开了一个话题。

徐莫庭微扬眉：“嗯？”

“阳气很重。”

这时旁边站着的服务生也侧头看了她一眼，而徐某人依然答道：“那又怎么了？”

安宁道：“午时三刻是杀头的时间。”

“啪”——服务生笔掉地上的声音，而徐莫庭：“嗯。”

安宁顿时无语了。

莫庭在这时笑了一下，微一低头，轻声问道：“怎么知道今天是我生日？”

安宁轻“啊”了一声，不确定自己是不是脸红了：“项目资料上你也有填。”不想处在尴尬中，于是努力带动气氛，“十月十五号，那你应该是天秤座的。”

徐莫庭看着她，轻勾起嘴角：“天秤座怎么了？”

安宁：“按星座来说，你的守护神是爱神，我的守护星是金星。”

“然后？”

“嗯……金星在基督教代表的是魔王，魔王和爱神……你读过弥尔顿的《失乐园》吗？”

他只是笑，于是，她继续：“魔王和爱神的孩子是……死神。”

徐莫庭：“哦，那很好，我没意见。”

“嗯？”什么没意见？

“你说我们将来的孩子是死神，挺好的。”

“我没说啊。”还有，什么时候已经说到他们的孩子了？

就在这时走过来两个人，对方两人接近后才发现徐莫庭的对面坐着人，自觉唐突：“原来有佳人在场，抱歉抱歉。”其中的美女不好意思地朝莫庭颔首道歉。

徐莫庭侧头看到她笑道："刚回来？"

"我都回来好几天了，你还真是一如既往地对同事漠不关心啊。"美女终于忍不住好奇心看向他对座的人，"既然碰到了，不介绍一下吗？"

"安宁。"莫庭指了指站着的两人，"我同事。"

美女已经友好地上来跟安宁握手："苏嘉惠，你好。"

"哦，我是李安宁。"安宁这时总算是想起来美女旁边的人是谁了，昨天看电影时遇到的那位男士，果然是"通过六个人就可以认识世界上的每个人"了吗？后者已经朝她点了一下头。

嘉惠追问徐莫庭："女朋友吧？单位里估计有很多姑娘要伤心了。"

徐莫庭一笑，没否认。后来等他们走开时，安宁忍不住问："呃，你不解释吗？"

她的问题有点儿不着边际，但对方听明白了，也作了答："解释什么？这是实情，不是吗？"

"……"

安宁这顿饭吃得再恍惚不过了，最后去洗手间时，碰到里面的苏嘉惠，对方跟她聊了几句，"莫庭很难亲近吧？""……还好。""你们什么时候开始的呀？徐同志的保密功夫做得也太好了。""……正确来说，是刚刚。"出来时，徐莫庭正站在柜台处等着，双手插在裤袋里，姿态闲适，安宁因为不留神脚下绊了一下，幸好徐莫庭及时伸手扶住，嘴上已经批评："走路时别东张西望的。"

"是地毯。"说得很无辜。

徐莫庭笑了一下，抽了台上的纸巾给她："把手擦干。"

"哦。"安宁忽然想起来，"你已经付钱了吗？"

徐莫庭知道她在想什么，只笑道："下次吧，有的是机会。"

下次是什么时候啊？还有他今天未免也笑得太多了吧？

3

徐莫庭把安宁送回去之后回自己寝室拿东西，一进去就看见自己的桌子上有不少礼品盒，张齐刚走进来一抬头看见他就笑了：“都是你的仰慕者送的，我们外交学系的男神果然不一般。”

徐莫庭今天心情的确不错：“带了几罐啤酒，陪我喝一杯吧？”

“恭敬不如从命。”张齐走到沙发边坐下就问，“刚跟李安宁出去吃饭了？”

徐莫庭“嗯”了声，递了一罐啤酒给朋友。

“老实说，我还真没想到你动作这么快，一向不近女色，结果女朋友说有就有了，嘿！”

莫庭抿了口酒，说：“也不算快。”

张齐拍拍他的肩，示意大家知道规矩，“小姑娘怎么追的你？竟然能把咱们外交学系的头号人物都给攻下来了，不简单啊。”

“她跟我们同级，不用叫她小姑娘。”徐莫庭轻扬起嘴角，“还有，是我在追她。”

张齐不可置信：“你？徐莫庭？”

在旁人看来，他徐莫庭受家庭庇荫，出国留学四年，回国再度深造，如今也顺理成章地划入青年才俊的行列，学业、事业、交友，任何一项都似乎轻易可取得完美答卷，没有一点儿悬念。而只有他自己知道，在唯一的这段感情上，被拒绝过一次，如今这次也算是“硬性强制”对方接受他的。徐莫庭按了按额头，越接近越觉得自己面对她是那么没用，而今啊，每次想起李安宁，胸腔里便跃动不止，会时不时地想，那个人此刻在哪里，在做些什么……真是要命。

张齐是真有点儿感触的，最后笑道：“老三上次说错了，李姑娘才是不得了。”

不得了的李安宁隔天一早出发赶地铁上班，恍惚有一种再世为人的感觉，不是因为清晨的空气或者初生的太阳之类八点档的东西，而是……为什么现在小学门口都停着宝马奔驰梅赛德斯？而中学生们为什么比她这个上班族还要成熟？他们的校服是西装款的，女生都化着淡妆，她却是牛仔裤T恤球鞋外加素面朝天。

茫然，她在地铁里给表姐发短信。

安宁：我是不是应该学点儿化妆啥的了？

表姐：是的，我跟你说啊化妆这东西——

安宁：还是算了，我随便问问的。

表姐：……

表姐：昨晚上我梦见我们老板把我扔总部培训去了。

安宁：免费出境旅游吗？

表姐：P！首先，我们总部在德国，然后，我只带了500欧元，接着头脑发热花了490欧元买了新手机，而且开通了BIS，但是没买套餐……醒过来第一反应是完了，没开通套餐我肯定一下子就手机欠费了，然后被扣在德国！！

安宁：要不把手机退了？

表姐：……

当天安宁是踩着点进公司的，一路上上网过来，信号一直不稳定，直到走到龙泰大门口信号才稳定又强烈，马路对面是证券公司，不愧是金融区啊，安宁不禁感慨："终于找到组织了。"

后面跟上来的一位同事听到她说话就笑道："安宁啊，打游击呢？"

安宁笑了笑，关了手机上的唐宋历史向前辈问好。

龙泰这边化验室里的人都是去年就混熟的，所以工作很快就上手了。

中午的时候接到一条信息：今天我不回学校，有什么事情打我电话。

安宁靠在窗户前，心想，完了，果然既成事实了吗？要不，反抗一下？这时脑中闪现出对方"正派"的模样，安宁承认，不敢反抗。

傍晚，安宁回宿舍的时候见毛毛举着衣叉站在阳台上嘴里嚷着什么打雷吧穿越吧。

安宁："她怎么了？"

朝阳："要去邂逅隋炀帝。"

毛毛一见安宁回来就立马冲进来："喵啊，赶紧跟我说说我未来的夫婿是什么样的人吧？！"

安宁正巧这段时间在回顾唐朝的历史："隋炀帝啊，史书上虽然给了一个较为公允的大功大过，但暴君这个称号总是逃不掉的，因为他，导致了当时'百姓苦役，天下思乱'的局面。毛毛，你真的确定要跟他邂逅吗？”

“啊哈哈哈哈！一个女人改变历史的时刻到了！”说完，她又跑回阳台上。

朝阳实在看不下去了：“毛晓旭，如果你真的被雷劈中了，我们只会在医院里见到你，或者殡仪馆里。”

“那样的话我明显灵魂穿越了嘛！你们看到的只是一具没了灵魂的躯壳，这是艺术，艺术懂不？现在流行！”

安宁这时不由得笑了一下：“这让我想到了尼禄的遗言：Qualis artifex pereo!大致意思是，看这个艺术家究竟是怎样死的！”

“……”

这时有人敲了下敞开着的门：“请问谁是李安宁？”

安宁侧头：“我是。”

“外卖，请拿一下。”

“耶？我没叫啊。”安宁疑惑地走过去，朝阳也马上跟上：“哇哇，雅德的牛肉饺子和龙虾派吗？”

安宁皱紧眉头：“你们是不是弄错了？”

“江泞大学，14号楼315李安宁，一位顾客在我们餐厅用餐，中途点的外卖，钱已经付过了。”送餐人员并不等当事人犹豫，将手上的袋子递上便转身离开了。

“谁这么阔绰啊，还顾虑这么周全，四人份啊。”朝阳多多少少有点儿心照不宣，“阿毛，别玩了，过来吃饭，顺便去隔壁叫下蔷薇。”

当晚安宁给某人发信息，琢磨半天只打出一个：“谢谢。”

对方回：“不客气。”

4

当蔷薇在吃下最后一个龙虾派时才想起关键性问题：“这大餐谁买的啊？”

朝阳指了指某人：“标的物。”

毛毛狞笑：“谁想泡阿喵啊？”

朝阳同笑："毛，注意遣词用语，回头有你叫的。"

"切，畏首畏尾的，怎么做大事。"说着毛毛突然"啊"的一声，"我的心不知道为什么突然急速跳动起来？"

蔷薇问："平常都不跳吗？"

"加速，是加速！"毛毛看着安宁，颤着声音开口，"莫非，我刚才吃的是某位帅哥买的晚餐？"

"……"

安宁本来决定随便找一个托词，但她停顿片刻还是说："嗯……他叫徐莫庭，我跟他目前貌似在交往。"

此话一出，满座皆静，一分钟后315寝室炸开了锅。安宁一向能做到不惊不扰，看着朋友们闹腾，形色平静，只是没想到这个事实这么有威慑力。

而这一边的徐莫庭也是首次在签单时不免摇头苦笑，竟然做起这种事情来，庆幸理智犹存，没有头脑发昏地打电话过去问一句"味道如何"，否则真像是在讨便宜的小鬼了。走出餐厅，有人提议去酒吧再坐一会儿，徐莫庭看看时间："我不去了，还有事，酒钱算我账上。"

"老大，不会是人约黄昏后吧？"老成男语气中带着明显的试探。

徐莫庭只拍了拍他的肩，说："回去了，你们玩得开心点儿。"

当晚一伙人在酒吧里猜测徐老大的心仪对象究竟是何许人也，老三和另一名男生是见过的，而最清楚内幕的自然是张齐，不过张兄明哲保身，未经当事人允许还是少说为妙。

徐莫庭抵达公寓，洗了澡便开始坐床上发呆，这算是千年难得，最后叹了一口气躺在床上抬手覆住眼睛，这么首尾不顾地对一个人孤注一掷，连自己都觉得有些鬼迷心窍了。

而且，还是鬼迷心窍了这么多年。

安宁最近都是天蒙蒙亮就开始出门奔波劳碌。兵慌马乱的两天里倒是都没见到徐莫庭，虽然未觉异样，但工作的时候偶尔会一个人陷入思考，只是回过头去追溯又毫无所获，所以她将此归结为"单纯性发呆"。

周五安宁与朝阳她们为蔷薇的总决赛加油时，见到了徐莫庭，他似乎是受邀来颁奖的，这个男人只是从容地立在那里，坦率持稳，便惹来多方关注。

刚从酒店过来的傅大姐不由得感叹道："要是早生两年我就追他！"

毛毛跟朝阳去后台帮忙了，同班的甲君听到此话立刻挪位过来跟傅大姐聊天："是吧是吧？很有型吧？我打听出来了，他是外交学系的高才生，姓徐，独生子，高干子弟，孝顺，有抱负有野心，无不良嗜好。"

旁边某人听得不免有些坐立不安，刚要借故起身，甲君便朝她招手："阿喵，毛毛说你跟他认识的，来来来咱们唠唠嗑，资源共享啊。"

安宁不确定毛毛出去乱说什么了，对着甲君满脸期盼的表情，只能硬着头皮开口："其实，呃，我对他的了解还没有你多。"这算是实话实说。

甲同学一听如此，深受鼓舞，再接再厉奉上自己的内幕消息："现在我们寝室里有两人立誓了，谁能追到他就给创办此节目的人送一份红包，以报知遇之恩。"

安宁忽然"咦"了一声，心想，盘根究底起来这红包是不是应该送给她啊？当然，就算是她也没胆拿便是了。

安宁这时才发现，他以前的"默默无闻"被她的"想走后门"打破了……唔，罪过。

而那天的最后，某人的"默默无闻"也被打破了，徐莫庭在为破天荒取得季军的傅蔷薇颁奖时，后者在麦克风下朗声道："感谢李安宁的男友给我颁这个奖项！谢谢！当然，也谢谢各位！"

"……"

那一刻站在台上神情自然嘴角迷人被众人聚焦的外交系老大，没有一句反驳的言辞。

5

李安宁现在只要碰到熟人就会被问上一句："阿喵啊，你男朋友真是那谁啊？"或者"安宁你太神了！"亦或者"李安宁，是不是姐妹啊，这种大事都藏着掖着，什么态度嘛。"总之就是死罪可免活罪难逃。

安宁本身喜静，如今算是被搅得不得安宁了。而罪魁祸首傅蔷薇却还顶着一脸“我乃开国功臣”的音容笑貌四处晃荡，毫无愧疚之心，遇到有不知道“徐莫庭”为何许人也的同志还会热情地从中点拨一下，惹得对方好奇心大起。总体来说就是，现在物理系这边的人都已经知道此事了，甚至有人还问阿喵什么时候成婚的，这可真的把她吓着了，现在的人都这么一意孤行吗？

蔷薇这天刚进门，朝阳就风水轮流转地拍了拍她肩说：“兄弟，早死早超生啊。”

“记得给我烧真钱。”

朝阳一笑：“我烧我自己也不烧钱啊。”

蔷薇“啧”了声，然后走过去对坐在窗边看书的阿喵说道：“牺牲小我，成全大我！”

安宁抬起头来，柔声问了句：“然后？”

“我错了！！”

朝阳鄙视：“没风都能转舵。”

“这叫没风？”

安宁这边叹了一声，不过再恼朋友的胡作非为，也还不至于动怒。

她是觉得，这是两个人的事，没必要弄得人尽皆知。

蔷薇识相地转移话题：“我请大家去吃大餐吧？五千元奖金随便花！”

毛毛说：“我现在什么都不能吃，溃疡，吃啥都嘴痛。”

最终权衡再三改去唱K以庆祝蔷薇的季军。

毛毛对此依然有意见：“唱歌不是一样要用嘴巴吗？！”

结果当天毛晓旭在现场是这样的：左手一只烤鸡，右手麦克风，然后当音乐响起时，她一口烤鸡，一口“所以倾国倾城不变的容颜……”

朝阳抖了下：“我看着怎么有点儿瘆人啊？”

安宁一直在旁边喝饮料，反正她唱歌也不好听，那天蔷薇还叫了同班几位关系不错的同学，十来个人在包厢里面闹腾，中途项目组的小王同学过来跟安宁说话，第一句就是：“他是你男朋友？！”

“14。”

“什么？”

安宁笑答："你是第14个问我这个问题的人。"

王同学这边已经明显受了刺激："我是不是把台前幕后的都得罪了？"

这时有人推门进来，来者正是幕后黑手徐莫庭，当时场面有五秒钟静默，只有"此刻倾国倾城相守着永远……"

朝阳切了歌："下一首是谁的？"场面才又恢复到歌舞升平。

徐莫庭坐到安宁身边，后者慢慢抿着饮料，想到什么，问："要喝吗？"

对方似乎笑了一下，抬手摸了摸她的后脑，安宁也下意识伸手压了压自己微翘的头发。

"蒙头睡了？"

"嗯。"中午的时候洗了头吹半干就睡了，忽然有点儿不好意思，"很乱吗？"

"还好。"他说，眼里带着温柔。

突然感觉到几道投射过来的眼神，安宁立即想到自己跟他之间的举动非常容易引人遐想，于是端正坐好。

毛毛深情款款地走过来给徐莫庭送上啤酒："请用。"

莫庭道了声谢，这次他没再拿安宁的果汁，端起啤酒喝了一口，侧头问李安宁："我来你不介意吧？"

他表现得很合宜，但语气却轻柔得让人赧然，安宁抬头看毛毛，她正东奔西窜，装作什么都没听见。

"我能不能问一下，你怎么知道我在这里的？"

对方想了想说："你有一位室友姓沈？"

安宁心中呻吟，现在她这边的人算不算一致倒戈？

后来有人按捺不住过来邀请徐莫庭唱歌，对方也好说话："可以，不过……"他按了下喉咙处，于是李安宁不得不对面前的朋友说："不好意思，下次吧，他感冒刚好。"唔，让她死了吧。

当日徐莫庭没坐多久，接到两通电话后便起身告辞了。

男主角前脚刚走，剩下的人就疯了："阿喵，咱们女生要求集体免费授课！"

其中一女颇感慨："李安宁同学真是不鸣则已一鸣惊人！这种清高的角色……啧啧，我连想都不敢想。"

于是，当晚的K歌活动日成了探讨如何追到大神级人物的可行性报告会，报告人自然是李某了，可问题是……她没追他啊！

6

李安宁的思维抛物线一向很平滑，很少会有外物能让她心神不宁，但头一次谈恋爱多少有些情绪波动，最后跟父亲通电话的时候都差点儿讲错词。

回想起父亲今天的建议不禁又迷惘了几分，爸爸让她毕业后就去广庆市工作。如果她去了那边妈妈怎么办？根本是不可能答应的事情，但是，爸爸又不是那种无缘无故讲废话的人。

唉，真是麻烦。

"安宁，我的移动硬盘又打不开了！"沈朝阳突然的话语拉回了某人的思绪。

"运行里输入cmd（命令提示符），后台打chkdsk盘符，冒号，斜杠，f。"

朝阳不得不佩服："我的女神啊！"

"Google才是女神。"安宁叹笑，"可以了吗？"

"'非法操作'，丫这么说！"

安宁走过去查看："冒号后面要空一格，别跟着就写f。"

朝阳看着她，忽然道："把你嫁出去还真不舍得。"

安宁轻笑了下："那就留着吧。"

蔷薇带着外卖走进来："学校祥和咖啡馆收小费还真是名声在外又在内，不过总的来说，服务态度还行，收钱也利落。"

朝阳闻香而起："每天让你这么破费真是不好意思啊季军！"

蔷薇说："今儿破费的不是我。我刚进咖啡馆大门就碰到阿喵她男人，啊哈哈哈哈，我才上去叫了一声而已，就受益匪浅。"

朝阳好奇："你叫什么了？"

"妹夫。"

"……"安宁抚额走开。

当晚阿喵收到徐莫庭短信："下周可能都不在学校里，有事打我电话。"

上次的一条类似短信没有回，这一次安宁在睡前终于回了一句，然后关机睡觉。

隔天下班安宁赶去坐地铁，说到坐地铁，其中一大乐趣就是看每个人手上的电子设备。一般来说，PSP（一款多功能掌机）是最为普及的，几乎横扫所有年龄段，不论性别。而且也经常性地出现PSP的山寨机，正面看像N73，反面像立体声喇叭的机体，非常有趣，安宁一直佩服国人在某些方面的大胆创新理念。

而阿喵这天就碰上一位达人。她加班晚了，上车的时候人很少，随便找了位子坐下，然后拿出手机翻看新闻。眼角扫到隔壁一位老大爷转头看了下她的机子，也开始掏包。安宁坚信地铁是神人出没的地方，于是开始猜测，老大爷会掏出一款什么手机，或者PSP，或者MP4?

然而，事实总是超乎想象的，安宁瞠目结舌地看到这位大爷掏出一部电子词典，开始玩起了俄罗斯方块。

所以说，地铁绝对是一处很有意思的地方啊。

走出地铁的时候安宁要去找服装店，先前蔷薇电话过来让她回去的时候带两条丝巾，也不知道要干吗。

于是转道去某大街，在经过中心广场时，瞄到一幢大楼上金光灿灿的一行大字"××省外事局"。

安宁走进去的时候才反应过来自己行径莽撞且莫名，只一会儿她就发觉这里进出的都是衣冠楚楚的工作人员，而她的一身休闲衫尤为显眼，如果理智，应该立即掉头，但安宁发现自己已经在服务台前询问，不过前台小姐的回复是，需要询问过当事人后才能确定能不能让她进去。

"哦，还挺麻烦。"也算是庆幸，"那算了吧。"安宁跟对方说了声谢谢，就准备撤退。

这时电梯里出来的人叫住了她："安宁？"此人正是苏嘉惠，已经快步走过来，"真是你啊，来找莫庭？"说着笑着回头看去。

安宁下意识随着望去，眼神交错的一刹那，安宁觉得自己的心脏莫名地一紧，可能是因为自己先越界，突然就来找他，所以有些窘迫。

这边徐莫庭也确实意外，完全没有想到会在这种场合见到她，站立了两秒钟，习惯性双手插裤袋慢慢走过来。

"看来我这餐饭要记到下一顿了。"嘉惠笑道。

"没事，一起吧。"

"谢谢你的邀请，但我可以确定这是外交辞令。"

徐莫庭也不勉强，等苏嘉惠走后才认真地看向身侧的人，而他的手已经轻轻牵住她的左手："特地过来找我？"

那个"不是"怎么也说不出口，只呐呐道："来买东西，刚好在附近。"

他瞥了她一眼，最后说："请我吃饭吧？"

安宁跟出来的时候心里哀叹不已，怎么看都像是自己送上门来的。

徐莫庭带着她穿越人群，手一直没松开过，在过马路时，他索性揽住了她的腰，后者刚要开口，他已淡淡一扯嘴角说了句："再动我现在就吻你。"

第一次听这个斯文的男人讲这种类似威胁的话，安宁一下蒙了，侧头看他，她一直觉得他周身聚集着一股气场，凌厉深敛、无法揣摩。回过神来时她已经坐在餐厅里，暗自摇头抛开纷乱的思绪，扫视了一下室内，环境幽静，非常适合情侣约会，不由得脱口问道："你跟同事经常来这边吃饭吗？"

对座的人没接话，安宁似乎也意识到了什么，忙摆手道："你不回答也没关系。"

"你想知道什么我都可以告诉你。"他看着她说，"这里我是第一次来。"

安宁一听此言，不知怎么就想到自己前天回的信息，擦过面颊的气流都仿佛是热的。

对方倒像是完全没察觉到她的"状态不良"，抬手叫来服务生点餐。

服务生走开时徐莫庭接了一通电话，那头的人讲了起码有五分钟，莫庭一挂断，安宁就说："你好像很忙啊？那我们回头吃快点儿吧。"

他只是望着她，正当后者不明所以时，徐莫庭站起来俯身过来，气息慢慢靠近，嘴唇覆上她的，安宁这时才反应过来发生了什么，第一反应是后仰，可对方已经先行一步按住她的后脑勺，他轻咬了一下，安宁吃痛，"唔"了一声闭上眼，心如鼓跳，他把舌头探进来的时候，安宁全身都僵住了，睁开眼睛，下一秒便跌进一双幽黑眼眸中。

"每当跟你在一起时，我都希望时间过得慢点儿。"他低沉的话里带着一丝清幽的抱怨。

安宁从未如此如坐针毡过，如果不是在公共场合，她可能会立即灌下三杯冰水来冷静一下，心脏仍在剧烈地跳动，气息也依然紊乱。饭菜上来后，低头吃东西也是红着脸的，而对座的人已经恢复一贯的状态，似是刚才发生的事情再理所当然不过。

终于吃好饭，徐莫庭招来服务生埋单，对她说："我送你过去？"然后像想起了什么，又道，"其实相对于短信，我更喜欢实际的回复。"

安宁"咦"了声，刹那间百感交集，最终用手捂住自己的额头……她那天干吗回一句"kiss good night"啊？

服务生过来时不免多看了一眼将头低垂至桌面的姑娘，徐莫庭拿出钱放在桌面上。

"先生，需要开发票吗？"

"不用，也不用找了。"

服务员点头："谢谢。"

徐莫庭起身，一手滑入裤子袋里，绕到某人旁边不由得轻浅地一笑："走了。"

安宁跟在后面，站在门边的服务生拉开门："欢迎下次光临！"

徐莫庭微颔首，在走出门口时，这个看似气定神闲的男人轻微咬了一下嘴唇，将裤袋中一张沾了手汗的纸巾丢进一旁的垃圾桶中。

七点钟徐莫庭送她到达宿舍楼下后说了句"别太晚睡"，然后看着她走进楼里。

安宁懵懵懂懂地回到宿舍，朝阳一见她就问："脸怎么这么红啊？"

"嗯……天气热。"

"我也热。"毛毛淫淫地笑道，"阿喵，你上次说的那个受，他和箕子是什么关系？"

"箕子是殷受（商纣王）的王叔，帝乙的儿子，装疯后被贬为奴隶。"安宁真佩服自己竟然还能对答如流。

毛毛："为什么要装疯？"

安宁："因为殷受要把他处以绞刑。"

朝阳："他哪里惹到小受了？"

安宁："史书上说，劝谏。"

毛毛："劝谏他什么？其实我更好奇殷受做过哪些天怒人怨的事？"

安宁已经洗了冷水脸："你指哪方面？其实他的史料不多。"

毛毛："都可以。"

安宁想了想："听信女人的话，不祭祀祖先，对祭祀大事不闻不问，不任用同宗兄弟，重用逃犯，让他们虐待百姓，胡作非为，等等。"

毛毛呻吟："我喜欢SM！"

朝阳别开头："阿喵，炮烙真的是殷受发明的？"

"什么烙？"蔷薇走进来，身上带着股烧焦味。

毛毛和朝阳看到她的样子就笑抽过去了。

蔷薇扭捏状："笑什么啊？都是某男啦，拉着我去什么烟花会赏烟花，还硬要说什么在高处看烟火更好看，拖着我去制高点，结果是很清楚没错，丫就在眼前，然后我就被四散的火星烙得满身是洞了……"一夜成名的季军看来这两天活动相当丰富多彩。"对了阿喵，你有没有帮我买丝巾啊？"

"啊……忘了。"

当晚，办事不利的李安宁被派出去买消夜，回来时因为心不在焉没发现身后有人跟踪，结果绕到食堂后面的小道上就被人堵住了。

对方两人来势汹汹："你是傅蔷薇的朋友？"

安宁："是。"

一高大女生嗤笑了声，刚想动手就被人从后方抓住了手。

沈朝阳绕到安宁身前，甩开手说："这手臂够粗的啊。"沈朝阳刚好下楼来打水，水壶还搁在后面地上呢。

被间接说了胖的姑娘恼羞成怒："你找死啊。"说着就冲上来了。

安宁退后一步："手下留情。"

对方两人几乎异口同声地开口："你觉得有可能吗？"

安宁委实有点儿无辜："我是在跟朝阳说。"

"……"

后来弄清楚这两人是附近一所大学院校的大二生，不知怎么被蔷薇惹了，过来寻衅，等不到当事人便拿旁人开刀，不巧遇上沈朝阳，后者学过七八年的武术，对付两个小太妹自然是绰绰有余。

原本沈朝阳也只是想吓唬一下就完事儿，只是中途一个没品的去打安宁主意，当时安宁正在担心朝阳，没及时反应过来，左脸上被刀片划开一道小口，当即沈朝阳也不顾情面了，直接把两人都摁地上了。

出"事故"后的第二天，徐莫庭约阿喵吃晚饭，一见她就皱眉问："脸怎么了？"

"打架。"

他伸手轻抚了下她的伤口处："那你有打回去吗？"

"呃，有人帮我打回去了。"

"那就好。"

"……"

吃完饭后徐莫庭去单位拿点儿东西，要走的时候在停车场遇到了他的同事，上次在电影院不小心靠过他肩膀的那位男士，安宁看他眼熟，仔细回忆终于想起了他是谁，而对方朝他们点了下头就开车走了。

之后上车，徐莫庭熟练地发动了车子，开出一段路才漫不经心地问了一句："你认识我同事？"

安宁坐在旁边望着车窗外的风景，自然而然地说道："如果真要说的话，算是一位特殊的亲戚吧，我几年前见过他两次。"

徐莫庭扭头看了一眼身边人柔和的侧脸："好几天没见到你了。"

安宁回头呐呐道："才三天而已。"

莫庭笑了笑："比起五六年是不长。"

之后车子慢慢停靠在了路边，他靠过来时安宁第一反应是他要吻她，嗯，猜对了，难道吻着吻着会成习惯？

7

安宁在学习工作两头忙的情况下，近来又多了两项任务：约会与腐败。前者自然是跟某人，至于后者，因傅蔷薇突然对各类娱乐活动产生了浓厚兴趣，于是开始经常性地伙同毛毛、朝阳等人出入酒吧、KTV。安宁虽然不爱凑热闹，但目前有一种心态：需要分散注意力。所以偶尔也会去凑下热闹，不过最多也就是去KTV里坐坐。

某日，蔷薇一进门便大力推荐："姑娘们，明天这区的各大院校联合搞了场大型联谊活动，有没有兴趣？"

自然都有兴趣，除了安宁，但最后还是没能逃过一劫，因为毛毛说有她在可以缓和冲突，减少流血事件等，活动当天硬是把她拖去了。活动是在隔壁大学的大礼堂里举办的，当天那礼堂被布置成舞会现场。毛毛和蔷薇都是裙装出场，朝阳也一反往常，没穿运动衫而是换上了……一套网球装，好歹下面是裤裙，唯独安宁穿着最不专业，衬衫搭牛仔裤，毛毛连连饮恨，资源浪费！

当晚男多女少，女生几乎一进场就被男同胞上来给围住攀谈了，自然也有不少男士过来跟安宁搭讪，面对陌生的人她并不习惯多交流，所以只礼貌应付，还算和平。只是中途一位别校的大四生对她穷追不舍，让她很是为难，直到一通电话替她解了围。

"在忙吗？"对方似乎是刚出办公楼，能听到一些人在跟他打招呼。

安宁想了想还是据实以告，"在联谊会上。"

"哦。"对方沉默了片刻，然后才说，"有中意的吗？"

他生气了吗？安全起见，安宁立即说："我是被迫过来的。"

"是吗？"声音里有笑意，"我今晚过去，你要是有时间见一面？"

"这是疑问句吗？"所谓的"脱口问出"。

莫庭这边轻按眉心。

一时间安宁不知该如何“补救”，却莫名地觉得这样的静默很舒服，听到毛毛朝她嚷着让她过去，便说：“我要挂了，朋友在叫我。”

莫庭应了声，最后提醒：“别喝酒。”

他的口气怎么老像她是酒鬼似的，刚收线转身，已经站在她旁边的毛毛就说：“你家男人哟？”

“叫我什么事？”

“刚才蔷薇碰到上次欺负你跟朝阳的人了，原来两丫是这学校的，哈哈，对方似乎已经被校方处理过，又是批评又是留校察看，这边的领导真是英明啊。”毛毛乐得合不拢嘴。

安宁心里想的是：应该是朝阳把她们欺负了吧？

“话说，蔷薇是怎么跟她们结的仇？”

“猜都不用猜啦，起因肯定是男人嘛。我现在才想起来，导火索不出意外应该就是这学校的篮球队长，蔷薇不是经常来这边看篮球比赛吗，我跟来看过两次，呵呵呵，那篮球队长是真的挺帅的。不过，没你男人帅噢。”

“……”

刚过八点的时候安宁提前回去，刚到寝室楼下，就见到站在门口的人，不由得感到惊讶，这个身穿深色风衣的男人侧身看到她，掐灭了手中的香烟扔进一旁的垃圾桶里，然后走到她身前说：“刚好在附近，就过来看看。”

安宁点了下头，不知道该说什么，实在不熟。对于父亲那边，确切地说，对于父亲后一任妻子那边的“亲戚”，她从来都不在意也不关注。

对方似乎也没有多停留的意思，只说：“你爸爸让我带一句话，如果有时间，回广庆市一趟。”

安宁再度点头，原以为他接下来就要走了，却发现没有动静，她抬起头时他正看着她：“有空吗？找家餐厅坐一下吧，我没有吃晚饭。”

安宁没想到局面会往这方向转去，一时无法回答，而对方只是等着，并不急躁。

“你还有什么话，不能在这里都说完吗？”安宁本来想这样说，可终究做不来太绝情，最终还是答应了，勉为其难地带着这位后母的弟弟去了学校里一家还在营业的餐馆。在刚进餐厅时碰到了从里面出来的张齐，后者看到面前的两人有些意外，但表情未变，跟安宁随意交谈了两句便告辞了，走开时忍不住问了句：“今天莫庭说要过来是吧？”

“嗯，我知道。”安宁莞尔，原来男生的联想力也不容小觑啊。

张齐自觉多话了，最后笑着道了别转身出门，门关上的一刹那又往后看去，眼睛闪烁了一下，他是真的很吃惊——周锦程，省外事局的二把手。

“有什么可以推荐的？”周锦程坐下后问。

安宁反应过来他是在跟她说话：“这里的铁板烧不错，不过你可能——”

“那就试试吧。”他笑了笑，伸手叫来服务生。

这种每天都是山珍海味的人吃铁板烧？好吧，偶尔清淡小粥也是需要的。安宁自己叫了份果汁，之前还有点儿饿，本来想见到徐莫庭的时候可以一起吃点儿消夜什么的，现在却没什么胃口了。

十分钟后一名清俊男子走进餐厅，徐莫庭看到窗口那一桌人时放缓了脚步，原本是想来给她带晚餐的，去参加“联谊”活动，肯定没能吃上多少，现在看来不用了。轻抚了下额头，退到身后的那张空位上坐下，手机在这时候响起，是短信，“我现在在跟人吃饭，你打电话来好不好？就说有急事，我跟他真的不知道怎么交流。”可以想象她此时表情有点儿可怜。

安宁这边咬着吸管耐心等回复，片刻之后对面回过来：“我刚到学校，你吃完了再出来吧。我不急，出来了给我电话。”

可我急啊。

寝室里的人都在联谊，发短信俱不回，所以只好找了某人，还真是“见死不救”。

而周锦程这时抬眼看了她一眼：“这么想要急着走吗？”

安宁想如果自己真是猫，此刻一定全身毛都竖了一遍：“唔，你试过灯影牛肉吗？”

他笑了下："没有。"

"还有北欧的一道特色菜，生鸡蛋拌生牛肉？"味道就好比陌生人对陌生人，没啥可多说的。

"没有。"

"……"安宁有种出力了却打在棉花上的感觉，于是沉默。

从餐厅出来时，服务员告之账单已经有人付过，一个是惊讶，一个若有所思，最后周锦程转头对她笑道："看来我是沾了你的光。"

他走的时候，安宁沉吟，其实她应该是不喜欢这种亲戚的吧？不说别的，这些权势在握的人，一直是她的心结，好比爸爸，所有的事情都夹带着利益的考量，不知道有多少付出出自真心。

这边厢徐莫庭回宿舍冲了澡，张齐对着正擦拭头发的人啧啧称道："我现在知道女人为什么这么迷你了。可惜你不爱张扬，否则绝对能压过文学院的江旭还有金融系的那谁。"

徐莫庭对此话题没有兴趣，拿起桌上的腕表戴上："这学期硕导对你赞赏有嘉，你可以更上一个台阶。"

"升博吗？是有这个想法。"说到这儿张齐不免问，"你呢？如果你想应该轻而易举。"

莫庭笑了一下："目前没这个意向。"

"也是，你也不差这张文凭了。"张齐见他要出门，突然有些欲言又止，被后者看出来问道："还有什么事？"

"这个，我不知道该不该说，我刚看到你媳妇跟你们单位的周锦程吃饭了。"

徐莫庭随意"嗯"了一声。

张齐讶异："就这样？"

"不然怎么样？"口气平淡，不像说谎的样子。

"我以为至少应该有点儿介意。"看来是他小题大做了，张齐一放松忍不住开玩笑，"说真的，你家那位算是秀外慧中的大美女哪，不时时看着放心吗？"

正查看手机的手指停了下来，到这里徐莫庭不否认有点儿情绪不好了，但开口的话却平静异常："又跑不掉。"

8

徐莫庭一下来就见到某人站在花台旁，低着头踢着脚边的石子。身影在路灯的朦胧照射下看上去有些纤弱，头发已经长到腰际，想起好几年前被同学拉去体操馆观看女生羽毛球比赛——那个时候，她的头发还只到肩膀处。青春期的一次窥视让他首次察觉到自己体内萌发的悸动，像是不小心触及了一片罂粟花，手心些微发麻，一直牵连到胸口。

安宁一抬头便望见了正往这边走的徐莫庭，她自然地送给他一抹温煦的浅笑，站直身子等着他走到面前。

“你说要一会儿才下来，挺快的嘛。”她希望自己表现得足够泰然自若。

莫庭伸手抚了一下她脸上的创可贴：“好点儿了吗？”

一碰到现实场景又马上不行了，脸因他的触碰而微微泛红：“呃，没事了，小伤口而已。”创可贴是被毛毛强贴上去的，说什么能添加野性和“禁欲”气息，安宁确定她最近太无聊了。

这个时间点，又是隐蔽的树下，人流稀少的角落，徐莫庭略作沉思，最后上前亲了下她的嘴唇，因为太突然，安宁反应不及，而他的手已经绕到她的发丝里禁锢住她。

“别咬着牙。”

当双唇相抵，安宁的神经再度瘫软，他的气息含着茉莉花的味道，有些清凉，又是濡湿的。

之后徐莫庭拉她走到旁边的小径上，绕到一块石头后方，阻挡外界的一切，他靠在她的颈项，这么多年来，第一次对一个人怀有执念，餐厅里初吻的紧张和惊心，牵引出的是藏在身体深处的震颤。他抬头看着她，他真的不愿再明明想要，却得不到。

一阵脚步声打破了这一方静谧天地，两个原本想绕近路走的女生被眼前的一幕惊住了，晚上情侣间的亲密戏码学校里并不少见，但问题是眼前这个英挺的男人，正是她们外交学系无懈可击、凛然不易亲近的徐莫庭。

“对……对不起。”一女生先回过神来，扯了下旁边人的衣袖，两人慌忙撤退。

“徐莫庭……”

“嗯？”他的声音还有点儿哑哑的。

安宁知道自己的脸一定红得很明显：“你很喜欢我吗？”

安宁回寝室的时候，朝阳正在问大家各自的第一台电脑是什么时候买的。

蔷薇说：“九七年，印象颇深，香港回归。”

“九七年啊？”毛毛深沉摇头，“那时我还是乖孩子，要考大学所以从不上网。”

蔷薇皱眉：“那时我在上小学。”

“……”

毛毛一见安宁进来立马跳起来问：“阿喵啊，推荐点儿书看看吧？”

“要不要……童话？”

毛毛猛摇头：“我不看童话的，看也是看成人版的！”

蔷薇微笑：“其实童话故事都是黑暗到无以复加的。《丑小鸭》告诉你什么？这个世界上大多数人都是只看外表不管内在的。《小美人鱼》呢？哦，你不应该去觊觎不属于你的东西，否则会变成海上的泡沫。《豌豆公主》不知所云，还有《打火匣》是在鼓励什么啊？简直是欺世盗名！”

朝阳笑：“赤裸裸的愤青啊。”

“哼哼，最后还要谨慎名著，或许《简·爱》比《呼啸山庄》要正面，《傲慢与偏见》比《幽谷百合》要积极，但是，你懂的，名利中的爱情，都不怎么纯粹。另外，《卡夫卡全集》绝对比《希区柯克故事集》要恐怖！”

毛毛说：“于是大家一起来看有益身心健康又积极向上的NP文吧。”

“……”

蔷薇“咦”了一声：“阿喵怎么闷床上去了？”

“安宁，我暗恋你六年多了。”徐莫庭的话似乎现在还在安宁的耳边回响。

隔天早上项目小组的会议安宁迟到了，她进去时俩搭档已在，而徐莫庭也在座了，听到开门声，侧头看向她。

女同学等她到身边坐下便笑道：“蒙头睡了吧？头发乱蓬蓬的。”

安宁“嗯”了声抬手扒了扒头发，但因为过长，到下面就打结了，于是索性随它去，低头问：“你们讲到哪儿了？”

“才刚开始。”对方也压下声音，“今天小王同学进来时摔了一跤，你没看到，真是笑死了。”

阿喵同情地看向小王同学。

首位的人轻敲了下桌面，俩姑娘识相地结束八卦。

王同学将一张纸条推到安宁面前，后者犹豫着拿起：“阿喵‘百晓生’，推荐点儿什么‘跌打酒’吧。”

安宁第一反应是笑出声，然后首位的人马上看了过来，她立即端正表情。

小王同学心中思量，这两人不是情侣吗？怎么相处模式这么陌生？

这天的讨论成果不错。

“现在的问题是要借一间实验室，供我们长期使用，但目前看来学校实验室很紧缺。”说到这里王同学义愤填膺，“校方对咱们物理系也太冷落了吧！”

安宁说：“这方面我会去想办法。”

小王同学很开心：“行，劳你折腾了。我忙我的任务，免得到时措手不及。”

“嗯，你只管去做你的，其他的我会处理。”

“阁下英明神武！”

安宁旁边的女生笑出来：“你们俩还真有默契。”

王同学脱口而出：“那是，我跟阿喵仔可是大一就在一个班的，都多少年的交情了。”

这时刚到窗边接了一通电话回来的徐莫庭对着安宁淡淡说了句：“徐程羽约你逛街，我帮你拒绝了。”

第五章

反客为主

1

安宁一直想问徐莫庭一件事，有关于那封信，可又怕这种事情一旦表述不恰当，她就玩完了。

理论上，她不记得收到过他的疑似信件，但基于她记人薄弱这一点无法辩白，所以，有可能是：他给了，她忘了。但是，她收到别人的信通常都会回，即使是回一句对不起……总觉得哪里不对劲，可又找不到突破口。

“灵魂归位啦！”女同事楚乔笑着拍了下正发呆的人，“安宁，实在对不住，今天业务部的人都跑外面办事去了，所以不得不劳你陪我去给大老板接风洗尘，回头替老板挡酒我来，你稍微帮我打打下手就行，麻烦你了，没问题吧？我跟你们主任打过招呼了，明天放你假。”

安宁是无所谓，算起来也是她赚到了。

六点半，来到市区一家久负盛名的餐厅。楚乔说的大老板叫贺天莲，香港人，四十刚出头，成熟稳重，讲话有理有据又不乏幽默，当时在座的还有他内地的几位当官和做生意的朋友。

女同事敬了一圈酒后，安宁也陪着喝了不少饮料，在座的大人物都算开明，并不强求小姑娘喝酒，有人还对楚乔开玩笑说："楚经理难得带小姑娘来，颇感欣慰，以前你们业务部的小张喝酒厉害啊，我见了他都怕。"

众人都笑了。中途又有一位客人由服务员带领进来时，安宁目瞪口呆，当即挺了挺背，贺老板起身过去跟他握了下手，周锦程坐下时不免看了她一眼，但没说什么。

他显然跟这些人是熟悉的，有人替他倒上酒："锦程，先前不是说跟高老先生在饭局上吗？"

周锦程笑道："也好久没见你们了，过来坐坐，怎么，不欢迎啊？"

"这话说的，周大外交官出场，咱们放礼炮还来不及呢。"

"我已经不做外交官一年多了，就别再旧事重提了。"

"哈哈，在外事局还习惯吧？"

"尚且能胜任。"

"哈哈哈！周锦程就是周锦程，话说得多周全。"

笑闹之余又有人问这边颇安静的阿喵："小姑娘是在龙泰实习吧？我看着跟我女儿差不多大，二十岁到了吗？"

安宁不知道这算是夸还是贬，只回了句："嗯，在实习。"

楚乔不由得解释："陈老板，我们小李是名牌大学在读研究生，现在在我们化验科工作，能力不错，你可别把人看扁咯。"

对方忙摆手："不敢不敢！"转头对贺老板称道，"龙泰人才辈出啊！"

贺天莲倒也不谦虚："中华大地人杰地灵。"

这边某位高官问周锦程："听说徐家的太子爷在你们单位？"

锦程笑道："他是凭实力进来的。年轻人心高气傲惯了，连我都不怎么放在眼里。"

呃，怎么他们说的"徐家太子爷"有种似曾相识之感，这时安宁的手机响了，因为坐在里边的位置，出去不方便，桌上的人又都在聊天，接一下应该没关系：“你好？”

对方的声音温和有礼：“你在哪儿？”

“饭局。”

“怎么在那种地方？”似乎对此略有不满，不过徐莫庭一向点到即止，最后只说，“别光吃油腻腻的菜，吃点儿饭，还有，别喝酒。”

呃，这叫点到即止吗？

好像每次都是她据实以告，安宁弱弱地想，不平衡啊，“你在干吗？”

对面的人似乎笑了一下，“学校游泳馆，跟张齐他们一道。没有女生，放心。”

我没不放心啊。

“你那边大概什么时候结束？”

“我自己回去就可以了。”现今社会，自力更生是必须的。

对方略微沉吟：“也好。”

安宁挂上电话后就听到有人在说：“我见识过这徐家独子，才二十五岁吧，啧，处事相当严苛，雷厉风行，将来不知道会是怎么厉害的一号角色。”

严苛？安宁不耳熟都不行，当然，她不会承认自己有联想到……徐莫庭去，他还是相当谦和有礼的，这时对座的陈姓老板感慨出一句：“我在事务上倒是跟他接触过一次，你们也知道我现在管的那家企业是中外合资的，不少事要通过外事局经办——这徐莫庭做事是真不讲情面，半点儿通融不得，我都说我跟他父亲是旧交，你们知道这小子回了句什么吗？随时欢迎我家父叙旧。”

咳！

安宁呛了一声，之前一直没怎么看她的周锦程却第一时间问了她一句：“没事吧？”

“没事，没事。”只是，一时落差太大，难以想象。

“锦程，还是头一回见你体贴女孩子啊。”

周锦程但笑不语。

饭局到将近八点才散场，楚乔看着大老板被司机接走后让安宁等等她，她送她回去，后者婉言拒绝，说路口就有公交车，楚乔想想这边还有几位老板在，于是也不勉强，关照她路上小心。安宁刚走到公交站牌处，一辆车便停到了她旁边，周锦程探出头问："送你回去吧？"

安宁有些讶异，他之前好像答应了某老板要去哪里活动，"不用。"

"上来，后面车子过来了。"

果然后方来了一辆小轿车，这单行道另一边又在修路，窄得只能过一辆车子，还真是……没得选择，最终一咬牙坐了上去："那麻烦你了……谢谢。"

周锦程开动车子说："你跟以前比，改变了不少。"

是吗？他们好像没见过几次面吧？

"宁宁……"对方右手伸过来的时候，安宁忽然像受惊一样弹跳了一下，周锦程伸到一半的手停住，然后收回，场面变得有些尴尬。

"呃……我爸爸身体好吗最近？"安宁拘谨地拨了一下额前的刘海。

"嗯。"周锦程注意着前方的路况，很久之后说了一句，"我很抱歉。"

安宁低头想了一下，最后摇了摇头："不用，我好像都忘记了。"

她忘记了周锦程这是事实，毕竟都好几年没见了。

而她与他的渊源也不过是当年爸妈离婚的时候她不懂事，他负责带她去爸爸那边，她不想去，总之是出了意外，她从车上滚了下来，之后在医院里住了两个多月，唉，真丢脸啊。

一路上两人都没再开口。

安宁回到寝室的时候表姐来电吐槽："前几天总部的人过来培训，丫的这帮烟枪就不能老老实实地在茶水间里抽烟吗？非得叼着烟头到处晃悠！害得我这两天吸二手烟吸得头昏脑涨。"

"姐，我头疼，想睡了。"

"怎么又头疼了？好了好了，赶紧睡吧，如果疼得太厉害就吃止痛药。"

"姐，有什么办法能让我……不去爸爸那边呢？"

"找个男人把自己给嫁了。"

"……"

安宁隔天睡到了中午才起来，也幸亏当天休假，课程也已进入写论文阶段。开手机时收到多条信息，其中一条是："一号教学楼底层的实验室可以用，有什么问题再找我。"

旁边坐着的毛毛看着某喵摇头："不行不行，小姑娘不能总是对着黑莓笑得春心荡漾，来来，跟阿毛我一起看NP文。"

"……"

2

徐莫庭很少住宿舍，一来他外面的房子离公司比较近，二来学校里也没什么重要事情，当然第二点是指以前，如今因为私事频繁返校已司空见惯。这天刚到就被闲来无事的兄弟邀到常去的一家餐厅吃晚饭，他倒的确有点儿饿了。

老三一点好菜就推了推徐莫庭的手臂："老大，外语系的系花正在十米处的地方鲸吞你的背影。"

张齐"噗"一声喷出嘴里的茶："你就不能别在我喝东西的时候说这种话？！"顺着老三的视线望去，不免摇头，"这眼神还真是——告诉她咱们老大已经名草有主，请她自重一点儿。"

老三感叹："可惜了这么一个美女，怎么就不看我一眼呢，否则我立马从良！"

"呵，明显大嫂比她漂亮多了。"

徐莫庭颇受用这句对其"内人"的夸赞，还回了句"谢谢"。

老三摇头不已。

张齐则朝徐莫庭笑说："话说自从你在那什么比赛上露了下脸后，可谓名声大噪，中意你的女同胞更多了，该说幸呢还是不幸？"

徐莫庭只是微勾嘴角："有人内疚就行了。"

此时正从宿舍楼里出来的某人连打了两个喷嚏。

毛毛笑道："阿喵，有人在想你。"

安宁："你想我？"

蔷薇"切"了声："她想也只会是想男人。"

毛毛拍了拍蔷薇的肩："知己。"

三人刚出寝室楼就碰上两名本校的外国留学生过来问路，毛毛挥手示意旁边两人退下，自己则热情地上前指导："Go this way,then go that way！"五分钟后对方两人五官扭曲，蔷薇为避免越来越多人停下来围观，跨步上去说了两句，拉住毛晓旭便走，后者一路不服状："他们就快明白了你打什么岔啊，沟通好了之后我就可以跟他们要电话号码了，然后这样这样那样那样……"

走进餐厅后蔷薇终于失去耐性："不就是俩男的嘛！"

"答对了！男的，俩帅哥，而且还是外来品种！"

蔷薇哼哼唧唧："那也叫帅？阿喵，你说帅不帅？"

正想事的人无所谓地答道："嗯，帅。"

毛毛仰天长笑。

"嫂子！"旁边有人喊了一句，毛毛和蔷薇一同回头，只有安宁目不斜视，直到蔷薇拉了下她的衣角，安宁一侧身便与卡座里的一人目光碰触，呃，好巧。

果然这边的铁板烧很受欢迎啊。

张齐已经起身过来，满脸笑容，口气熟稔："你们也来这边吃饭啊，嫂子，要不要坐一起？"

安宁被这声称呼弄得着实尴尬，刚想说不用了，可身边两人动作上已经不支持，毛毛抢了一个靠窗的位子一屁股坐下，然后朝她猛招手。

不知是有意还是无意，唯一剩下的位子就是徐莫庭旁边，安宁过去落座后对他笑了笑。

他看她的神情很自然："这么晚才吃饭？"

"嗯。"他今天穿了一件黑色的薄开衫，整个人显得很是英气逼人，还带有几分清冷味。

莫庭察觉到她的观看，嘴角扬了一下，桌下的手拉住她的，慢慢牵放在自己的膝盖上，拇指轻轻摩挲着她的手背。

另一边的两男两女已经做完自我介绍，老三对着蔷薇左看右看："嗨，美女，似乎有些面熟啊。"

张齐笑道："她就是这届形象大使比赛的季军，现在的名声可比冠军都要来得大！”

蔷薇谦虚：“高处不胜寒啊。”

“……”

老三恍然大悟：“你就是老大罩的那人？”随即颇感慨地摇了摇头，“果然是嫂子娘家那边的人啊，太护短了！”

蔷薇并不介意，反而相当引以为傲：“咱们家阿喵一向是人见人爱车见车载的。”

张齐狗腿道：“那是！刚有个普通级别的还想妄图窥伺老大，也不掂量掂量自己，我是绝对支持嫂子的！”

“行了。”莫庭不紧不慢地阻止，也有点儿警示意味。

张某人非常机灵地举手叫来服务员加菜，顺便转移话题：“对了，刚才嫂子在说谁长得帅？”

“……”

这人是故意的吗？不过，身边的某人好像并不在意，安宁觉得自己想多了，“嗯……两名外国的留学生。”

毛毛：“外国人啊，壮士啊，肌肉啊，结实啊！”然后对着张齐问道，“你也不差啊，有对象了吗？”

安宁默默扭头，蔷薇则隐忍着某种冲动。

张齐答：“有了。”

毛毛一听已是有妇之夫，叹了口气：“君生我未生，君有我未有。”

老三笑不可抑，最后说：“怎么不问问我啊？”

毛毛说：“一看就知道没有。”

老三说：“小姑娘——”

毛毛说：“我看上去很小吗？”

老三说：“好吧，大姑娘——”

毛毛说：“我看上去很大吗？”

老三说：“……流氓！”

“……”

毛毛刚要开口，安宁明智阻止：“你们吃完晚饭打算做什么？”她确定毛某人什么话都讲得出来。

“目前还没有节目，不过莫庭可能要忙公事，嫂子有什么建议吗？”张齐笑问。

没建议。安宁为难，开了头就要接下去，苦思冥想出来一个：“要不要去看电影？”

四道声音同意，只是徐莫庭旁若无人地低声对她说了句：“让他们去吧，你陪我。”

安宁心一跳，但马上镇定下来，倒是周围人贱贱的眼神让她觉得有些无力，最后不知怎么思维转到：与其自己尴尬还不如让别人尴尬。于是微一侧身吻了一下某人的嘴角：“好啊。”

“……”

第二天张齐对徐莫庭感慨：“你家那位还真是……爆发力十足啊！”

当时徐莫庭正在敲笔记本电脑，听到这话手略微一停顿，似乎想到了什么，低垂的眼眸闪了闪，口上随意问道：“昨天的电影怎么样？”

张齐苦笑：“我只能说大嫂的朋友都不是一般人，我跟老三一直不明白，为什么只要电影里有俩男的对视超过两秒钟她们就尖叫？”

3

时间回到那天的晚饭之后。

徐莫庭虽在外国待过一段时间，但他却不是个开放的人，骨子里对待感情还是很传统，也可以说是“从一而终”，他不习惯东张西望，认定了一样东西、一件事情就会坚持到底，在他看来这种秉性没什么不好，每个人都有自己的生命轨迹，他只是习惯确认之后一路走到底。

那一天，他带她回到自己的住处，将钥匙放在桌面上后，抬眼看了一眼抓着门框的人：“你打算一直站在门口？”

“没啊。”安宁一笑，将手放背后慢慢走进来。呜，死定了！她刚才耍了流氓，会不会被报复啊？安宁到现在都还想不通自己怎么就那么大义凛然地扑过去主动吻了他，还是在众目睽睽之下，一定是脑抽了。

这是李安宁第一次进入徐莫庭的住处，地方不大，但相当干净整洁，设计得也很时尚很欧美风，卧室跟厨房都是开放式的，整体宽敞却并不空旷。客厅正中间放着一张浅色系的沙发，配着深棕色的地毯，非常简约大气，靠近卧室的地方摆着书架、书桌，桌面上摊着不少文件以及一台苹果笔记本。

安宁观察完回过头来，看见站在床边的人正在脱去那件黑色开衫，安宁从瞠目结舌到沉湎美色，呃，身材真好，皮肤也好，不对不对，“你……你脱衣服做什么？”

对方只皱了下眉头：“我不喜欢身上有油烟味。”说完已经拿起床沿的一件白衬衫套上。

垂泪，她不纯洁……

谁知那边的人却轻声一笑：“你想我做什么？”

“没。”这绝对是发自肺腑的。

莫庭看着她，某人立即抖擞精神开腔：“你办公吧，我在旁边看书，保证不会打扰你的。”

“其实我不介意你打扰我。”

“……”我介意。

最后徐莫庭到底还是去做“正事”了。

李安宁坐在书桌旁的一张米色单人小沙发上看书，时间一分一秒过去，两人的空间里，有种独特的隽永的味道。

安宁先前在书架上随手拿了一本《国际政治》翻看，刚开始看得挺认真，过了大概一刻钟，觉得手上的这本书有些无趣，于是无所事事地在温暖的橙色灯光里观看起他来……徐莫庭在灯下专注的样子煞是好看，拿笔写字的样子也很潇洒。

安宁有些出神，偷偷抽了桌沿的一张废纸和一支笔开始涂涂画画。

“你在做什么？”他侧过头来。

“我没做什么啊。”说着赶忙把那张废纸一折塞进书里。

徐莫庭笑了笑：“那刚才你在看什么？”

“……我看书啊。”安宁慌乱地低头翻了一页《国际政治》。

安宁感觉原本安静的空间里涌起一股躁动的气流，等她抬起头来的时候，徐莫庭已经站在她面前，安宁不由得微愣，而他伸手过来，散开她本来扎着的发丝。

安宁强装镇定扯出一抹笑容："公事做完了吗？"

莫庭只是看着她，手慢慢下滑，经过眼角、脸颊……然后弯下腰，当唇印上她的嘴唇时，莫庭感觉到她轻颤了一下。

他微敛眉，反复告诫自己，要慢慢来，在李安宁这件事上再出不得错。清楚对方不习惯太急切的感情，所以态度上他一直有所保留，可他发现如今连不动声色都有些难了，尤其是当她就在近在咫尺的地方时。

"中途休息会儿。"他拉她去客厅的沙发上坐下，然后问，"安宁，要不要吻我？"他坐在她旁边，低着头，声音带着劝诱。

你中途休息的定义究竟是什么啊？

室内一片寂静，安宁仿佛能听到自己的心跳声。

而徐莫庭这边，手心中的那根发带被他握得有些紧。

安宁心一横，当时想的是：每次被强吻很吃亏啊，而且，好吧，她的确又被色诱了，一想通就伸手揽住他的脖子，然后一闭眼，就将嘴唇贴了上去，因为俯身得太突然，身子趔趄，结果就将他扑倒在了沙发上，俨然一副色欲熏心的模样。安宁面部烧红，而躺在下面的人一副任君欺压的模样。

安宁刚要狼狈退开，可又想：反正都这样了，干脆来个一不做二不休。

回忆起他吻她时的步骤，她先伸舌头舔了舔他微抿的嘴，身下人漆黑的眼睛望着她，手不着痕迹地扶住她的腰，轻启唇，任由她深一步地侵犯。

潮润温热的气息里，有种说不出来的心悸……

直至突然的开门声惊扰了沙发上的两人，正行不义之事的人晕乎乎地抬起头，下一刻差点儿摔下沙发，幸好徐莫庭身手敏捷地将她搂抱住，莫庭看到来人也稍有讶异，随即平静自若地叫了一声"妈"。

妈？伯母？安宁的惊愕难以平复，她刚刚是不是很饥渴地在侵犯她的儿子啊？

安宁将头埋在徐莫庭的颈项里衷心地希望自己就此闷死算了，而徐莫庭也没有放开她的意思，转头问母亲："您怎么来了？"

徐母已经收拾好了表情，毕竟是见过世面的，只笑道："给你送点儿果蔬过来，免得你老是煮那些饺子、面条吃。有朋友在？"

安宁沉吟，就算再丢脸还是要礼貌地打招呼啊，正想推开身边的人，结果对方不配合，徐莫庭依然抱着她，安宁疑惑地抬头，发现他也在看她，眼睛里面透露出一些色彩，直接、坦然、炽热。想当然地某人脸红了，而对方在她耳边说了一句话后便若无其事地松开手，起身过去接了母亲手上的一袋食物拿进厨房："您一个人过来的？"

"嗯。"徐母笑着走进来，安宁已经站起来轻唤了声"阿姨好"，脑子里却还想着刚才徐莫庭在她耳边说的那句话："等会儿你可以继续。"

"你好。"徐妈妈此时才将她从头到脚看了一遍，本不想吓坏人家，可忍不住还是问，"小姑娘跟莫庭是同学？"

"嗯。"阿姨好厉害，一下就猜到了他们是同学，呃，虽然现在是关系比较特殊的同学。

"妈，茶还是纯净水？"

"我坐坐就走，你别忙了，不过，怎么不给小姑娘倒一杯？"徐母看了一圈没看到给客人的杯子。。

安宁瞄了一眼先前徐莫庭递给她的茶杯，放在小沙发旁边的矮柜上……难道那只是御用的？唔，又被坑了？"阿姨，我不渴，没关系。"

徐母见她说话轻柔带怯，不免宽慰道："不用紧张，跟阿姨聊天就当是在家里跟你妈妈聊天一样。"

安宁点头，其实她是真没紧张，就是……尴尬啊。

徐母对独生子的私生活并不会多加干涉，一向持乐观、放任态度，只是儿子交上女朋友，多少感觉这不算小事，以前在国外儿子就是独来独往，她还劝说过，如果有喜欢的女同学可以尝试着交往，结果他总说目前没这项打算，书一年一年读过去，当妈的是真有点儿担心自己这清高的儿子最终来一个"不婚"，那可就性命攸关了，关系到她能不能抱上孙子孙女。

徐母忍不住又对面前的姑娘仔细打量一番。长相确实看着舒心。他们这一辈人最相信看面相，眼前这姑娘鹅蛋脸，人中清晰，山根略浅，标准的旺夫相，加上眼神清透，是最宜家宜居的，倒没想到自己儿子喜欢这种温婉型的。

“你叫什么名字？”

安宁有问必答，报上姓名。

徐母念了一遍，疑惑道：“这名字怎么有点儿耳熟？”

安宁承认自己的名字比较大众化。

徐莫庭的声音这时传来：“她的名字比较大众化。”

不用这么直白吧？

徐妈妈也笑了：“什么时候去阿姨家里吃个便饭？”

这发展是不是太快了？

安宁求助地看向靠在洗手台边就不过来了的某人，但对方接收到她的目光信号，还是“帮忙”答道：“下个周末吧，她这段时间比较忙。”

“……”

徐妈妈颇感欣慰：“你爸爸从北京回来后这段时间，又是忙进忙出的，儿子带女朋友回家估计可以让他清闲地在家待上一天。”

高干家都是这样“一意孤行”的吗？

离开时徐妈妈轻轻拢了拢她的长发笑着说：“六七岁之后我就没有见过莫庭这么黏人过了。”

黏人？

阿姨走后，安宁望着翻着手边的资料跟同事打电话的某人，阿姨，您一定是搞错了。

过九点的时候徐莫庭开车送她回学校，在经过一家餐厅时转头问她：“要吃消夜吗？”

而车已经停稳在停车道上，先斩后奏什么的这人做起来是这么炉火纯青啊。

安宁今天一直有点儿无言以对，实在是之前被刺激到了，先是那什么的时候，仔细想来虽然是她占优势，但好像又是被诱惑地去占的，最后还在那种情况下见了家长，虽然表面风平浪静，呃，事实好像也是风平浪静？

越想越不对劲，总觉得被坑了。

两人推门进去时，碰到一位顾客在柜台处跟收银员争执，安宁定睛一看，发现面熟，之所以会难得地一眼认出人来，只因前不久前她脸上的伤疤便是拜这号人物所赐。

安宁从她背后经过时她刚巧退后转身，徐莫庭反应及时，将粗心的某人先一步拉回身边。

转过来的女生被面前的人吓了一跳，不由得狠瞪了安宁一眼，随即认出了她是谁，刚皱了眉便又见到站在她旁边的人，又是一怔，眼中闪过紧张，最后只啐出一句："要死了，真倒霉！"骂骂咧咧地走出了餐厅。

安宁不解："见到我很倒霉吗？"

徐莫庭一笑，走到位子上坐下的时候问了一句："认识的？"

安宁想了想，她其实并不擅长复述社会类事件，于是只说有过一面之缘。

莫庭也像是没兴趣再多问，示意服务员过来，点了两份绿豆汤："晚上少吃一点儿。"

安宁看看他，最后扭头看窗外的夜景，没错，是她想来吃消夜的。

"不过你应该多吃一点儿。"

安宁扭回头。

对面英俊的某人挺认真地说道："下次你吻我的时候可以再有力一些。"

这就是所谓的真正的耍流氓吗？安宁突然顿悟过来，她才是一直在被他耍流氓吧？

这天安宁饱饱地回到宿舍，蔷薇等人已经看完电影回来，嘴上一直在说着："现在的男人好纯情啊。"

"……"

4

"阿喵，妹夫什么时候请我们吃饭啊？要大餐，人家办喜宴那种等级的。"蔷薇说。

“是啊，都快到年底了，地主家都没有余粮了。”毛毛说。

“就你还地主？撑死就长工一名，要说地主，徐莫庭才是吧，而且还是强大的官僚地主，哈哈。”朝阳说。

“……”安宁无语了。

一天最终落幕。

隔日一早安宁换上正装赶车上班，当时已经晚点所以没有前往地铁站，而是到前门的公交车站牌处打的，高教园区这一带一共有三所学校，这个站牌通常等的人最多，基本上坐公交车跟挤沙丁鱼罐头一般，而这个时间点连打的都困难。

正沉吟间听到身后有人在说什么“就是她吗”之类的，安宁刚开始没在意，如果没有那句“她真的是江旭的×××”某人肯定自始至终目不斜视，嘈杂声中听到某个略微熟悉的名字，让她稍稍留意了一下，随后就是“也不怎么样吗”或者“××又高又瘦明显比她好看”等等。

安宁回过头去，她眼神安静，神情淡然，却莫名地给人一种不可侵犯的感觉，让说的人断断续续消了音。而安宁那刻心中想的是：自己被多少人关注了？

一道“哈喽”在这时不期然地响起，“大嫂早啊！”老三已经走到她身旁，“要去单位？”

“嗯。”

“今天天气不错。”老三跟她扯了两句，最后笑问，“要不要帮您恐吓一下？”暗示性地瞥了眼后方。

原来这人刚才也一直站在人群里，安宁笑道：“谢谢，但是恐吓会被处分的。”

老三不禁唏嘘，又好像想到了什么，忽然靠过来说：“大嫂，江旭跟老大比差远了。”

有什么深意吗？

“喂，李安宁。”

安宁不疾不徐地转过头去，刚才说三道四的一名女生站出来。安宁并不喜欢成为众人的聚焦点，于是态度稍显冷漠。

“我想跟你谈谈。”女生说，“我欣赏江旭，我要他，我奉劝你最好退出。”

点头，绝对地配合。

但对方显然当她是在敷衍，“你根本不了解他。”

“我是不了解。”

女生的眼睛眯成一条线：“李安宁，你没有权利绑着他。”

安宁抚额，最终认真开口：“我对他没有兴趣，我看你是完全找错对象了。”

“你说傅蔷薇？呵。”

这声“呵”让安宁微皱了下眉头，语重心长道：“同学，耶稣说，你们得不着，是因为你们不求。你们求也得不着，是因为你们妄求。”

“……”

“噗！”接二连三有人笑出来。一直想要出手却显然无须他帮忙的老三也已经笑开了。

当天老三在车上给徐莫庭发短信：“大嫂太酷了！”

而当天安宁上班迟到了。

工作期间收到徐莫庭的短信：“今天起晚了？”

“嗯。”随即一凛，他早晨不会也在人群中吧？

“我下午在学校有场篮球友谊比赛，你要有时间可以过来看一下。”

“噢。”

两分钟后徐莫庭发过来：“你可以再敷衍一点儿。”

“……”

终于目睹到了老大的本性吗？安宁刹那间悲喜交加！

说来也巧，那天下班回到学校，经过体育馆时见到入口站满了人，而那群人里刚好有她的同学在，慷慨激昂的甲同学回头刚好看到路过的李安宁，马上把人给逮住了，“阿喵，你男朋友在里面打球噢，超帅！”安宁还没能来得及说什么呢，下一刻就被甲同学拉进了体育馆。

馆内热火朝天，观者云集，而安宁第一眼便发现了徐莫庭，不能怪她，只怪某人已成为众矢之的，球场上的徐莫庭像是换了一个人，红白相间的运动衫下有种形于外的不羁，举手投足间的威慑力也不由人反驳。

比赛已临近尾声，掌声、呐喊、助威声不绝于耳。徐莫庭传出球后不由停了一下，朝安宁望来一眼。眼神交错的一瞬间，安宁莫名地一阵紧张，一种奇异的感觉油然而生。似曾相识的场景。记得以前某次经过食堂后面的篮球场，也看到过他打球，然后他停下来往她的方向望了一眼，当时她还傻乎乎地左右看了看，以为他看的是自己旁边的美女。

场上接回球的徐莫庭已经突破重围将球带入禁区，正当对手以为他会投球时，一个巧妙的转手将球传给了后方已经退居三分线后的队友，张齐跃起，完美的空心球，三分，精彩的结束！

呐喊声震耳欲聋，不得不承认，被胜利光环笼罩的徐莫庭更加耀眼夺目，优美流畅的背脊，剪得很短的干净黑发，而当他慢慢朝这边走来时，安宁觉得，刚平静下来的情绪又莫名地波动起来。

“你在东张西望什么？”万众瞩目之下他低下头在她耳边问。

就知道会被说教：“没啊……”

“来多久了？”

“刚刚。”安宁尽量平淡地开口，虽然内心十足地不淡定。

另一边，裁判员已在招呼大家集合，徐莫庭清楚现在自己的状态有些松怠，担心再站在她面前情绪稍一放任，会做出什么事情来，于是跟她说了一句：“等我一会儿。”便转身回归队伍。

刚才徐莫庭过来时自动退居二线的甲君此刻又凑上来，伸手揽住安宁的肩膀，口中念念有词：“沾点儿光沾点儿光。”

“……”

莫庭走到队伍里，接过队员递过来的矿泉水喝了几口，裁判员已经正式宣判比赛结果，77比68，外交学系胜，场内又是一片激昂，彩带齐飞，一名穿着裙装的女生走到外交学系这边，对徐莫庭笑道：“去哪庆祝？”

莫庭将手上的护腕脱下，口中只淡淡道：“你们去吧，我不饿。”

她也不介意，转向张齐：“张齐，你是队长，说句话吧。”

“团支书大姐，徐莫庭明显有事嘛，您就别折腾了。”

“是啊是啊！”队友们附和，赢了球的心情都有些high，而徐莫庭已经走到场外座椅边拿起拎包，返回经过张齐时拍了下他的肩，便径直朝门口走去，当站在安宁面前时徐老大说道："走吧，我饿了。"

安宁在等徐莫庭洗澡。

他的寝室她是第二次来了，坐在小客厅的沙发上，安宁思考着一个问题：如果蔷薇来此一游会不会去掀校长的桌子？物理系的宿舍连单独的床位都没有，上下铺，蔷薇是上铺，一度摔下来打过石膏。嗯，会掀。

当徐莫庭身穿浴袍从洗手间出来时，就见安宁处在认真沉思的状态里，他停下脚步，然后退后一步，姿态轻松地靠在墙边，看着她。

除了稍显清瘦的脸，她似乎高了一些，曾经安静的模样变得温润亲和了一些，执着忧虑的眼神已经坦然，但不管是以前的李安宁，还是现在的李安宁，都让观赏者不知不觉沉入其中。

一见钟情？好像已经说明不了。

一些感应让安宁回过头来，她算是处惊不变型："嗨。"

莫庭已经站直身子，迈步走到衣柜前换衣服，开着的柜子门半掩挺拔的身影，安宁看窗外。

"恭喜你赢球了。"

徐莫庭穿戴整齐走到饮水机边倒了杯水喝："谢谢。"

安静，安静，"呃，你身材很好。"

"咳。"真正一向处变不惊的人被呛到了。

安宁意识到什么，脸上泛红："我……我开玩笑的。"开始语无伦次。

莫庭微眯起眼："你的意思是说，其实不怎么样？"

不是！安宁摇头："比……比GV里的还要好，真的。"

万籁无声。

安宁顿悟过来之后懊悔无比：还是让她死了吧！

徐莫庭看着低头把脸埋入手臂里的人，不禁失笑，但语气轻描淡写："走吧。"

"去哪里？"气若游丝。

莫庭过去坐在沙发扶手上："你不是饿了吗？"

安宁抬起头，徐莫庭对上她清透却略显窘迫的眼眸，只觉心口一紧，最终问道：“安宁，要不要吻我？”

“嗯？”对方亲昵的提问和贴近都使她有些神思恍惚。

时间仿佛又倒回到某一个时空里，温热的体温，清新的味道，她趴在他身上，那一刻他是那么留恋，以至于那之后夜夜翻出来回想。她一直懵懵懂懂的，可他却是那么想……想将她彻彻底底吞入腹中，尽归自己所有。掩埋太久的情绪一旦被挑起，就有点儿想入非非不得自控了，但显然还不是时候，低下头的时候徐莫庭已经恢复平淡的表情。

“你在什么单位实习？”

“龙泰。”

沉默了片刻，徐莫庭说：“搬去我那儿住吧。”

这回她是真吓得不轻，安宁站起来的时候险些撞到徐老大优美的下巴：“你开玩笑的吧？”

“龙泰离我的住处只有十分钟路程。”

这算是循循善诱吗？

“我喜欢住寝室。”安宁严谨地回答，声音却紧张得有点儿干巴巴。

徐莫庭看着她，不禁笑出来，最后越笑越过分。安宁火大，不过，第一次看到他开怀地大笑，只觉得他这一刻是那么神采飞扬。

心里的某根弦被轻巧地拨动，而徐莫庭已经站起来，上前一步，干脆地在她嘴角一吻：“也好。”

被耍了？

其实他刚刚只是吓吓她吧？！

当天4号楼二楼的走廊上，一个秀气的零钱包正中某道英挺的背影。

来往行人霎时停下脚步行注目礼。

隔天外交学系的大楼里传出众多流言，其中被众女生鄙视，最没有可信度的一条是：“外交学系老大被其夫人虐待了……”

第六章

冷暖自知

1

作为“有名师兄”江旭中意的“幸运儿”以及形象大使比赛完之后跟外交学系老大也有牵扯的人物，李安宁现在所到之处均能引来不少非议，然而因为她无意识状态下呈现出来的“高傲”姿态，令好事者们只敢嘀咕不敢明讲。

说到江旭这茬儿，要追溯到三周之前，他与同伴友人喝酒。当时江旭心情不怎么好，一瓶干红下肚，酒后吐真言说自己中意物理系一女生，隔天此事就被当日同去的某一人传出，以致江迷撕心裂肺，少不了一轮追查，最终疑犯锁定到物理系一名姓傅的女生身上，一些胆大的女生就直接上门来挑衅了，而傅某人也不否认：“是我，怎么着？”

然而一些精明人士从蛛丝马迹出发，顺藤摸瓜发现其实另有其人，这其人便是傅蔷薇的疑似室友李某，因为据说江师兄曾经“主动”找过她数次。

当时徐莫庭在寝室里听到这个传闻，只冷哼了一声。

最无辜的就是李某了，什么都没做就成了江旭的绯闻女友之一。而最近还有一条消息说她虐待外交学系老大。安宁欲哭无泪，江旭的事情可以不在意，可是，可是她什么时候虐待徐莫庭了？

因为精神压力过大，导致她数天状态不佳且上班迟到。这日刚踏进办公室，主任就说了："李安宁啊，冬天还没到呢你就开始迟到了啊。"随后颁布消息，"今天有领导下来视察，本市市长也在其中，我们这些基层员工务必做好本职工作，随时以最佳状态恭候。"

佳佳举手："我们化验科也要列席吗？"

"不一定，但如果他们下来我们至少要做到不出纰漏，提前准备总不会错。"主任说完又对李安宁道，"等会儿你去上面帮一下忙，今天老板那边人手可能不够，楚乔说你办事能力不错。"

"哦。"我们这单位人员是有多缺少？话说老板真是勤俭节约，据说他的秘书一人要做三个人的工作。呃，可是看贺老板挺大方的啊，可能另一位老板比较抠门，龙泰是中外合资企业，另一位BOSS是一名严苛的德国人。

主任交代完事项就出去了，佳佳等安宁摸下巴思考完转过身来时略显激动地说："安宁，你上次去陪老板吃过饭是吧？有没有遇到一位气宇轩昂玉树临风皱眉间还带着一股冷傲的男人啊？"

"没有。"

"……"

另一同事大姐问："那有没有一个大概三十来岁，四十岁不到，成熟稳重，资金雄厚，戴无框眼镜，手表是劳力士的一款限量版，听人说话时总是微微偏头？"

安宁忽然有一种诡异的预感，不会是……

"他姓周。据说是外事局的领导，然后据说今天外事局也有人过来。"

主任，我能不能收回那个"哦"啊？

没过多久贺老板秘书的内线电话就下来了，正整理资料的安宁接完电话静默片刻，最终背一挺，以一副死猪不怕开水烫的模样出门了。

在她临走前主任又过来提醒道：“安宁啊，都是政府官员，小心伺候着。”

喳。

刚到十五楼，正准备去秘书大姐那儿报到，结果是业务经理楚乔先看见了她，“安宁！”

安宁回过头来叫了声楚经理。

“又麻烦你上来帮忙。”

安宁笑道：“既来之则安之。”她心理已经调试完，既然躲不过那就只能迎难而上了，要是遇到的“问题”难度太高那就无视吧，反正她擅长。

楚乔也不拐弯抹角：“其实是上头点名让你过来的，安宁，原来你认识周锦程？”

“我要做什么呢？”

楚乔一笑，也不介意她转移话题，说明接下来的事项：“等会儿要麻烦你跟阿兰泡茶进去，如果他们问到公司的事情你知道的都可以说明。还有，一会儿你陪我跟他们去各部门转一圈，介绍由我来，你只要跟着就成了。”

安宁点头，阿兰过来朝她笑笑，顺便把手上的一次性茶杯分给她一半：“里面有一位是我的梦中情人。”

安宁表示理解。周锦程确实长得挺有型。

推门进去的时候，原本泰然的李安宁在看到站在窗边的人时差点儿脚下一滑，她没想到一上来就遇到这么有难度的“问题”。

阿兰抬头看了她一眼：“怎么了？”

“没事。”安宁尽量平稳地端着托盘上的西湖龙井，举步行进，贺天莲接过她的茶杯时笑道：“辛苦你了。”

安宁也一笑，刚要往左绕，结果贺老板说：“去跟你舅舅打声招呼吧。”

“锦程来的时候还在说呢，这边有一位亲戚在。”一个大腹便便的官员声音洪亮，“原来是外甥女啊！”

周锦程坐在一边的席位上，呈现出来的是应有的身份和立场："算是。她是李启山的女儿。"

这一句话让不少人露出点儿意外表情，安宁皱眉看着周锦程，最后过去将茶杯轻放在他前方的桌面上："请用茶。"

"在这边做得习惯吗？"

"嗯。"

周锦程似乎也只是那么一问，朝她微微点头，就喝着茶跟旁边的人做交流了。

然后安宁每送出一杯茶，都会得来几句："小姑娘，你父亲在本市任职时对我可是恩惠有加啊。""以后来伯伯家吃饭。"等等。

再往右走就到窗边了，原路返回吗？嗯，用长远的眼光看，不可行。

佳佳你应该说清楚嘛，气宇轩昂玉树临风皱眉间还带着一股冷傲的男人，这形容也太笼统了。

安宁踟躕地走过去，将盘上最后一杯绿茶递出。

"谢谢。"他道。

安宁摆手："呃，不敢当。"

站立在旁边不远的两人侧来一眼，其中一名年长的笑出来："莫庭，不要对人太冷淡了，人家小姑娘见你都紧张了。"

徐莫庭双手转捏着手上的纸杯，他的姿态一向偏傲慢，不想搭理的人和物，他一贯连看都不会多看一眼。公事，就得公办；私事，他自己决定怎么办。这会儿他就职业性地笑了笑，对她平易近人地说："抱歉，让你紧张了。"

有过多次类似经验的人可以肯定他是在作弄她，下意识就瞪了他一眼，明智地转身走开。

莫庭的目光轻微一闪，低头间的一抹浅笑再真实不过。他发现自己竟然这么轻易就被弄服帖了，抬手轻抚眉心，虽然不愿承认，但好像确实是被吃死了。

抿了一口手上的茶，他从来不喜欢用纸杯喝茶，也不喜欢绿茶。

发现前方的注视，抬头对上周锦程若有所思的眼神，徐莫庭微颔首。

安宁走出来时，一直在听他们说话的阿兰表现得有些兴奋过头：“安宁，那个人是你舅舅啊？好年轻！还有，那个帅哥，你站在他面前不紧张吗？！”

某人不由得咳了一声：“你看中徐莫庭了？”

“他姓徐？”

“嗯……我猜的。”

阿兰已经狐疑地盯住她：“等等，等等，刚那领导是你舅舅，又有人说你爸是李启山是吧？虽然我不知道他是谁啦，但是感觉很厉害的样子，说，是不是跟那帅哥家世交来着？”

“我——”我妈妈只是一名语文老师。

阿兰不容拒绝地打断安宁可能有的借口：“李安宁，你还记不记得你第一次来公司，是谁领你去外面吃饭的？是谁——”

“是我们部门的佳佳。”

“……对啊，我跟佳佳带你去的啊。”

安宁投降：“如果只是介绍认识，我试试。”这算是卖“友”求荣吗？

阿兰感激涕零，而后又着魔似的低语：“他真是令人惊叹是不是？算上这次，他一共来过我们公司两次，我每次见到他都觉得，跟我们年纪一样怎么就这么——这么难以形容呢！”

安宁犹豫着开口：“阿兰，我比你小一岁。”

“……”阿兰：“我永远十八！”

“……好吧。”

俩姑娘的无聊八卦没聊多久，楚乔就过来叫安宁“游街”去了。

贺天莲跟几位领导在前面谈笑风生，一帮小的跟着走马观花地过场，安宁走得最慢，到化验室时周锦程停下步子等着她上来跟他一道并排走。

安宁原本想装得若无其事一些，结果对方第一句话就是：“我下周去广庆市，你跟我回去一趟吧。”他说的是陈述句。

安宁心里有一点点排斥，口上只道：“下星期我可能会很忙。”

“我跟你们老板打过招呼了。”

安宁脚步不由得停下，心里有些微不平和，沉静地低下头：“我不想过去。”

一阵短暂的沉默：“那你想什么时候过去？”周锦程退一步。

我哪里都不想去。安宁正要开口，身边有人轻轻揽住了她的腰，清淡的语调是熟稔的：“她哪里都不会去。”

空气被奇异的气氛笼罩住。周锦程看着她，安宁垂下眼睑，即使到了现在，她还是有点儿害怕他。

“抱歉，我们失陪一下。”徐莫庭带她走开的时候，安宁脸上有些燥热，她为自己的软弱感到惭愧，可有的时候，真的很想身边有可以信赖的人让她能依靠一下，在她不知所措时。

“莫庭，你真好。”她低低开口，感觉身边的人脚下一滞，进到一间会议室里，安宁刚想再说一声“谢谢”，就被人托住后脑勺压在门上以迅雷不及掩耳之势给吻住了，舌尖在第一时间攻城略地，急切地纠缠，引导她回吻。过了片刻，当激吻变成细碎的轻吻，安宁觉得整个胸腔都被抽空了，润湿涣散的双眼对着面前的人，徐莫庭垂眸不看她，阻隔某种青春的诱惑。

安宁试着平复心慌意乱，尴尬极了，这里是她的公司，随时会有人进来的会议室，忍不住又瞪了某人一眼。莫庭难掩胸口的轻微悸动，不过开口倒是一如既往的平静：“一起吃晚饭？”

安宁现在脑子还被他弄得混混沌沌的，不知怎么就说道：“我室友问你什么时候请她们吃喜宴？”

一丝惊诧从徐莫庭的眼中闪过，随即敛下，微微一笑：“那就今天吧，夫人。”

“……”

就在这时，外面有人敲了下门：“安宁，什么时候请我们喝喜酒啊？”

是佳佳。意识到自己之前的说辞，安宁呻吟着埋进徐莫庭的胸口，丢脸丢大了！

这天周锦程离开时，对她说了句：“我会找你再谈。”

安宁对人一向绝情不起来，但最终还是说道："如果想回去我会自己回的。"

周锦程在发动车子时皱起了眉心，看着后视镜中慢慢走向她的清俊男子，如果是徐莫庭，那就难办了。

这一边，安宁纠结着怎么才能将喜宴这词抹杀掉，当没说过，要不还是等他忘记了这词再叫蔷薇她们出来吃饭吧，免得他"不小心"说漏嘴，然后她就会被好友们活活吵死，最后他坐收渔翁之利……为什么她这么了解他呢？这种了解让她心情有些复杂。

于是不擅长撒谎的人吞吞吐吐地开口："我手机没电了，要不吃饭……"

"用我的吧。"灰色的机子已经递过来。

安宁踟蹰着接过，扭头看了一眼车窗外闪过的街景，低头拨号码。

对面很快接通："请问你是？"熟悉又陌生的柔软音调。

不由得轻叹一声："是我。"

对面的人停了停，随即恢复正常嗓门："还以为是帅哥呢！阿喵你干吗啦，好端端的换号码打？"

我也不想啊，"毛毛，要不要出来吃饭？"

"你请客？！"

"呃，徐莫庭请客。"

对面一片嘶叫声，良久之后是蔷薇接手："阿喵，我们强烈要求去妹夫家里吃饭！"

安宁回过头询问当事人，当时保持着徐莫庭毕竟"难说话"的最后一丝侥幸心理，说不定去他家吃饭，他会拒绝，然而事实总是出乎她的预想。

"可以。"这么容易。

安宁报上地址，挂断电话后想到一个现实问题："你那里吃的够吗？"实在不是她多虑，毛毛她们吃东西堪比蝗虫过境。

徐莫庭打着方向盘："不够，所以要先去趟超市。"

跟徐莫庭逛超市会是怎样一种场景？安宁望着旁边推着推车的清俊侧影，说实话，他的相貌身材都算出众，即便普通的休闲装都能穿出一些特别的味道，徐莫庭也许低调，但并不表示他的出色不会受人注意，已经有不少人擦身而过时向他们投来视线。

“能吃海鲜吗？”走到冰柜区时，他靠近她问。

“嗯。”

徐莫庭俯身挑了几份冷冻食材，安宁忽然想到蔷薇无酒不欢，于是拉了拉身边人的衣袖：“莫庭，我可不可以买酒啊？”

这句话出口两人倒是都停了一下，这么自然而然的对话，犹如多年的情侣，安宁马上咳嗽一声转身走开：“我去拿酒，你等一下。”

徐莫庭直起身看着跑开的人，嘴唇勾起浅笑。

安宁来到放酒的货架前，刚要抬头选，就被一人轻拍了下肩膀。

“李安宁，又见面了。”

安宁侧过身来，面前高大的男生正对着她嘿嘿笑着，她有些惊讶：“副班长？”

“难得这么快就认出我啊。”对方莞然，“逛超市呢？”

“嗯。”

副班长似乎有跟她好好聊会儿天的意思，安宁不知道怎么跟他说明她赶时间。

“副班长，你不是在日本留学吗？怎么会在这里的？”

“回来了！我只是交换生，去外面一年而已。”说着联想到什么，“徐莫庭不是也一样？”

听到这一句，安宁疑惑：“什么一样？”

“你不知道吗？他学校在美国，来这边交流一年，今年年底差不多也应该要回去了吧——”

短短的几秒钟，安宁的心情慢慢沉静了下去。

副班长一向看惯了李安宁的淡然模样，突然见到她脸上出现忧郁有点儿不太能适应，意识到她可能跟徐莫庭之间的关系，他有些尴尬：“我是不是说了不该说的？”

“没。”安宁摇头，倒是提出一个疑惑，“副班长，你买那么多食材，是要做给女朋友吃吗？”

“我没女朋友。”副班长叹息。

安宁很不好意思："对不起……"

"你那会要是答应跟我交往，说不定咱们现在都结婚啦哈哈。"

安宁低头："真的对不起。"

副班长怅然离开后，安宁在酒架前徘徊了两分钟才走回冷柜区，徐莫庭正靠在推车边等她。

在安宁平和地对上他的目光时，对方露出一抹淡笑，并没有催促的意思："选好了？"

安宁"嗯"了声，过去将手上的东西放入推车内。

"怎么了？"徐莫庭一向是直觉精准的人。

安宁咬了下嘴唇，微微摇头："没……没什么，遇到一个认识的人。"

"噢？"徐莫庭表面风平浪静，走了两步，不动声色地问道，"我认识吗？"

毕竟她不擅长撒谎："是高中时的副班长。"

莫庭这次没再追问下去，也可以说是克制，可能是隔着那许多关系的缘故，让他每一个举动都做得精打细算，就怕出什么差池，在李安宁身上，他是前所未有的小心而保守。

驾车到达公寓时毛毛她们已经在楼下候着了，一见安宁就上来一通乱抱，做多年不见状，回头喊妹夫都喊得熟门熟路。

在电梯里的时候毛毛嘴里一直嘀嘀咕咕着："竟然能进到徐莫庭的家里，竟然能进到徐莫庭的家里……"

安宁偷偷挪开一步，手臂不小心碰到徐莫庭的，又下意识退开一步。她没有发现对方的眼睛微眯了一下。

蔷薇谄笑："不好意思啊妹夫，来这边打扰你——们。"

"没事。"对方很好说话。

朝阳郑重其事道："我们家阿喵以后就拜托您了。"

"应该的。"

安宁无语了。

进到公寓时毛毛东摸摸西碰碰，又是一阵咕哝："高档，真高档，咱们家阿喵发达了啊。"

某人再次无语。

徐莫庭脱了外套："稍等二十分钟，你们自便。"

围观党三人："等多久都没关系！"

很难想象徐莫庭这样的人进厨房，而且并不觉得突兀，卷着袖子，黑色的围裙绑在腰际，动作娴熟。

坐在沙发上的蔷薇靠到安宁耳边低语："你家男人真的是无所不能啊！"

朝阳笑："风华绝代。"

毛毛捂嘴一笑："不知道床上功夫如何？"

"……"

当天三人小组吃完饭没留多久就走人了，十分识趣，安宁刚要跟着走，徐莫庭却拉住了她："我有事同你说。"

她也不指望已经奔进电梯里的那仨能给她解围了。面对对方略显沉静的表情，安宁想说点儿什么，以掩饰自己的一些心慌。

"今天的晚餐……谢谢你。"

徐莫庭的眼中有着明显的探究，像是要在她的脸上发掘一些东西，接着他伸手抚触了一下她的侧脸，只停留了一会儿便放开。

他暗暗吐出一口气，说："安宁，你想知道什么，我都可以告诉你。"这句话不是他第一次说，这次却有些暗含深意。

她的心脏漏跳一拍，但没有吭声。

可能，再过几个月，他们就会分手了。她本来以为自己已经不会再去强求任何事，无论是什么，如果不属于自己，即便经历过后有所失望，她还是能够过回自己的简单生活，可蓦然回头，发现这个人已然走进了自己的生命，她是那么地不舍他离开，所以……现在要怎么办呢？

安宁觉得难过，之前从超市回来的一路上就一直魂不守舍的，平时大而化之惯了，但今天的这种情绪却有些不知如何排解。看着面前的人，突然就有点儿委屈，最终将手探出去扯住了他的衣服，将嘴唇贴上了他的。也不管对方是否愿意，安宁一鼓作气地吻了上去。

室内的光打在他的面颊上，让原本英俊的轮廓看起来细腻柔情，平日里精明的黑眸也更加深不见底。徐莫庭垂眼，伸手将门关上。他用手掌揽住优美的腰身，那力度似有鼓励之意。

男人的贪念有时不是意志能够控制的，更何况当撩拨的人是自己心心念念的对象时，沦陷是轻而易举的事情，他的手指慢慢缠绕进她的长发，像是牵制她，又好像让她牵制自己。

电话铃声突然响起，惊醒了两个意识朦胧的人。安宁惊觉到自己的行为，自己都吓了一跳，她推开他一点儿，难为情是一定的。她脸上潮红，心虚到不行："对……对不起。"

铃声在响了五六下后归于安静，而对面的人也一直毫无声响，安宁抬起头，她的身影清晰地映在他的眼中，这双炽热的眼睛此时蒙着一层雾霭，像是能将人的灵魂都吸进去。徐莫庭将呆愣的人慢慢圈进怀中，两人的身体贴合，填充了彼此之间的空隙。

他靠在她耳畔发出一声低不可闻的呻吟："你这样主动，实在让我不知道该怎么办才好了。"

就这样停顿了几秒，直到徐莫庭叹了一声："我送你回去吧。"有时候他都佩服自己的忍耐力。

可能是为了避免再有亲密接触而诱发不可挽回的局面，接下来徐莫庭的动作堪称"相敬如宾"，安宁也是，两人对视间还有一些温润的余韵，但谁都不敢大力去触动某根弦。

车子的窗户一直开着，风灌进来，沿途的路灯光线和婆娑的树影一一掠过，都让人感觉有些过分平静。

一回到寝室时安宁就被众人围住了。

蔷薇："怎么那么早就回来了？！"

毛毛："有没有怎么样？他有没有抱你，吻你，摸你？"

朝阳脸上一抽："阿毛，为什么我听你讲——anything，都会觉得恶心呢？"

安宁坐到位子上，额头抵着桌面，无声地喟叹，没有反应。

这姿态倒是让其余三人有点儿摸不着头绪了，好歹爆句冷幽默也可以啊。

毛毛小心问道："阿喵，你终于也欲求不满了吗？"

隔了好一会儿，安宁才重新抬头，眉心微皱。

出现了！蔷薇在心中呐喊，所有被阿喵同学用这种千年难得不带人气的冷酷眼神射到的人，依照个人承受能力的不同都会受到不同程度的心理创伤——据说最严重的会让人产生被人无情地从楼梯口一脚踹下去的错觉。

蔷薇壮着胆子问："阿喵，你跟妹夫之间——不会发生了什么吧？"这么快！不愧是大神啊！

朝阳拍案而起："莫非他霸王硬上弓了？！"

毛毛问："是不是我们今天吃太多了？地主家也没余粮了。"

安宁无力与她们抬杠，起身拿了换洗的衣物进浴室。

"我洗澡了。"

片刻之后朝阳开口："你们有没有觉得阿喵在妖魔化啊？"

"……"两只颤抖的土拨鼠。

2

隔天安宁去上实验课，现在忙的也就是实验和实习了，其余课程都进入写论文、改论文、再写再改的黑色循环里。而实验课是安宁比较喜欢的，但今天却不怎么上心。

手机一上线，表姐逮着她就说故事：我这有一同事，比我大两岁，博士生，刚结婚。我想说的是，我跟她聊天让我颇有感触。具体对话如下：

【表姐爱表妹：哇，这么早就结婚了，好幸福啊。

博士博士我最美：快点儿结婚吧，我结一次婚赚了20万！你结婚应该也能赚到几万的。】

表姐：呵，我就琢磨不明白了，呵，20万！接着她说就等着生孩子了，生完孩子等着养大他or她，她越说我越崩溃，原来人的思想真的可以差那么远。

安宁：如人饮水，冷暖自知。

表姐：怎么，今天心情不好啊？

安宁：没有。

表姐：跟你讲一个笑话，“写下你最深爱的一个人伤你最深的话，女问男曰：你进去啦？”

安宁：姐，爸爸让我去他那边工作。昨天给我打的电话。

表姐：没幽默感！不想去就别去呗。

安宁低叹一声：站着说话不腰疼。

表姐半晌回复：安宁，你好邪恶噢，站着做爱不腰疼！

安宁想，她的确有点跟不上表姐的幽默了。将手机放进衣兜里，瞄了眼此时站在实验室外的人。

傅蔷薇正背对着窗口站着：“教室里的人啊，不要为我的静站而悲伤，如果我在里面，你们一个也静不了。”

上面的教授已经满脸黑线，隐忍再三。

朝阳庆幸：“幸亏跟她不是同一个寝室的。”

毛毛疑惑：“有差别吗？”

安宁又叹了一口气，举手道：“老师，我需要傅同学的配合。”

教授回头见是她，权衡利弊之后，朝外头喊了声：“傅蔷薇，进来吧，以后上课注意点儿！”

蔷薇进门一路握手过来，“谢谢，谢谢谢谢！”教授脸上红白交加。

“你干吗老是针对他啊？”朝阳等她过来不免问。

蔷薇说：“生活太无聊嘛。”

朝阳道：“我看你是真太无聊了。别研二还当课啊，否则我都要替你丢脸了。”

“有阿喵在嘛。”

安宁第三次叹息。早上接了父亲的电话就一直有些情绪低落。这天刚出实验楼又碰到这段时间频繁来找她麻烦的一名女生，是上回在公交车站牌处碰到过一次的，当时徐莫庭的室友也在场，此女对她不服气，于是莫名其妙地从追求江旭变成纠缠她，安宁不胜其烦。

此时路过的一名男同学看到这一对立场景立刻停下自行车跑过来：“学姐，你没事吧？”

正等着安宁VS不良少女的毛毛三人见到来者，眼睛猛地冒出意味深长的光泽，刘楚玉啊。

艺术学院阳光男生的自信并不能在喜欢的人面前发挥，刘楚玉一面掩藏着自己的紧张情绪，一面英雄救美："我送你回去！"

"李安宁，你真厉害啊，这么快又多了一个墙头？"

刘楚玉皱起眉头："你是女孩子，讲话就不能好听一点儿？"

她哼笑："我没让你听啊，你可以滚的！"

安宁第四次叹息："你们慢慢聊，我先走一步。"

女生上前一步抓住安宁的手臂："喂，你别走啊！李安宁，你别以为找了外交学系的徐莫庭就了不起了，他——"

安宁这时终于很认真地看向对方："他什么？"

清亮锐利的眼睛令某女不由得一怔，竟不敢再造次。

安宁并不想制造对峙场面，轻巧地拉下她的手："别说他的是非。"

那语气里隐约有一种"逆我者亡"的味道。众人无语。

毛毛有些同情地上前对那女生奉上金玉良言："同学，留得青山在，不怕没柴烧啊。"

蔷薇揽住被无视的刘楚玉的胳膊："山阴啊，来来来，跟学姐说说，你最终跟谁在一起了？"

先前从另一幢楼出来的老三，又很巧地算是听了全过程，差点儿没笑喷出来，但因对嫂子的室友尚且心存余悸，不敢过来凑一脚，只用手机拍摄了这一幕，走出危险区域时立即转发给了老大。

安宁打算回寝室，刚到楼下就远远看见一辆车开过来，截住了她的路，车上的人开门下来，"宁宁。"

"霍叔叔。"安宁有些意外，他是父亲的司机，从她小学时就帮忙开车了，算得上熟悉，没想到是他来接她。

"好几年没见你了，都长这么标致了。"对方满脸笑容，"走吧，你爸爸说跟你通过电话了。"

安宁很想临阵逃脱："霍叔叔，我能不能明天再去啊？"

"你说呢。"霍大叔拉住她，"宁宁，逃得了一时逃不了一世，更何况我都过来了，你忍心让我空手而归吗？"

“忍心。”

霍大叔一愣，随即哈哈大笑：“宁宁，怪不得周先生说你变了不少。”

最后安宁还是上了车。

安宁一路看着风景过去，多少有些不情愿，霍大叔从后视镜里望她：“宁宁，你爸爸常提起你，你一直是他的骄傲。”

“嗯。”

到饭店后，霍忠没再跟进去，安宁刚推门进入，服务员就将她领到一张桌位前。

李启山年过五十，风采依旧，只是这几年多了些许白发，见女儿入座，示意服务员上菜。

“半年没跟爸爸见面了吧？”

“嗯。”

李启山笑着给女儿斟茶：“最近很忙？”

“还好。”安宁乖巧地拿起茶杯慢慢喝着。

冷盘上来，李启山让服务员先上饭，嘴上已经说道：“今年又在龙泰实习？学生还是要以学业为重。这半年我对你太缺少关心，有什么事，你也都不再主动同我讲，锦程说你好像交了男朋友。”

“爸爸，我觉得龙泰挺好的。”

“我没有说这单位不好，但是你没毕业，不用那么急着工作。”语气透着点儿不太满意，“你妈妈是怎么想的？”

安宁低头，不想多说。

李启山也不勉强，他这个父亲也是做得心有余而力不足，只是对自己这个女儿毕竟有些坚持，“毕了业还是到爸爸那边发展吧？”

安宁的神情终于有些苦闷了，“爸，我不想离开这里。”

“宁宁，你没必要为这一时的陪伴而牺牲自己的未来，你妈——”

“可是爸爸，”安宁轻声打断，“你的那种未来对我来说也是完全没必要的。”

李启山看着她，最终叹了口气，“有主见不是坏事。但是工作的事情别太早下定论，多一份考量，对你将来总不会有坏处。”

父亲已经难得地持不强硬态度，她也尽量配合，而父亲没有再问起“男朋友”的话题，只因他觉得无关紧要吧，其实，也好。毕竟他是要离开的。

安宁揉了揉略显疲倦的眼睛。

李启山又问了一些学习上的事情，安宁有一句没一句地应着。跟父亲的晚餐一完，原本想自己打车回学校，但父亲坚持送她。在宿舍楼下一下车安宁就霍然驻足。走廊的柱子边站着的人正是徐莫庭，而他在对上安宁的眼睛时已经将手滑入裤袋慢慢走过来。

“这么晚。”语气里没有一丝因等待而产生的不耐。

安宁站在原地，面对徐莫庭似乎始终冷漠不起来，“嗯……你可以打我电话的。”

“你手机没电了。”他笑了一下。

“咦？”安宁拿出手机查看，果然。

李启山也已下车，听到交谈的两句，有些明了，只朝他们微点头，跟安宁说了句“早点儿休息，别玩电脑玩太晚了”就走了，没有多停留。

黑色的车子开动时，霍忠开口：“书记，他应该就是徐家的长孙了。”

“确实一表人才。”李启山笑道，“小孩子谈恋爱，作不得准。出了社会，现实问题一面对，能有几对功德圆满的。”

“那倒也是。”霍忠想了想又说，“如果宁宁真喜欢那人，跟徐家结亲，算是件喜上加喜的好事吧？”

李启山笑了一声：“你说，她那散漫性子，能进那样的家庭吗？徐家，有点儿高处不胜寒。”

这边两人刚走到有光亮的路灯下，就有人扬声喊了一句，安宁回过头，不禁叹气，这人是在她身上装了跟踪器吗？

过来的女生脸上挂着不可捉摸的笑意：“百闻不如一见啊，徐师兄。”

徐莫庭对不在意的人向来不花心思，但因之前看过一个视频，而且是看了三遍，所以对面前的女生有一点儿印象，不过语气冷淡：

“有事？”

“我跟安宁是朋友，我以为之前她是跟某某出去玩儿来着，呵呵，没想到现在换成徐师兄了，有点儿惊讶而已。”

安宁碍于徐莫庭在场，不便发作，只是确实有几分恼意了。

徐莫庭却只是淡淡地说了一句：“是吗？无所谓，我爱她。”故而可以包容一切？

这句赤裸裸的表白，不仅令那名女生震惊，连安宁都目瞪口呆了。一向讳莫如深的徐莫庭突然直白起来，效果十分震撼。

安宁的心怦怦狂跳，堪称……惨烈。来不及表达情绪，就已被徐莫庭带走，占有权可以对外明示，但是亲密行为他还不会大方到在闲杂人等面前表演。

等某人回神时，发现已在幽静的小道上。

“我……”安宁紧张得不行，他的注视专注得让她觉得有些魅惑味道，丝丝入扣，撩动心湖。

所以她那天说了什么最终自己也忘了，只记得月光朦朦胧胧地洒在他身上，也洒在她自己身上。

他在吻她的时候轻轻地叫她的名字，带着深情的表情。

3

“你可不可以不走？”

你可不可以不走，你可不可以不走……安宁睁着眼睛望着黑漆漆的天花板，神情有点怔怔的，整张脸也慢慢地升温。这究竟是梦还是……她不确定，所以，万分颓丧。

等到阳光穿透寝室的窗帘，听到下铺毛毛摸索着上厕所。

“几点了？”

毛毛吓了一跳：“醒了啊，我看看——六点一刻。”

电话响起时，朝阳也被吵醒了：“谁那么缺德啊，一大早扰人清梦！”

安宁一头黑线：“貌似是我的手机。”

毛毛已经从卫生间出来，将桌上的手机抛给安宁。安宁看号码是陌生的，犹豫了一下才接起，对方一上来就是一句诚心的“对不起”。

安宁没听出是谁：“你是？”

这次换来对方几秒沉默：“江旭。”

“哦，你有事吗？”

“安宁，我很抱歉，事情我到现在才知道。她有没有对你做什么？这女生是我的一个学妹，行为比较叛逆——”

安宁轻咳一声，不得不中途开腔：“不好意思江师兄，我室友还都在睡觉，有什么事情能不能晚点儿再说？”

“……”

在对方“默许”之下安宁收了线，跟她对头睡的朝阳这时说了一句：“有些人可能在各类交际圈里都游刃有余，但并不表示他人品卓越，只能说现实需要一些圆滑和恭维。”

“我知道。”

这一整天，事情应接不暇，安宁的脑子偶尔会放空，但做实验的时候又必须保持清醒，简言之她一直在眼睛聚焦，模糊，聚焦，模糊中。

同事佳佳端进来一杯吉林红茶，香溢满室，安宁抬头时就见她屁股斜坐在她的桌面上，茶已经放在她手边。

“谢谢。”

“什么时候请吃喜宴啊，哈哈。话说昨天你没来，我们化验科博采众议了一番，这么乖巧婉约的姑娘私生活竟然如此神秘。”说完啧啧有声。

安宁轻叹：“你想知道什么？”

佳佳靠过来：“有没有私家照？半裸全裸都行。”

原来是人都会被耀眼的东西吸引，所以她每次被迷得失了准也是正常的吧？安宁欣慰了：“没有。”

佳佳站起身双手捧心状踱步：“太可惜了，想想他穿正装的盛气凌人模样，回头再看看半裸的胸膛，哇，那落差绝对能令人心驰神往。”

“……”

“嘿嘿，安宁啊，有这么一位男友压力一定很大吧？”对方一副深表理解的表情，不过有件事要提醒，“阿兰一定不会轻易放过你的，阿门。”

安宁也很想在胸口画十字。

中午休息的时候，果然阿兰气势磅礴地下来，逮到某人就是劈头盖脑地一顿，总体来说就是如今都“这样”了，介绍要，饭也要！

安宁稍有些无奈，这样吃下去，不知道地主会不会头疼？于是只能答“待他有空”。

阿兰得到满意答案，含笑而归。

下班时间一到，公司里的一帮恋家族就都有些蠢蠢欲动了，安宁收拾完东西跟佳佳他们一齐出大楼，然后就看见——对街一道完美的身影，一身清爽、出类拔萃，吸引路人频频注目，安宁当即“啊”了一声，不能说是惨叫，但惊讶是有的。

四目相对时，他没有立刻过来，站了一会儿，才手插口袋慢慢接近，神态自然坦诚，仿佛他出现在这里是最平常的事。

从他跨步到立定在她面前，安宁能感觉到四周噼里啪啦的视线。

不过徐莫庭一向不关注别人：“走吧。”

“莫庭……”安宁轻扯他的衣角。

“怎么了？”

安宁早死早超生地指了指身边一米处的地方：“她们想认识你。”

安宁隐约觉得他皱了下眉，好吧，地主也头疼了。

徐莫庭皱眉之余倒是非常配合，任由某人将他介绍给两名女生。阿兰跟佳佳也算理智，“相谈甚欢”之后跟安宁使了下眼色就撤退了，虽然后者完全没明白那挑眉和眨眼是什么意思。她正准备穿过马路，却被徐莫庭拉住了手腕，不解地止步，那人的手下滑至掌心，十指相扣。

直到两人坐到车里，安宁才有些不甚自在，心怀鬼胎地开口：“你怎么来了？”

“想来就来了。”连借口都不愿意找的人。他发动车子时才问：“要去哪儿吃饭？”

“呃，我还不饿。”这倒是实话。

莫庭侧头看了她一眼：“那陪我去个地方吧。”

车子一直开到海边，难得江泞市的这片海域碧蓝清澈，海水冲上沙滩，空气里有些咸湿的味道。

安宁先下车，走了几步回头见徐莫庭依然靠在车子边，双手插裤袋，有几分慵懒的风情。这人今天似乎心情不错，安宁想。

徐莫庭从口袋里摸出一样东西，朝她招手："过来。"

安宁狐疑地走过去，他将她轻揽住，额头相抵，另一只手拉起她的手腕，安宁只觉有一丝冰凉穿过，低头发现是一串通透的珠子，紫红色。

她不由得抬手晃了晃，"有点儿像血色。"

"上面附了符咒。"

"啊？"

徐莫庭低低笑出来："怕了？"

安宁瞪他一眼："我虽然相信世界上有鬼神，但也相信鬼神不会害人。"

"而我对于你而言，就没有足够的可信度，或者说安全感？"黄昏的光照射进徐莫庭那比任何人都要幽深的眼眸。

安宁若有所思地望着他，对方轻叹一声，下一秒就是一个柔情似水的吻，是温存的、细腻的、诱惑的，只轻轻碰触两秒便分开。

"你不知道我有多想你，怎么可能还舍得走。"这样煽情的话可谓他平生头一次说，徐莫庭再次用蜻蜓点水的吻来掩盖自己的紧张。

被轻薄表白的人心里微妙地鼓动着，涌现出一股酸楚的甜蜜。

安宁闭着眼攀上对面人的肩膀，也不知是谁先缺失了克制力舌尖慢慢探入对方的口腔。

沙滩上稀稀落落走过的人都不由自主地朝这对出色的情侣望来一眼。

"年轻真好啊。"

"……"

事后，某个垂着头红着脸被拉着散步于沙滩上的姑娘咕哝："24岁也不算小了吧？"

"可以结婚了。"

"……"

偷瞄了眼身边的人，平常如斯，安宁觉得比起他的修为，她真的是太嫩了。

“莫庭，我爱你。”

他好……好镇定。安宁承认果然不是他的对手。

“我在美国的学业已经结束。不会再走。”徐莫庭突然开口说。

“……嗯。”

“以后别谁说什么都信。”

“哦。”她低头惭愧状。

“还有——”

“嗯？”

“我放弃国外升硕士的机会，回国来读研，是因为你。”

“……”

“我观察了你一年。”

“……嗯。”

“觉得还是放不下你。”

“……谢谢。”

“不客气。我想过了，这次你要再不答应，我就掐死你。”

“……”

徐莫庭看了眼头越低越下去的安宁，嘴角扬起点儿笑，这时手机响起，他接听了几句，然后转头问她：“我妈问我们什么时候回去吃饭？”

“伯母？”这一惊非同小可，“什么回去吃饭？”

对方显然懒得解释这个问题，直接将电话递给她：“你跟妈讲吧。”

安宁是真接得措手不及，瞪着面前的人，那声“伯母”叫得低不可闻：“……我们在外面，不，不，回去吃的，嗯……他……呃，不对，是我想来沙滩散步……莫庭带我过来……嗯，马上就回去了……”电话挂断时安宁都觉得有点儿心力交瘁了。

而身边的人说：“你要再逛逛也可以。”

安宁瞪眼：“你先前干吗问我要去哪里吃饭啊？”都定好目的地了，还问她？

“我本来想说，但是，你说还不饿。”多么和风朗月，撇得一干二净啊。而细细想来，这前后是因果关系吗？

“我饿了。”这回她是真饿了，果然跟学外交的人斗太耗神了。

结果那顿大餐最终还是没吃成。当时车开到一半，安宁突然肚子疼起来，而此疼非彼疼，安宁很有种“天要亡我”的感觉。

“莫庭，今天能不能不去了？我想回寝室。”

“怎么了？”徐莫庭侧头看她，见她脸色有些白，不由分说将车停靠到路边。

这要她怎么说啊，“就是有点儿……肚子痛。”

徐莫庭就是徐莫庭：“来那个了？”

“……”

安宁满面通红地被送回寝室，中途徐莫庭在便利超市门口停下：“等我一下。”回来时手上多了一袋东西，连红糖生姜茶都有。

“要不要去医院检查一下？”

被他的“开放”态度影响，安宁也口无遮拦了：“每次来的第一天都会有点儿疼，医院也治不好，反倒睡一觉就好了。我妈妈说等结婚了这个症状自然会好的。”

最后一句话让安宁三天都处在想要自我了结的情绪中。

毛毛见某人在厕所里待半天了都不出来：“阿喵，你不会挂了吧？”

“我想死。”

朝阳“噗”一声笑出来：“刚才妹夫送你上来的时候，隔壁怡红院的阿三姑娘和对面丽春院的婷婷姑娘也羡慕你羡慕得想死了。”

安宁无力地拉开门，到书桌前抽了张纸巾擦干了手后就趴床上了。

毛毛问：“很疼吧，我给你泡了生姜茶，你要不先喝点儿再睡？”

“不喝。”

毛毛洒泪奔向朝阳：“阳阳哟，阿喵她欺负人呦。”

“……”

当晚徐老大打电话过来，安宁正睡着，于是毛毛接起。

“妹夫啊，对对，是我毛晓旭，您记得啊，呵呵，呵呵，嗯，喝了茶，嗯嗯，先前还疼得小脸儿发白，现在好了，可怜哟，流了很多血啊……”

“毛毛……”安宁的声音气若游丝。

某毛：“等等，没见我正跟——哎呀，阿喵你醒了啊？”

是你说得太响了。

毛毛已经嘿嘿笑着将手机塞给安宁：“我去找蔷薇玩儿了！”

你就不能先挂了电话再去？

“醒了？”对面人的声音低沉轻柔。

“嗯，还是困，想睡。”这不是借口不是借口，默念一百遍。

对方相当宽容大度：“那你睡吧。”

结果是两方都没有挂断电话，安宁愣愣的，好久之后才意识过来，匆匆说了声“再见”就收了线。

睁着眼睛望着室内朦胧光线下的天花板，整张脸再度升温，这绝对是现实啊，安宁确定，所以，万分无语。

4

再度逛街日，虽然离上次出来shopping已经有段时间了，然而，她还是经期第三天啊，为什么还会被拖出来？

12月初的天气，已经很冷了，幸好这天天气好，阳光晒下来还有点儿暖洋洋的。安宁坐在广场的石阶上等着毛毛跟蔷薇从对面的一家服装店里厮杀出来，因为对比里面的暖气，还是大自然的暖气舒服点儿。

等得百无聊赖，安宁开始无意识地哼歌，曲目不详。直到两名小朋友跑过来问路，小男孩问：“阿姨，请问肯德基怎么走啊？”

“叫姐姐，不然她不会理你的。”旁边的小姑娘马上轻声提醒。

小男孩：“姐姐，请问肯德基怎么走啊？”

“……”

蔷薇跟毛毛回来时见安宁在给两个小孩指路，毛毛即刻批评：“太令人发指了，才几岁啊你都出手？小心妹夫看到直接把你灭了。”说完“意味深长”地大笑三声。

两个小孩吓了一跳，跟安宁匆匆道别后跑开了。

安宁想，比起毛毛的巫婆形象，她这个“阿姨”还是相当和蔼可亲的吧？

差不多是饭点了，三人决定先去解决午饭，到了麦当劳，毛毛去点餐，她这阵子在追一男的，身心俱舒畅，于是客也请得很积极。

蔷薇感叹：“女人啊。”

安宁默默扭头，正巧望到毛毛匍匐在柜台上：“来一盒蛋挞！”

安宁再度扭头，后方隐约传来：“怎么没有啊？你们这是不是肯德基啊？！”

入冬的街景真不错呀，安宁欣赏着，随后望到了——张齐跟一名男生拉拉扯扯的一幕，最终对方强行牵住张齐的手，无视路人疑惑的注视，走进了广场的水幕电影区。

太、太劲爆了。

安宁第一反应是跟某人短信。

“莫庭，我看到了你们寝室的张齐，呃，他跟一名男生在一起。”也不是安宁八卦，只是实在太过惊讶了。

对方回：“嗯。”

太冷淡了吧，安宁义愤：“跟你说真的呢。”

“存在即合理。”果然是徐老大啊。还没等安宁感慨完，对方电话过来了：“你现在在哪个位置？”

“嗯？”

“我过来。”稍一停顿，解释道，“陪我去买台电脑。”

十五分钟后一道出类拔萃的身影拉开了麦当劳的大门。毛毛扬手一句“妹夫，这里”引来多方关注，徐莫庭从容不迫地走过来，对蔷薇、毛毛两人点了下头，而看到安宁面前的饮料时不由得轻皱了下眉：“怎么在喝冷饮？”

安宁非常有先见之明地转移话题：“我们走吧。”

在毛毛和蔷薇的目送下，安宁主动被带出了场。

数码城就在附近，所以两人直接徒步过去，经过广场时再度碰到了那两个之前问路的小朋友，男孩子的手上抱着全家桶，侧头看到安宁时两人齐刷刷地叫了声“姐姐”，发自内心的。

“嗯。”安宁圆满了，旁边徐莫庭若有所思地望了她一眼。

到达目的地时，徐莫庭直接走到一个品牌的专柜前，里面的人见是他已经将一台笔记本电脑拿出来。

安宁在柜台前溜达，看到一台就说：“莫庭，这台，这台也还不错。”她以前买电脑的时候搜过这款的资料，不过当时太贵了，没买。

徐莫庭望过去一眼，说道：“阿丁，麻烦那台也装一下系统，我改天来拿，谢了。”

“没问题。”

安宁有些错愕，而徐莫庭已经买完牵起她手要走人了，事实上只是取一下吧？

两人出来时，安宁弱弱地说：“你钱多吗？买两台做什么？”

当事人只说了句：“以后你用得着。”

“……”

“你住处那台笔记本呢？坏了吗？”

“嗯，你来例假那天，我吃完晚饭回去，查资料的时候碰翻了水，算是报废了，好在硬盘里的资料没丢。”

你就直接说报废了嘛，前面那些没必要多讲吧。

安宁望了眼放在车后座的电脑袋：“你新买的这台跟你之前家里那台是一样的吧？”

“嗯，我是专一的人。”

“……”这人，说话一定要这么暗含深意吗？

当注意到徐莫庭没有往学校开，安宁疑惑：“我们还要去哪里吗？”

“去我单位坐坐吧。”开车的人不疾不徐，“怎么，你有其他更‘重要’的事情要处理吗？”

这威胁也太明显了吧？安宁扭头继续看街景。

徐莫庭轻扬了下嘴唇，眼中笑意明显。

算起来是第二次到他工作的地方，从进大门到他办公室，安宁不免怀疑自己脸上是不是画了一只乌龟，怎么每个人都要瞄她一眼？

苏嘉惠敲门进来，手上拿着一杯咖啡，笑着递给坐在沙发上的人：

“我的手艺不错，尝尝。”

“谢谢。”

嘉惠靠坐到旁边，跟正挂外套的徐莫庭半开玩笑道：“众说纷纭啊，徐莫庭带女生上来，威力堪比原子弹爆炸。”

徐某人只是笑了一下，不予置评，倒是喝咖啡的人猛呛了两声。

嘉惠连忙伸手抚她背：“没事儿吧？”

“没事没事。”原来她是原子弹吗？

莫庭抬腕看了下手表：“你不是两点要去外面开会吗？”

嘉惠大叹“见色忘义”，不过倒也识趣地退场。

安宁见又只剩他们两人，于是东瞧瞧西看看，徐莫庭的办公间不大，但是干净整齐，书架上的文档夹、书籍都整理得一丝不苟。他倒了一杯纯净水过来给她：“别喝太多咖啡。”

“哦。”安宁沉着地走到书柜前，“你忙吧，我自己找书看就好了。”

徐莫庭望着窈窕的背影又淡淡地笑了。

宁静的冬日午后，虽然两人一个翻文件，一个翻《三国志》，但，这算是约会了吧？也许跟别人家的恋爱不同，但安宁却感觉舒心自在。

沙发的这个位置刚好能照到一点儿阳光，不会太热也不会太冷，很舒服。

听着钢笔划过纸张发出的沙沙声，夹杂着偶尔指尖轻敲键盘的声音……安宁慢慢地慢慢地睡着了。

隐约听到他的同事进来，又出去。

感觉有人过来坐在一旁，沙发略微塌陷下去，安宁翻了个身，有一股熟悉温存的味道慢慢靠近。

安宁迷迷糊糊的也不知道睡了多久，醒来时身上盖着一件黑色的外套。她坐起身，见徐莫庭依然在浏览文件。

他似乎真的很忙。

而安宁发现肚子不疼了，原本走了一上午的脚酸也减缓了。她蹑手蹑脚地站起来，对面目光一直在电脑屏幕上的人说了句：“醒了？”

“嗯。”安宁轻声道，“莫庭，洗手间在哪里？”

徐莫庭抬起头：“我带你过去。”说着已经起身。

“不，不用！”她又不是三岁小孩，这种事情都要领。

徐莫庭笑了一下：“出门左转，走到底就是。”

脸不红气不喘地拽着包包走出门，安宁感叹，被他耍多了，她的脸皮也越来越厚了，唔，不知道是好现象还是坏现象。

洗手间客满，安宁在等的时候望见镜子里的自己脖子上有块红痕，一目了然，不由得皱眉仔细研究，然后听到左边那格里的人感慨了一声：“徐莫庭竟然有女朋友了，唉。”

中间那格的人说：“说不定只是女性朋友。”

左边：“就算不是也轮不到咱们啊，人家苏嘉惠倒还有点儿希望。”

右边：“说起来，嘉惠长得漂亮，身家也好，对徐莫庭也算用心了，他怎么对她丝毫不动心啊？”

中间：“呵，也没见得有多漂亮，再说了，你们又不是不知道徐家多牛，她这种身家算什么。”

左边：“总比今天来的那位好吧？”

右边：“我倒觉得今天来的姑娘比苏嘉惠漂亮多了。”

中间：“早知道他不介意平民百姓，我也追他了。”

左边：“你们猜那女的是怎么追的徐莫庭？死缠烂打？”

右边：“大概吧。不过看上去挺文气的呀。”

中间：“知人知面不知心。”

记得有人说过洗手间是一个八卦云集的地方，果然没错。

安宁一边研究颈项上的可疑红斑，一边想着……想着想着突然“啊”了一声，这次是真的惨叫，这、这是吻痕吗？

此时一人已经拉开门出来，与某人在镜子里视线相交，前者显然没想到会这么……倒霉，一时做不出反应，倒是安宁笑了笑，虽然脸上有点儿红，“嗨。”

安宁越过呆立的人进了厕所，一进去就拿出包包里的小镜子，再次研究，再次肯定，真的是吻痕啊。

当安宁回到徐莫庭的办公间，第一句话是：“你干吗吻这里啊？”太显眼了。

门口的人捂着颈侧，脸上绯红，莫庭大概知道是什么事了，放下笔，很民主很大方地问："那你想吻哪里？"

绝对的知人知面不知心啊！

安宁见他已经在关电脑，说了句"我在外面等你"就出去了。却没有想到会碰到周锦程。对方看见她，迎上来，眼神倒并不意外。

"前两天见过你父亲了？"

"嗯。"

"在等徐莫庭？"周锦程并不是多话的人，难得会多此一问。

而安宁并不喜欢这种虚假的试探，可也不知道怎么应对才合理，直到身后有人轻轻揽住她的肩膀，才暗暗松了一口气，她发现自己真的有点儿依赖他了。

"我跟她还有事，先走了。"

周锦程顿了下，才说："好。"

那天晚饭两人吃好后，徐莫庭照例送安宁回宿舍，后者说了声"谢谢"，这声谢包含很多层含义。

结果人家回："一家人不用说两家话。"

"……"他说的话为什么含义总那么深啊。

第七章

不想伤害我就别伤害

1

天气预报说近几天会降温，结果刚说完隔天就降了七八度，足足冻坏了一批人。

江泞大学的校内论坛也开始吵得厉害，且一怒激千怒，诸多以前的不满纷纷浮上水面，好比，学校的澡堂热水时不时中断，好比，寝室里的网络极其不稳定。其中某同学发的一帖最为精辟：同学们别吵了。有地方住不用吹西北风，宿舍不让装空调冷了就多穿点儿！再不行让你娘给你寄床厚被子来。澡堂嘛，冷热水交替可以促进血液循环，凑和一下吧，反正病了医务室的药也不用花太多钱，虽说那开的感冒药从来没治好过人，不过大家年轻不怕，大不了就是肺炎。断网了就去实验室或是学院的机房里上，而且又不是一直不能上去。忍过冬天就好了。

毛毛立刻回帖：俺刚买的秋装怎么办啊？！

毛某人在寝室里裹着被子义愤填膺："这日子没法过了，不行，得迁徙了。"

"记得往南飞，别北上啊。"朝阳边浏览着帖子边提醒。其实近期江大论坛上最热门的不是社会版的这些现实问题，而是情感剧场的两帖，《江旭情人之我见》以及《新生代偶像徐莫庭身家背景之大讨论》……

朝阳此时正在围观徐莫庭的身家背景，真是不得了，连"皇亲国戚"都出来了。

"阿喵，有好多女同胞打算勾引你家男人哦。"

安宁正在弄项目，她这周跟单位请了假，除了手上的项目还要交两篇阶段性论文，此刻忙得晕头转向，只得随口敷衍道："嗯嗯。"

毛毛淫笑："妹夫那帖我早看过了，阿喵你在里面可是关键的话题人物之一哦……也被攻击得很惨，呵呵。"

朝阳受不了毛毛不合时宜的笑声："该不会这帖里阿喵跟妹夫相视而笑的那张照片是你放的吧？我之前还怀疑是蔷薇呢。"

安宁霎时一口水喷在屏幕上："什么照片？"

朝阳已经高效率地将网址转发给她，安宁犹豫了一下点了进去。

【挂牌】新生代偶像徐莫庭身家背景之大讨论

【回复本文】发信人：little star，信区：情感剧场

标题：【挂牌】新生代偶像徐莫庭身家背景之大讨论

帖子开头就是一张照片，徐莫庭本尊。但因为是远距离拍摄，所以稍显模糊。

紧接着就是外交学系老大的简单档案：

生日：乙丑年10月15日

身高目测：181cm

体重：67～68kg

主题：徐莫庭身份之大讨论

1F：LZ，等我成了徐夫人，我会回来告诉你真相的。

2F：楼上的你抢了我台词。

3F：1L，我相信你已经实现你的目标了，除了那个"徐"字。

4F：3L，你真相了！

……

按照惯例，在一堆天花乱坠的胡扯之后，帖子才进入正题，而慢慢地开始有人抱怨，既然是探讨当事人身份背景，为何连张清晰的照片都没有？！

接着，帖子莫名其妙地迅速转向如何获取徐莫庭清晰无码大头照，到第四页的时候甚至出现了悬赏。

安宁叹了一口气："毛毛，你不会是为了那个悬赏才把照片放上去的吧？"

毛毛嘿嘿笑："有钱大家一起赚嘛。"

安宁粗略地翻看过去，到第五页时，一上来就看见了自己的照片，也一眼瞄到了发图人的ID：等待春天的小百合！

照片背景是在徐莫庭家门口，是在他拉住她说"我有事同你讲"的时候——相视而笑？她是笑了，可那是苦笑吧，还有，他哪有笑啊？表情还有些严肃。

旁边座位的朝阳靠过来，手臂撑在安宁的椅背上看向屏幕："啧啧，不是我说，你家男人还真是有型啊，只是随意一个pose，就把隔壁帖PS过的那张图给比下去了。"说完她意味深长地拍拍某人肩膀，"喵，现实社会竞争很激烈啊。"

果然照片下面的回复马上就上"真相"了：这女的我认识，物理系的，一脚踏两船啊！

什么？！有了这么完美的男朋友还要红杏出墙？

一入豪门深似海啊，偶尔出墙是需要啊。

有人弱弱反驳：你们说她脚踏两条船……有证据吗？我看这女生长得挺正气挺不错的。

只是这质疑声立马淹没在口水和板砖里了：我还妖气横生呢！

接下来就是大片花痴徐莫庭、攻击安宁的回帖，再一次印证情感剧场是女人的天下。

小百合：筒子们，歪楼了！你们说这徐莫庭究竟是什么人啊？

下一楼继续上"真相"：据可靠消息得知，乃皇亲国戚也。

瞬间百度、google截图一大片，帖子沸腾了……

“我强吧，一切都在掌控中！”毛毛怂恿安宁拉到下面，还有更为精彩的。然而当事人显然没多大兴趣了，关了网页。

毛毛颤抖地奔向朝阳：“阿喵再度要流氓了！”

只是关了网页而已，已经产生“蝴蝶效应”了吗？

这时蔷薇过来满柜子找吃的，未遂，“不行了，要饿死了，谁陪我去吃东西啊，顺带上课。”

安宁看时间也差不多了，起身穿外套。毛毛原本不想去，但苦于再逃课可能会被当课，勉为其难只能迎风而上。

气温骤降，校园里出来活动的人也变少了。

去食堂吃午饭，人也是稀稀拉拉，不过主要原因应该是已经过一点了。

她们旁边桌坐着一名外籍学生，他起身时过来轻拍了一下安宁的肩膀，指指她盘里的煎饺，安宁不明所以，但还是将盘子往外挪了挪，他拿了一只饺子丢进嘴里，说了句“Thank you”就走了。

“……”

朝阳说：“这才是强人啊。”

毛毛唉声叹气：“说起来咱家妹夫也太老实了，都没见过他跟阿喵亲密一点儿的接触，这种速度什么时候能见血啊？”

蔷薇对此也颇感慨：“文质彬彬的男人就是太规矩了。”

安宁独自呻吟。

当天实验做完了出来时，一直在沉吟的毛毛忽然惊叫一声：“啊！阿喵，你被调戏了？！”

“……”

“我想了好久，你看那外国小伙为什么就只吃你的饺子，不吃我的面条啊？明显的嘛！”

朝阳拍拍她肩：“你想多了。”

安宁叹气，她还以为终于能够沉冤得雪了。

安宁这天要回趟家，已有大半个月没回去 ，对于恋家的人来说堪称酷刑。跟朝阳她们分开，刚到学校后门，一辆棕绿色车子停到了她旁边，车窗摇下，是江旭，对方脸上流露出淡淡的笑意，倒也像是偶遇，“嗨。”

他之后跨下车来，语气温和，这类人一般修养功夫十足：“安宁，对于那件事情，我还是想亲自跟你说声抱歉。我已经告诫过那名女生，她不会再来找你麻烦。”

安宁“嗯”了一声。见旁边有不少人望过来，当机立断，“师兄，你忙吧，我有事先走了。”

“我不忙。”他笑了一下，拉住她，“要去哪里？我送你一程。”

安宁婉言拒绝，江旭想了想，倒也不勉强：“那行。什么时候一起吃顿饭吧？叫上蔷薇。”对方是平常不过的征询，安宁也不大好意思再不给面子，只说，“我帮你问问薇薇。”

他放下手，“真的不需要我送你？”

“不用，谢谢。”安宁犹豫再三，最终还是说，“师兄，其实棕绿色是不祥之色。”

“……”

当安宁坐上公交车的时候，老三发过来短信，先是寒暄几句，随即说道：“大嫂，我觉得我跟你真的挺有缘的，老是能与你在人群中相遇，咳，是这样的，我一刻钟前坐在老大的车里从后门出来。”

安宁：“……”

老三：“放心，我会替你保密的，而且老大‘应该’没有看到你出墙。”

“……”

老三：“顺便说一句，大嫂，我食物中毒，有空来医院看我啊！！”

安宁已经不知道该说什么了。

一小时后安宁回到家，李妈妈从菜市场回来，一进门就见女儿一瘸一拐地在倒水喝，“宁宁你脚怎么了？！”

“在车上被人踩到了。”

“怎么这么不小心？”

总不能说是灵魂出窍吧，“妈妈，我帮你洗菜。”

“乖乖坐着去。下次记得，人家踩你你要狠狠地踩回去！”

她家妈妈很可爱啊。

晚饭时李妈妈倒是问到一件事：“你爸又跟你说工作的事了吧？”

“嗯。”

“你自己有什么打算吗？”

“妈说呢？”

“妈妈没什么特别要说的，你觉得对就去做，作为母亲，我只希望你过得幸福。”

“谢谢妈。”

李妈妈这时笑道：“那感情上有没有动静？照理说，我女儿长得这么标致，不可能无人问津啊。”

“……谢谢妈。”

“你大姨也常常念叨你，说是要给你做媒，要不这周去见一位？看了觉得不合适没关系，就当多交一个朋友。”

安宁低头扒饭，咕哝道：“妈妈，我有交往的对象了。”

“嗯？”

安宁无奈叹气：“我说我有交往的人了。”

李妈妈这回是惊讶了：“男的女的？！”

安宁深深地确认，她的妈妈真的很可爱啊。

2

晚上又被无所事事的表姐抓住网络聊天，聊到表姐的一位朋友，这位朋友的爱人失忆了又康复了的事，失忆历时两年，这段期间他一直陪在她身边，不离不弃……安宁听后很感动，于是反射性地就想分享给徐莫庭听，安宁并不确定他在不在线，但还是将这个故事简明扼要地打下来发了过去，接着说：“莫庭，如果，我是说如果，如果你失忆了，你还会记得我吗？”跟他相处久了，胆子也不免大了些许，有些玩笑也能自然而然地信手拈来。

对方居然在，且回复相当理智而客观：“既然是失忆，当然不会记得。”

安宁对这一离标准答案相去甚远的回答不甚满意，谆谆善诱道：“其实失忆中，比较常见的是解离性失忆症，这种病症通常是对个人身份的失忆，但对其他资讯的记忆却是完整的。”

对面的人很有耐性地回过来：“所以呢？”

“所以，你可能会记得我，却忘了自己。”

他并不反对：“很不错的观点。”

“谢谢。”说完隐约觉得哪里不对，他似乎有点儿过于纵容她啊？一切的不寻常都要留心，安宁小心问：“你今天有来学校吗？”

“嗯。”

“那你怎么不来找我啊？”唔，恶人先告状了。

对面许久未回，第一次当恶人的人慢慢羞愧内疚紧张了，正想坦白从宽，电话不期而至，安宁一看可不正是徐莫庭，小心接通：“你好。”

“安宁，我到你家楼下了。”

安宁这次是真的跳了起来：“你不是在上网吗？”

“手机。”

呃……

安宁套上外套跑出房间，正在客厅织毛衣的李妈妈皱眉道：“匆匆忙忙地干吗呢？”

“妈，我出去一下。”

“这么晚？”李妈妈抬头看钟，“都过八点了。”

“饿了，我去街角的便利店买点儿关东煮吃。”

李妈妈笑道：“这么一说我也有点儿饿了，那帮妈也带点儿回来。”

“……好的。”

买关东煮去的李安宁一跑到楼下就看见徐莫庭坐在花台边，两条修长的腿交错着，路灯的光洒在他身上，清俊高雅，果然是皇亲国戚啊。

安宁整理了一下表情走过去，“嗨。”

徐莫庭轻轻拍了下左侧的位置示意她坐在他身边。安宁若无其事地坐下，她已经不会去问他怎么知道她家地址的，不过，“你怎么过来了？”

“你不是想见我吗？”对方缓缓道出。

徐老大，你绝对常胜。

“冷吗？”他问。

“还好。”确实不觉得冷，刚才跑太快了。

“那陪我坐一会儿吧。”他的声音有些沙哑，神态中流露出几分倦意。

这一天，徐莫庭只是坐在花台边，头轻靠着她的肩膀，闭目养神了十分钟。

最终安宁觉得肩膀有点儿酸了，轻咳一声，率先打破沉默：“莫庭？”

“嗯？”

“我们去吃消夜吧？”

“你请客？”

安宁在心里不厚道地想着：人家都是女朋友靠在男朋友肩上，人家都是男朋友请客……

徐莫庭：“没带钱？”

“……”

莫庭直起身子，安宁刚要起身就被他拉住，掌心相触，他将五指滑入她的指间紧紧相缠：“再陪我坐会儿。”

安宁小心地询问：“莫庭，你是不是生气了？”

他突然笑了，交缠的手指使了使力：“怎么会呢？”

真的生气了！安宁心中波涛汹涌，据说，这种不动声色的低调高傲型男人，报复心极重啊！

“那，要不我亲你一下？”这一定不是她说的！

徐莫庭轻笑，一时没有说话，过了一会儿，他抬起她的手腕，拨弄着她右手上那串紫红色珠子，徐莫庭不说话、没表情的时候是很有些高深莫测的，常常令安宁招架不住，而且自己前面又“口出狂言”，不免有些心慌意乱的，所以没敢有所行动，任由他……指尖抚过她的手心，留下丝丝酥麻，最后他拉起她的手，咬了一下。

于是难得的休息日，安宁却因为噩梦而七点多就惊醒了，其实也不能算是噩梦，就是小白兔梦到了大灰狼……

坐起身望见窗外阳光灿烂，低头瞄到手背上依然存在的牙齿印……唔，天气和心情差别好大。

他来就是为了咬她一口？

安宁心事重重地换了衣服，洗漱完打开门出去，一瞬间就愣住了，沙发上坐着的不是别人正是周锦程，呃，还有大姨。

客厅里的两人听到声响回头看到她，大姨已经笑着起身："宁宁，起来了！"

安宁咳了一声："阿姨，我妈呢？"

"我来的时候就没见着，大概去超市了，喏，在楼下碰到周先生，他说有事情找你妈妈，我就带他上来了。"

安宁不动声色地朝他看了一眼，对方的目光停留在她身上，脸上难得流露出几分笑意。

大姨越过她时，轻拍了下她肩膀："我去厨房给你盛粥，你跟周先生聊聊。"

安宁无奈，其实也不能怪大姨，她只知道周锦程是父亲那边的人，详情并不清楚，主要是当年父母离婚，两边家人都算是明理之人，没有生太多仇怨，当然断了后也几乎不再联系，所以对于父亲后来娶的女人的弟弟，妈妈家那边的人也都没有兴趣多去探究。

她，大概是两家人现在唯一的联系。

安宁走到离周锦程最远的沙发边坐下："您找我妈妈有什么事吗？"她希望自己表现得算合宜。

"也没什么事情，只是代你父亲过来探视一下你们。"他说得合情合理，但语气中却没带多少感情。

安宁多少已经学会了透过现象看本质，这个长辈也许在很多方面都胜人一筹，行为模式有据有理，却也是无情冷酷的。安宁不否认对于周锦程，自己的立场一开始就站在不太友善的那边。

而这一次碰头，隐约有点儿知道他的来意，想了想说："我跟妈妈都挺好的。"

房子里很安静，只有厨房传来的些微声音。周锦程再次开口，却换了另一个话题："你跟徐莫庭相处得如何？"

安宁不明白为什么他会对她的感情如此在意，只轻声"嗯"了一声，并不愿意多谈。

这边周锦程不疾不徐道："安宁，你有没有想过，徐家的身份地位……能够接受单亲家庭吗？"

待了一会儿，安宁开口，语气自然、坦诚："其实，周锦程，不管是什么事情，你都没有立场管我的。"

周锦程走后，安宁长吁一口气。虽然讲的时候挺强硬的，然而，心里却不可否认地因周锦程的某一说辞而涌起一丝不平静，下午跟妈妈逛街就有一些心神不宁的。

路过一家服装店时，心不在焉的安宁瞄到两只贵宾犬隔着玻璃门对望着，眼露深情，呜呜低鸣，怜悯心一起，立即上前为它们拉开门，期待它们相遇时欢快地追逐，结果是……一轮厮杀。安宁目瞪口呆，当时李妈妈已经到隔壁店去看鞋子了，来往的路人都笑出来，安宁丢脸死了，刚想装作若无其事走开，人群中有人叫了她一声。江泞市不算小，但能逛的就这一带，所以经常能遇上认识的人。

"你也出来逛街啊？"徐程羽笑着走过来，手上拿着几袋衣服，旁边的两名女生应该是她的同学。

正跟狗狗们一起被围观的安宁沉吟，她能不能装作不认识啊？但还是礼貌地应了声："嗯。"

徐程羽不由得"啧"了声，"大哥这人太缺德了，我每次约你，他都说你没空！"说完又有点儿忌惮地左右看了一下，"我大哥他不在附近吧？"

安宁一头黑线："不在。"

程羽击掌："行，那一起去喝茶吧？"

安宁正要拒绝，李妈妈从旁边店里出来，一见女儿身边站着几个女孩子在聊天，扬声说了句："宁宁，同学啊？那你跟她们去玩儿吧，你二姨在前面的银泰里，我过去找她——"

就这样，安宁莫名其妙地坐在了茶餐厅里，跟一个不熟悉的和两个不认识的女生……喝茶。

安宁极少进茶馆，不过其余三人貌似是常客。其中那位名叫高雪、态度略傲慢的女生叫来服务员上茶，在征询了安宁得到"无所谓"的答案后，对方略带嘲讽地笑了："那就铁观音吧，这里的都挺高档的。"

"……"

徐程羽挂上电话说："亮子他们也完了，这就过来。"于是又添了椅子，成了四女两男六人茶话会。其中一名男生是高雪的男友，一到场就对她伺候得极其周全，端茶送水，服务员的工作几乎全被他包揽下来了。

安宁在旁边喝着，呃，高档的铁观音，心想，她到底是来干吗的？

那名叫亮子的同学对安宁颇有些兴趣，一个劲儿地插科打诨、口沫横飞，直至高雪一句："你别想了，她是徐莫庭的女朋友。"他才戛然而止。安宁感叹，还真的是始皇既没，余威震于殊俗啊。

为了舒缓气氛，安宁开口："其实，铁观音分四等，这里的应该算是最差的，条索微卷，色泽稍带黄，形状也不甚匀整。"

全场静默。

呃，好吧，她又冷场了。

3

安宁改喝柠檬水，为安全起见她一直保持但笑不语的状态。其实本来她也来得莫名其妙，心中不免盘算着等差不多的时候便告退。而一直面色冷沉的高雪这时却笑道："李安宁，徐莫庭都不陪你出来逛街吗？"

徐程羽莞尔："众所周知我堂哥是忙人嘛，哪来的时间逛街啊姐姐？"

高雪瞪了多嘴之人一眼。程羽心里好笑，这女人对她堂哥有非分之想，却又不敢表示，到头来找了一个二十四孝的男人当男朋友，嘿，原来心里还一直没放弃哪。

程羽不经意地瞥了眼一旁的安宁，她脸上依旧是若无其事的表情，淡然轻柔得令人折服，就是不知道是真的平心静气，还是表面敷衍功夫了得。

"不过，某些方面我堂哥的确不如阿雪的男朋友，给女朋友端茶送水的事情肯定不会做。"程羽算是客观评定。

高雪一听，心中微感喜悦。目光定在对面的人身上，毫不掩饰她想看李安宁的反应，而后者只轻“嗯”了一声，赞同的语气。

徐程羽心中叹息，这水平高的。

亮子翻着菜单笑道：“这里的点心竟然要一百块一盘，这价定的，我还当我在欧洲咧。”

徐程羽：“大少爷还差这点儿钱？”

亮子：“节俭是高尚的品德，OK？不过说真的，太廉价的也不成，当年我买过一条廉价内裤，小爷我第一次进超市买内裤啊，隔天要去攀岩，特意选了一款大红色想图一吉利，结果当天下大雨，全身湿了，没想到内裤褪色，啧啧，浅色的长裤上就渗出一丝一缕的血水来，当时跟我一道去的那几个哥们表情是相当的复杂啊。”

高雪“噗”一声笑出来：“你就逗吧。”

“咱不是想让美女们开心嘛，自曝家丑也甘愿。”说完望了一眼安宁，见她神情依然漫不经心的，不由得有点儿气馁，还真邪门了。刚要无奈叹气，只听她抬头说了句：“这段子是网上的吧？”

“……”美女还真不给面子啊。

亮子确实有些心理矛盾，虽然知道她是徐莫庭的女朋友，但爱美之心人皆有之。再说他们又没结婚，还有机会嘛，而且据说徐莫庭跟她感情不甚热络。

等徐程羽走开，亮子就靠近安宁说：“晚点儿有时间吗？”

而安宁这边，在望到隔壁卡座里的人时，“惊悚”的感觉一直在加剧，不会这么不幸吧？

亮子见听者无心，也察觉到异样，敲了敲桌面：“怎么了？”

之前一直在跟男朋友说事的高雪也将目光移了过来，先是看了安宁一眼，随即视线转向隔壁，几位西装笔挺的中年男士，一目了然的高层人员，其中一人招来服务员说了句：“给旁边桌添一份天福的普洱。”

高雪扯了一下嘴角，看回安宁的眼神略带了丝鄙夷。

徐程羽从洗手间回来时，服务员正在上普洱：“哟，谁点的啊？头牌都上了。”

高雪笑了笑：“应该是李安宁认识的人吧？”

安宁但笑不语，虽然心里已暗叹连连。

徐程羽顺着高雪的视线往某一处望去，“喏。”

亮子感叹：“果然有美女在就是好处多啊。”

高雪的男友也颇赞同，而安宁淡定地对着为她斟好茶的服务员道了声谢，端起来抿了两口，唔，刚才喝太多凉水了，暖暖胃。

高雪道：“李安宁，你不去跟那名慷慨者道声谢吗？”

安宁疑惑，为什么要去？他们看样子在谈正事，打扰不太好吧？

一直不怎么说话的那名女生这时娇笑道：“我果然还是比较欣赏比我大许多的男士啊。”

“咳！”安宁差点儿一口茶喷出来。

亮子忙问：“你没事吧？”

安宁摆摆手，拿纸巾擦了下嘴角，掩饰某种想要扭头的冲动。

高雪对娇俏女本来就有一些嫌恶，这会儿更讨厌了，口中嘀咕：“这年头还真是什么样的人都有——真看不顺眼。”

安宁转回头，“嗯……《圣经》上也说，‘愚昧人喜爱愚昧，亵慢人喜欢亵慢’。”

“……”

冷了两次场，安宁想，她还是沉默吧。

当天出来的时候，高雪叫男朋友去开车过来，问了程羽和娇俏女要不要送她们回去，唯独过滤掉中间的安宁，态度有些自暴自弃？

安宁倒完全无所谓，正要招计程车，程羽拉住她，“叫我哥来接吧？”

“啊？”安宁原本云淡风轻的神情终于有点儿波动了，“不用了，他很忙的。”最主要是昨天被他咬的那一口，心理影响甚大。

“忙，永远是男人的借口。”高雪目不斜视。

亮子奋勇自荐：“我送你回去吧，不过我的是机车。”

正要婉拒，一辆黑色车子停下来，“宁宁。”有人用沉稳浑厚的声音喊了她一声。安宁沉吟，父亲大人不是走了吗？此刻端正坐在后座的人正是先前给女儿叫普洱的李启山。

“上来吧，我送你回去。”

“哦，爸爸……”

安宁在众目睽睽下上了黑色轿车，唉，早知道就不挨到最终散场了。

车子匀速前进，安宁垂头丧气的样子让前面的霍大叔忍俊不禁："宁宁，今天是跟朋友出来逛街吗？怎么都没买东西啊？"

"嗯。"

旁边的李启山道："胃不好，就少喝点儿凉茶。"

安宁点头。

李启山又道："今早锦程有去你那儿吗？"

"嗯。"她挣扎了一下还是将自己的想法表明，"爸爸，以后您能不能别让周先生来找我了？"

李启山有点儿意外，以前他这女儿偶尔会任性一下，但这些年已经乖巧得有些……过头。

"宁宁，你可能觉得爸爸在多管闲事，但是，我只希望你能过得好一点儿。"李启山叹了口气，"你也知道你妈妈得了胃癌，能活多久你应该是最清楚的——"

"爸爸，"安宁打断他，低下头看着毛线衣上沾了一滴茶渍的一角，"以前，我多么希望你能给我哪怕是一点点的力量，可是现在，我很少这么想了，您知道为什么吗？"

李启山沉默不语。安宁淡淡答道："爸爸，我没有怨恨过您跟妈妈离婚。可是，当妈妈晕倒了，我……没有力气，我拖不动她，我打您的电话，您的秘书说您没有空……我说妈妈晕倒了，她晕倒了，怎么叫也醒不过来……你说，打120……呵，我好笨，我当时怎么忘了还可以打120……"

李启山屡次想要开口，喉咙却像被堵住了，接不上一句话。

"爸爸，有的时候我挺恨您的，您对妈妈那么残忍，我知道你们没有了感情，但怎么能做到如此彻底？我曾经想，是不是因为我不够乖巧，所以你不要我了，也不要妈妈了。后来我想明白了，其实谁都没有错是不是？只是不爱了。"

"宁宁……"李启山发觉自己的声音异常干涩。

"我只是想坦白，您的女儿现在并不需要那么多爱了。"安宁的眼睛终于有些湿润，“我没有怀疑过您对我的关心，但偶尔，我也会想对您说不。爸，我不要您给我安排的生活，那些东西只会让我更加排斥您。”

李启山用手抹了把脸，没能成功掩去脸上的疲惫与伤感，“宁宁，我很抱歉。”驰骋官场手握权势的男人在此时竟然有些无法负荷亲生女儿的指责，只因她说的都是事实。

安宁摇了摇头：“您不用跟我说对不起，我现在过得很好，爸爸，如果妈妈走了，我依然只会留在这里。”

那天霍忠送她到楼下时，欲言又止，最后只摸了摸她的头发。安宁上楼，在家门口茫然地立了数分钟，才开门走进去。厨房里，妈妈正在熟练地把做好的菜装盘，转身看到女儿：“宁宁，回来得刚刚好，来，帮妈妈把最后一道菜端出去，咱就开饭。”

安宁上去端好菜，又跑到厨房洗了手：“妈妈今天买到衣服了吗？”

“买了两件，不过都是给我家女儿买的，放在你床头，回头穿给妈妈看看。”

“哦……”

晚上试装，李妈妈感叹了N遍自己眼光好之后就回房间歇息了。

毛毛发线上消息给她：你什么时候回来啊？

安宁：明天早上。有什么要带的吗？

毛毛：肉，肉！我已经一个多月没吃上肉了！

安宁：……

毛毛：我最近都吞维C片了，说起来那药片做得可真大啊，每次吃都卡在喉咙里下不去。今天特意把药片掰成两半吃。结果，被卡了两次。

安宁：要不掰成四瓣？

毛毛：好主意！我怎么没想到啊！阿喵，要是没有你我可怎么办啊？！

安宁：……

安宁隔天回学校，刚进宿舍就被蔷薇的一声狼嚎吓了一跳。

“如果你不爱我了，原因一定要你是个gay我才会平衡，其他答案我都不接受！”蔷薇在打电话。

毛毛奔过来接肉，安宁轻声问：“她怎么了？”

毛毛说："玩儿。"

于是，听到蔷薇柔和了声音又问："那你到底爱不爱我？"

安宁跟蔷薇擦身而过时，电话那边传来更加柔和的男音："我一天20块钱的伙食费，其中18块5毛都让你拿去买零食了，你说我爱不爱你？"

安宁觉得自己回家两天，回来后怎么有一种"天上一天地上十年"的感觉。

4

项目小组开会已经是long long ago的事了，可怜小王和另一名女成员做实验做得都快日久生情了，安宁这个组长因为"事务"繁忙，却没有出多少力实在是当之有愧。

这天到固定的小教室已经迟到五分钟，果然又是她最后一个到场，好可悲，徐莫庭应该比她更忙才对，怎么都没迟到过呢？

安宁过去跟两名成员打了招呼，最后才弱弱地跟首位的人道了句"早安"。

他淡淡应了一声。等到都落了座，女同学俯身过来与安宁交头接耳了几句，后者却有几分神色顾盼，虎口上方的齿痕已经消退，但被他舔过的温热却仿佛还留着……安宁微吐一口气，稍稍正襟端坐，嗯，不能感情用事。

徐莫庭支颌的样子很有感染力，发表意见的时候平静而理性，但并不严苛。这类人很容易让人产生服从感。

到最后的时候，徐莫庭问了句："还有什么问题？"

小王说："没了，资料已经全部传给组长。后续整理就要麻烦阿喵仔了。"

安宁惭愧："应该的。"

某男嘿嘿笑，身体不自觉地倾过来一些："阿喵啊，我之后传给你的东西你有没有看啊？"

"什么？"

某男挤眉弄眼，示意大家心知肚明。

安宁想到那个标注“好东西”的文件夹，“呃，还没看。”

某男捶胸，“这种东西应该先看的嘛！”

“哦……”

两人正“相谈甚欢”，一道冷淡的声音插进来：“没事的人散场吧，李安宁你留一下。”

清场？

女生起身笑着跟安宁道别。小王同学虽有不甘，但想想实在不是对方对手，最后决定还是明哲保身为妙。

于是女成员前脚刚走，小王同学就呐喊着“等等我”飞奔而去，安宁感叹，这年代讲义气的人真的不多了。

两人中间再无阻碍，空气中仿佛有一些浮躁的颗粒笼罩着，安宁转身对上徐莫庭英俊的脸庞，他也在看着她，淡淡一笑：“坐过来一点儿，我看看你的手。”

安宁含糊其词：“已经不疼了。”不过还是有些抱怨的，“你干吗咬那么重啊？”

“很重吗？”

这么一说，安宁很自然地走过去将手伸给他看，“如果仔细看还是能看到印子的。”

“是我没有把握好尺度。”他诚心道歉，然而眼中轻柔的笑意未减，也牵住了她的手。

有一些东西，在不知不觉中已经渗透进彼此的灵魂，再也抹杀不去。

跟徐莫庭手牵手走在校园里是什么感觉？比逛超市还别扭。

无视路人的注目，安宁想起了一事，问道：“莫庭，老三师兄是不是住院了？”

“嗯。”

“我要不要去看看他啊？”道义上似乎是需要的。

结果旁边人淡然道：“不用了，我去过了。”

有什么含义吗？

路过球场时，看到蔷薇跟毛毛在给自己班的几名男生加油。安宁远远望到同班的一位男生跳起身投篮。出手偏了，不过刚好有一阵风吹过，将球带进了篮筐里……场上静默五秒钟，直到蔷薇一句：“有什么好大惊小怪的，咱学物理的！”

毛毛看到他们，猛地朝这边招手，一脸的笑容：“妹夫！”

安宁无语了。

毛毛已经迅速冲上来：“妹夫，您今天也在学校啊！”说完才像是发现了旁边还有人在，“阿喵，你也在啊？！”

安宁：“你可以继续当我不存在的。”

毛毛笑眯眯地看着面前站着的两人，那样的身高气韵，搭配在一起，恰当得犹如一幅画。

“妹夫，要不要来看下我们班级的比赛？”毛毛轻快地问道，“说起来，里面六号一直在追我们家阿喵啊，当然，也一直未遂。”

徐莫庭略微沉吟，最后笑道：“好啊。”

安宁再次无语了。

5

安宁感叹她这辈子还从来没这么风光过，虽然没有到全场聚焦的地步，但三三两两的注视却是不间断的。相较于身边人的从容，她脑中的某根神经却很是受罪，而照目前的情形来看，徐莫庭没有抽身的打算。

安宁不想遭遇什么不良事件再扩大波及面，正想找一理由即时撤退，结果下一秒，刚去了趟厕所现在跑回来的蔷薇已经用她高分贝的音量和内容镇压了全场，“妹夫，你无法想象我有多么想念你！”

安宁特佩服自己，只是稍稍一怔，就稳住了。而徐莫庭的厉害之处在于随时随地都能保持稳妥诚然的风范，他朝蔷薇微点头，后者眉开眼笑：“真是有缘千里来相会啊——”

“无缘对面不相识。”某道清幽的叹息声，李安宁也。

蔷薇嘻嘻一笑，靠过去低语：“吃醋了呀？”

“没有。”只是有点儿无力。

毛毛则已经很有效率地跑去附近小店买了一瓶饮料过来，热切地上供给徐莫庭。

“谢谢。”

“为您服务是我的光荣！”

你们可以再猥琐一点儿吗？安宁叹气，幸好她一向有淡化肉麻语言的能力。

于是蔷薇、毛毛热情健谈，徐莫庭神情谦和大度，虽然大多时候后者都只是在听。当毛毛讲到场上的一名选手时，徐老大倒也开始有了点儿提问的兴趣：“他是本校升研的？”

毛毛摇头：“不是。他是北方人，大学是在那边念的，考研考到了这里，为人相当豪迈开朗，呵呵。”

对方的微微扬眉应该是有兴趣的意思？于是毛某人再接再厉爆内幕：“小六第一次写情书给阿喵，阿喵回了‘好好学习，天天向上’，哈哈，乐死我了！还有还有，第二次——”

“毛毛。”安宁不得不强硬地打断她，不带这么陷人于不义的，终于体会到什么叫猪一样的队友了。

被点名的人不由得噤声，阿喵发话，不敢公然不从。徐莫庭的表情倒是淡淡的，没什么特别变化，眼光也一直停留在场上。

安宁有些担忧地将焦距移到他的脸上，徐莫庭缓缓偏头对上她，一笑说：“夫人很受欢迎啊。”某喵当场就镇定了。

这种一惊一乍一缓一紧的情绪还真是折磨人。徐莫庭这类人大概就是所谓的不动声色，或者说杀人眼都不眨一下的……狠角色？

安宁考虑到对手过于强劲，不值得冒险。怎么办呢？他不会又“记恨”上了吧？徐莫庭的手机这时响起，他接听了一会儿，按断之后对她道：“我要回单位一趟。你呢？”

“我等蔷薇她们！”说得太快，差点儿咬到舌头。

某人淡笑：“也好。晚点儿我过来接你。”

什么接我？

“晚上要去我家里吃饭，你不会忘了吧？”

“你根本没说过好不好？“

“那我现在告诉你了，我晚点儿来接你。不过，考虑到我情敌太多这一点，我还是早点儿来吧，免得被人抢先一步。”说着轻抚了下她的脸儿，潇洒退场。

这人绝对是对手死了也会兴之所至上来鞭一下尸的狠角色啊。

安宁郁闷死了，不厚道地想，如果要说招蜂引蝶，徐老大你绝对是有过之而无不及的实力派吧。

这边徐莫庭拉开车门，嘴角带笑，神情是万分的温柔。

毛毛、蔷薇见安宁面露古怪的深沉，之前还退开两米远，这时却小心地凑上来，在安宁一针见血前先行卖乖："阿喵啊——"

"生命很美好，但也是短暂的，死亡是少数几件只要躺下就能完成的事情之一。"

一摊血。

当天比赛物理系小胜，散场时有人跑过来跟安宁打招呼，正是小六。

"这么快就要走了？要不要跟我们一道去吃顿午饭？"说完勾住旁边蔷薇的肩，"薇薇也一起来啊？"

蔷薇问："敢情你请客？"

"嘿嘿，也可以，不过这次是班费出。"

毛毛向来是不吃白不吃的："六儿啊，出手阔绰啊，走！"

安宁说："快考试了，我还是回宿舍看书吧，拜。"

毛毛深深感叹人世间还真是一物降一物，想到自己的那段艰辛的追爱之旅，对六儿猛然生出一股同是天涯沦落人的惺惺相惜之感。

"六儿啊！"

"毛毛姐！"

"没了爱情，肉还是要的。"

"嗯。"

蔷薇看着走远的两人："这什么组合and情形啊？"

安宁回到寝室，泡了杯麦片正要看书，蔷薇从后面冲上来，"你怎么走那么快的？"

安宁想了想："腿长。"

蔷薇再度一口血喷出。

待安宁进卫生间时，黑化的蔷薇拿起桌上的手机："莫庭，我又想你了。"发出去之后隐隐觉得有种冒犯了神明的感觉。

过了一会儿短信进来了："傅小姐是吗？麻烦你带安宁出去吃一下午饭。"

神人啊！

这天安宁被拉出去吃了大餐，那杯充当午饭的麦片被倒进了厕所。饭后蔷薇要了发票，回头找妹夫报账嘛。她现在是御用的免费陪吃人了。

从学校最高档的餐馆出来，安宁见旁边的人始终带着和谐的笑容，不免问："你今天中了彩票吗？"

"差不多吧，'福利'彩票。"

安宁摇头笑："恭喜。"

"同喜同喜。"

"……"

没走两步巧遇老三，人家刚从一辆跑车上下来，望到安宁遥喊了声"嫂子"。

蔷薇已经快步上前，摸着那辆白色车的车尾："真性感啊！原来还是个大少爷哪。"

老三看清来人，心下一惊："是嫂子的朋友啊。"

"叫我薇薇吧。"蔷薇露出招牌式的唯美猥琐笑容。

这时车上的另一名男生拎着俩沃尔玛的袋子下来，"嗨，美女。"

老三赶紧阻止同学的愚昧搭讪："我们还有事先走了。"说着车钥匙一按，车灯闪了两闪，跟安宁扬了下手，"嫂子我走了。"

"嗯。"唉，这称呼听着听着竟然也习惯了。

蔷薇看着走远的两人："就算是直的，我也能把你们想弯了。"

"……"

到傍晚，"去徐家吃饭"的行程又临时取消了，虽然貌似是不应该的，但安宁确实微弱地松了一口气，可惜道："没关系，下一次吧。"

徐莫庭在电话里淡淡问："你很开心？"

"嗯……跟你打电话很开心。"真佩服自己，睁眼说瞎话的能力越来越熟练……其实也不全算是睁眼说瞎话。

徐莫庭微微笑着："真是遗憾，原本今天——"

什么？安宁屏息等了半天，差点儿断气都没听到他说出后半句，这人绝对是蓄意的，于是她只能不耻下问："什么？"

"安宁，我好像还没有正式跟你表白过？"

什么跟什么啊？安宁淡定地脸红了。

他的口气略带惋惜："等下一次吧。"

安宁下意识沉吟出声："无事献殷勤，非奸即盗。"

沉默，沉寂……

"安宁。"对面的人低柔地叫了她一声，"你是想我盗呢还是——"

安宁已经被自己脑补的某字震得魂飞魄散了，脱口而出："徐莫庭，你太下流了！"

清高的徐老大第一次被人华丽丽地骂了下流，嗯，感觉不是太差。

进门的毛毛手指颤巍巍地直指某人："汝，汝竟然说妹夫下流，多么清风朗月的一个人啊！阿喵是坏人——你听我解释——我不听我不听！汝想做什么？以解释之名行不道德之事？！不要啊！"

这算不算是被迫害妄想症？安宁挂断电话，眼见毛毛越来越凌乱，想着要不要阻止一下，这时门被人不合时宜地推开，打断了毛某人自编自导自演的一场单人肉欲戏。世界安静了，站在门口的十班班导崩溃了。

"老师，她脚抽筋了。"

"……"

蔷薇的声音从楼梯口传来："NND，跟一男的表白，丫回一句我有老婆了，但是也有女朋友，这是打击我呢还是鼓励我啊？"

安宁垂死挣扎："她不是我们寝室的。"严重的救助疲劳。

十班班导有气无力地说："辛苦你了，李同学。毛晓旭你跟我出来一下。"

当晚，迎接安宁的还有另一桩吃力活，周锦程的再次来访。

一身西装革履的男人站在楼下，引得不少女生频频回头。老实说，安宁没有多少的精力以及能力跟这位颇出众的长辈"打太极"，只希望"沟通"能速战速决。

周锦程看着她走出来，表情如常，不热情也不疏离："不介意陪我走走吧？"

安宁心里为难，口上也不再通融："你想说什么，就说吧。"

他看着她，叹了一口气："宁宁，我知道你一直不喜欢我，但我有我的立场。"

安宁轻轻一笑，有些乏："你的立场是什么？利益吗？可是，我曾几何时侵犯过你的利益了？其实，是你们一直在侵犯我的利益吧。"

周锦程不由得深深地蹙眉。安宁知道自己的言语过于苛刻了，她只是不想再任由人左右，她只是……不喜欢他。

"没有其他事情我上去了。"

"安宁。"过了一会儿锦程才开口，声音透着生硬，"我从来不曾想过要伤害你。"

"那么，就别伤害。"

第八章

第一场雪

1

周锦程忽然有些不明白自己的行为倾向了。他不否认对安宁有一份愧疚，在不影响自身利益的前提下，他希望她能过得愉快些。只是，每当面对她时，他都有些没把握。电影院那次，是他回江泞半年多后第一次去她的学校找她，看到她跟人出去，于是便跟了过去……他的手段还没这么拙劣过，但事实证明他确实在她面前出了一些纰漏，那是感性超过理性所造成的后果——他对她产生了愧疚之外的感情。

周锦程坐在书房的座椅上，目光望着窗外的萧瑟景象，心里有些不知如何走下一步。

而安宁这边，当然没有多余的心思去思考周锦程这位讳莫如深的“长辈”，快要到期末了，实习告一段落，接下去要应对的是末考、实验总结、论文、项目报告。这日子过得可真是如人饮水啊。

她们一群人里，毛毛考试向来是一星期搞定，当几门算几门，总结、论文什么的能抄就抄；蔷薇跟朝阳也都是听天由命型，不过好在聪明，基本都能应付过关；安宁很多时候会想她们这群人应该算得上是江泞大学彪悍团体中的一分子了。

至于徐莫庭，这几天也事务缠身，于是除了每晚的一通睡前电话，两人倒也独立得可以。周五下午安宁刚从门庭若市的图书馆出来，考试前一个月这里总是很热闹，往常基本上是门可罗雀的。

蔷薇跟上来问："陪我去趟学校超市再回寝室吧，我饿死了。"

安宁疑惑："你刚刚不是一直在吃吗？"蔷薇那不间断的啃食声还引得周围一圈正在沥血叩心临时抱佛脚的同学射来一道道的幽怨眼光。

蔷薇扭捏状："人家性欲不满足用食欲代替嘛。"

"……好吧。"

两人来到学校南门的超市，蔷薇一进去竟然就看到了自己仰慕许久的……许多男生中的一位，虎躯一震："莫非上天垂怜？"

安宁见前者突然定住不动了："怎么了？"

"帅哥。"

安宁顺着她的目光望过去一眼，"哦。"

蔷薇幽幽开口："你不一样，已经尝过1992年的皇家鹰鸣赤霞珠，这种木桶装的干红觉得寡味也在所难免了。"说完立刻让安宁发信息给朝阳、毛毛、丽丽等人，让她们火速过来围观帅哥。

安宁无奈，群发短信给了几位专业人士："来看帅哥，在学校南门的超市里。"发完之后见蔷薇正猫步尾随帅哥，样子十分猥亵，安宁为免她做出什么事情来，也不得不亦步亦趋地跟着。几分钟之后有人轻拍了一下她的肩膀，安宁回头，这一吓差点儿魂不附体，"莫、莫庭，你怎么会在这里？！"

对方浅笑："你不是叫我来看帅哥吗？"

安宁醍醐灌顶，群发短信，错发给他了？不要这么悲惨吧？

某人负隅顽抗："莫庭，在我眼里你是最帅的！"

原本还想借题发挥一下的徐老大微微一愣，最后伸手牵住她的手。

"我过来上课，陪我去上堂课吧。"

陪徐莫庭上课？“我——”

“怎么？不愿意陪你眼里最帅的人上课？”

“我的荣幸。”

安宁被带出来时才想起还有同伴在超市里面：“我跟蔷薇打个电话。”

“不用，她看到我了。”

果然，义气这种东西就是那天边的浮云啊！

政法大楼，安宁虽然上下课时常会路过，却从来没有进去过，总觉得这楼太威严了。跟着徐莫庭走进一楼的阶梯教室，中间一排里已有人朝她招手：“嫂子，这边儿！”此人正是许久不见的张齐。

此时教室里的三十来号人都齐刷刷地朝门口望来，场面堪称壮观。

安宁羞怯了：“莫庭，我能不能在外面等你啊？”

徐莫庭靠过去低语：“你不是说愿意为我做任何事吗？”

我什么时候说过了？莫非那句负隅顽抗的话已经晋升成“在我眼里你是最帅的，所以我愿意为你做任何事”了吗？安宁突然淡定了，也可以说，都已经死了不介意再鞭下尸。

安宁行尸走肉般入座，后面一排的张齐俯身过来：“嫂子，您怎么来了？”

我是被胁迫来的，“我来旁听。”她无奈地一笑。

另一侧的老三也靠过来，笑眯眯的：“嫂子，今天你有时间吗？晚点儿跟我们一起吃顿饭吧？”

“嗯？”

老三指指张齐：“今天阿齐生日。”

“真的？生日快乐！”

张齐拱手：“谢嫂子。”

之后听课的时候，安宁轻声问身旁的人：“莫庭，我要不要送份礼物啊？”

徐老大目不斜视：“不用了，我买了。”

“嗯？”

“一家不用送两份。”

安宁想她还是看书吧，看书看书，幸亏她还带着复习资料。

结果是整一间教室中最乖最奋笔疾书的人被教授点了名。安宁觉得她绝对应该去烧香拜佛一下了。

“我不知道。”她是真的不知道，光题目就没弄懂，只听到一个什么国家体系。她政治这环节算是最薄弱的。这么说来徐莫庭是“政治”专业的，这算是互补吗？安宁热泪盈眶，她竟然还有闲情逸致想这些。

教授虽已皱眉，但还是耐心地问道：“那么，你哪里不懂？”

“……全部。”

教室内非常有喜感地一片静默。

张齐忍着笑俯上前用笔碰了碰安宁的背：“嫂子，科学外交，来自‘中立国’的第三方合作者可以缓和与来自一个很少交往国家之间合作的紧张关系。俺们的体系决定俺们是中立国。”

徐莫庭按了按眉心，比较直截了当：“教授，她是我女朋友，不是本专业的。”

老教授竟然放下了手中的书本，笑道：“原来是咱们系榜首的女朋友。什么专业的？”

怎么成唠家常了？安宁忐忑作答：“物理系的。”

老教授有点儿意外：“理科生啊，难得难得。”

安宁反射性地问：“不相配吗？”

全场又是安静两秒，然后陆续有人笑出了声，善意的。

这姑娘真是有意思。

徐莫庭摇头，眼中亦是清淡柔和的笑意。

后知后觉的人坐下来，然后恍然大悟，僵硬在了位子上。她这是脑抽呢还是脑抽呢还是脑抽啊？

于是一整堂课，安宁的复习资料一直停留在第五页上。

下课出来时安宁深深感慨，徐莫庭如果不那么“出色”的话，估计老师就不会多此一问了，嗯，“你太出色了”可以当作以后分手的理由，虽然，似乎有点儿欠抽。

走出政法大楼，徐莫庭问：“在想什么？”

“分手。”

“……”

“……”安宁下意识地谄媚道，“我的意思是，你那么出色，我永远都不会跟你分手的。”

徐莫庭“嗯”了一声：“很好。”

李安宁你可以再阿谀一点儿吗？安宁鄙视完自己就打了一个喷嚏，西北风太冷了，其实她已经穿很多了，但因体质问题，天生不耐寒，正要竖起高领，脖子上就被人围上一条深色围巾，有淡淡的香味，很淡，但闻得出来，因为是与他肌肤相贴的。

安宁有些脸红，走在前面的两人这时回头：“嫂子，咱们今天的安排是回寝室吃火锅，料十足啊。”大冬天吃火锅最带劲儿，张齐、老三两人已经蠢蠢欲动。

你们寝室竟然连火锅都有？安宁承认她嫉妒了。

张齐踟蹰着问：“嫂子寝室的朋友要不要也叫过来一起吃？”

安宁不知道是不是看错了：“呃，你的表情好像有点儿纠结啊？”精准地说是悲情且狰狞。

张齐仰望苍白寒冷的天空：“没事儿，尘世间的种种，忍一忍都会过去的。”

终于超脱世俗了吗？安宁看了眼身边的人。

徐莫庭问：“怎么了？”

“我要先回趟寝室放点儿东西。”

“我陪你过去。”

安宁摆摆手：“不用了，天那么冷。”

徐莫庭微笑：“你心疼？”

这人现在逮着机会就逗她，安宁一咬牙，反逗：“我爱你嘛。”说完指了指旁边的小道，“那我走近路了，待会儿见，拜拜。”

跑得可真快。徐莫庭低叹，然而心情非常好，看着窈窕的身影伴随着长发的摇曳消失在转角处。他站了一会儿漫步上前，等在那里的老三被俊男美女的恩爱戏码刺激了，即兴发表演说：“我也好想谈恋爱啊！再不谈就要被归为异类了，昨天竟然有人打电话给我，让我去听孕期专家讲座，我的天，我一男的，尚且还在单身中！”

徐莫庭淡淡地说：“今晚禁酒。”

“为什么？”老三怪叫，“这太不人道了！”他双手痛苦地伸向安宁离开的方向，“嫂子，你一定要来给我们主持公道啊！”

张齐拍拍他肩：“老大这是为你着想，回头喝醉了，怎么死在嫂子亲友团里的都不知道。”

老三刹那醒悟：“原来如此原来如此，幸得老大挽救！”

徐莫庭斜睨他们一眼，他只是为了女友免受酒鬼骚扰，不过他们要这样想也可以。

这时有人上来跟徐莫庭打招呼，老三一眼就认出了来人，外语系的系花，萎靡的精神马上一震，只可惜美女眼中只有一人：“徐师兄，我想约你吃顿饭，不知道你明天晚上有没有空？”

徐莫庭皱眉，说：“抱歉，没空。”

“……”

张齐、老三事后弱弱地想，其实，老大对女生真的蛮狠的，确切地说是除嫂子之外的女生，简直是斩立决，不留半点儿情面。老三惋惜不已，人家虽然不及嫂子，但也是美女啊美女。

2

那天同去吃火锅的只有毛毛，朝阳这段时间不晓得被什么刺激了，打算考博，每天忙进忙出不见踪影，蔷薇一小时前去医院了，起因是在超市里，原本想跟那男的来一场“偶遇”，结果弱弱地伸腿绊了他一下，使得他重重地磕在货物架上，血流不止，直接叫120来接走了。

当天在毛毛满面红光敲响217的男生宿舍门之前，安宁不放心地再次提醒：“毛毛，你等会儿不能乱说话知道吗？也不能耍流氓。”

毛某人委屈：“有男的在不耍那多难受啊。”

虽然有点儿残酷但为了毛毛的名声安宁还是义正词严道：“难受也要忍着。你看我，呃，面对徐莫庭不是照样坚定不移地把持住了吗？”

毛毛猛地眼睛发光：“原来阿喵你其实也一直想着要扑倒妹夫的，但就是辛苦地忍了下来？！”

内部会议怎么着都行："可以这么说吧。"刚说完门就被人拉开了，那人的手悠然地搭在门边上，嘴角带着淡淡的浅笑："怎么到了不进来？"

安宁当即目瞪口呆，他刚才在门口？最主要的是：他听到了？！

安宁被带进去的时候，里面除了张齐、老三，还有几名不认识的男生以及徐程羽。

毛毛一下就打入了内部："你有女朋友了吗？没有啊，真可惜，我有心上人了。""有什么好的AV可以推荐啊？""……"

跟某毛同寝室的人假装失聪地转头看窗外。徐莫庭过来递给女友一杯温水，然后坐在她旁边："你们宿舍娱乐蛮丰富的。"

安宁羞涩了，看都不敢看他。

徐莫庭低头笑了笑："饿了吗？"

安宁摇头："冬天好像消化系统都变缓慢了。"看着在张罗锅子食材的老三和另一名男生。刚才她要帮忙，被强烈拒绝了，说是体力活就该是男人做的。安宁不由得瞄向旁边跟她一样空闲的男人。

"怎么？"徐莫庭莞然。

"没……没什么。"这人明明对她挺知根知底的，好像她想什么他都知道，却总是拐着弯让她有话说不出。安宁想，徐老大莫非是"S"？

那完了！

徐程羽过来跟堂哥借人："老三忘了调料酱，我跟安宁出去买一下，就回来。"

徐莫庭关照："到近一点儿的那家，别跑去南门。"

"知道了。"徐程羽出来的时候不可思议地嘀咕，"堂哥竟然会啰唆这种事。"

安宁说："外面挺冷的，我一个人去就可以了，只要调料酱是吧？"

徐程羽笑道："我其实是想去买冰淇淋。冰淇淋配火锅，绝配！"

安宁轻皱眉心："冷热刺激太大，会得口腔癌的吧？"

"……"

两人刚到寝室楼下，就碰上了进来的高雪，对方看到她们，上来跟徐程羽打了招呼。

“我来找我男朋友。打电话又不接，不知道死哪儿去了。”高雪似有若无地望了眼安宁，低声问徐程羽，“你现在怎么老跟她混在一起？”

“飞鸟择良木而栖嘛。”她是哪边儿有意思待哪边儿。手机响了，徐程羽跟安宁点了下头走到一旁接通。

高雪难得屈就过来跟安宁搭腔：“说真的，你知道徐莫庭是什么身份背景吗？”

安宁对这种场景是有些头疼的，不过还是友善道：“不怎么清楚。”

“我们高家跟徐家也算是世交。”高雪说着又望了她一眼，“徐莫庭的爸爸是外交部里有头有脸的人物，而他爷爷——”

安宁等了会儿见她不打算再说下去，也没追问，主要是没多大兴趣。不过怎么总有人喜欢话讲一半的？

“你觉得你们会有结果吗？”

安宁想了想，说：“我曾经看到过一句话，宿命论是那些缺乏意志力的弱者的借口。”说完又补充道，“好像是罗曼·罗兰说的。”

“……”

身后有人叫了安宁一声，正是徐莫庭，他拿着她的围巾走下来。

徐程羽正巧挂断电话走回来，疑惑道：“堂哥，还有什么吩咐吗？”

徐莫庭只是将紫色围巾递给女友，对徐程羽道：“你上去吧，我们过去买。”

“这点儿事情咱们女生做就行啦。”

“等你买来都可以散场了。”莫庭冷淡地说。

“嘿，太过分了吧。”徐程羽不满，不过也不敢跟堂哥多抗议，“那安宁麻烦你帮我带一支冰淇淋回来，谢了！我会记住冷热分开吃的。”

安宁应了声，不得不改跟徐老大出门了，在经过高雪时，不由得轻问身边的人：“那个，你不跟她打声招呼吗？”她一直在看着你噢。

莫庭皱眉，淡淡道：“不认识打什么招呼？”

不认识打什么招呼……

徐程羽也听到了这句不轻不响的回话，不禁为自己同学掬一把同情泪，也不知阿雪怎么得罪他了。跟她堂哥作对，非死即伤啊，这人向来不会手下留情。

走出来时安宁忍不住好奇问："你真的不认识她啊？"都说世交来着。

徐老大轻描淡写地开口："无关紧要的人，认不认识有差别吗？"

安宁承认，她有点儿开心，唔，罪过罪过，自己一定是心灵扭曲了。

"晚风吹来，你耳边有一种无声的语言。它没有语调，可你一定听得见。它随着风儿，随着清新的空气，掀动着你精美的衬衫。它慢慢地梳理着你的黑发，那么耐心，悠缓。"

时间在大学的冬日小道上轻悄而温柔地流逝。在当日当时经过那条校园小路的人，看到的一幕是：一个漂亮的女生挽着男朋友的手臂，口中轻轻地念着一首现代诗，表情还挺生动的，而旁边的英俊男友，嘴边带笑。

买完东西回去时，安宁一推开门就听到毛毛说了一句："Do you know? I'm Japanese！"做了坏事就换国籍栽赃嫁祸。

"她平时在寝室里不这样的。"安宁试图给毛毛挽回一些形象，虽然事实是她在寝室里还要更来劲儿，但显然现在做什么都已徒劳，因为里面已经炸开了锅。

总之，火锅之夜热闹非凡。

"原来嫂子寝室里经常看的是苍井空啊，唉，女生跟男生眼光就是有一些差别，我还是比较待见武藤兰。""大嫂你们寝室的人真厉害啊，A片都是白天观摩吗？学习学习！"等等，等等。

安宁当天无声无息吃了不少，因为她实在不想开口多说什么……

酒足饭饱之后安宁就想回去睡觉了，她的生物钟比较悲催。可是毛某人却还在兴头上，安宁无奈只能进卫生间洗把脸清醒一下，刚洗完，抬头就见徐莫庭站在门口，接着他合上门一步步朝她走过来，她靠在洗手台边没有动。直到他的身体贴上她的背，安宁感觉自己微微一颤。他笑了一下，气息停留在她耳际："我上次说要表白是吧？"

安宁深觉徐莫庭坏心眼起来真的很坏啊。

"不用，不用了，我了解你的心意。"安宁希望自己的心跳能快些平复。

"可是，我觉得需要再名正言顺一点儿。"他的手缓缓移上来，温柔地揽住她的腰。

这样还不够名正言顺吗？

安宁转身看他，却是一怔，他的眼神里有太多的内容，一些沉甸甸的久远的东西，交织着坦白的情感。

他低下头，吻也顺势落下，修长的指尖滑入她的发中一下一下地梳理，安宁觉得头皮都酥麻了。轻叹一声，与他拥吻在一起，过了良久两人才气喘吁吁地停下。

"安宁，我爱你。"他说得很慢，也很郑重。如果是书面的形式，她想，这五个字每一笔他都会勾勒得十分深刻，留在纸上，难以磨灭。

徐莫庭拿洗手台上的毛巾擦了下台面，随即将她提抱起坐到台上，安宁下意识抱紧他的手臂，他勾起她的下巴，重新吻住她，这次比前一次要缠绵许多，时而轻含，时而侵入，安宁当时想的是幸亏坐着，否则腿软得肯定站不稳了。

正当某人浑身绵软的时候，对方理性地收敛起情绪和动作，在她唇边徘徊了一会儿，将额头与她相抵，叹息道："感觉真不错。"

门外过道上有人犹豫地敲门："老大，如果你跟嫂子恩爱好了，我能不能进来上一下厕所啊？"

安宁闻言脸上烧了起来，这下够名正言顺了。她没敢抬头看他的表情，但跳下洗手台时脚下还是软了一软，徐莫庭出手扶住她："小心。"

"谢谢。"

徐莫庭笑道："跟我不必这么客气。"

"……"

徐莫庭好像想到什么似的，又靠过来说了一句，"安宁，如果你把持不住了，我不介意牺牲一下的。"

听到了，他真的听到了！安宁——不在沉默中爆发就在沉默中灭亡！她霍然转身，但因为太激动，脚下一踉跄，局面就是往他身上直接扑了过去，下一秒便是老三的开门声，"不好意思，我真的憋不住了——啊！"

于是，当夜，李安宁在外的名声成了："嫂子果然有胆识！""原来阿喵是'S'啊！""果然人不可貌相，我们老大在感情方面原来还是很保守的啊。""堂嫂我好崇拜你啊！"

3

研究院的考试安排在月末，安宁上交论文和实验报告后，剩下的三门笔试还是相对比较轻松的。

第一场是老张的量子统计，她依然在铃声响起前五分钟进考场。提早到场做桌上工作的毛毛朝她吹了声口哨。她俩学号相差一号，基本上座位安排都在附近，毛毛为此多次得道升天。安宁坐下便听到跟她们隔了点距离的蔷薇回头淫笑着对后座的人说："嘿，兄弟，等会儿咱尽量互相帮助相互提升啊。"不巧监考老师刚好走到附近，他皱眉望了蔷薇一眼，然后侧头看着那一脸纠结的男同学，等着他的回复，男生表情堪称经典，总体来说就是痛苦到扭曲，"我——"他刚想澄清，蔷薇抢先冲监考老师灿烂地笑了笑："老师，我这是在帮您试探他，不当真的。"

安宁看到那位男生已经风中凌乱了。

"唉。"幸好不是她们寝室的。

坐在最角落的朝阳深沉摇头："幸好不是我们寝室的。"

"……"

当天考完出来，得了好处的毛毛要请安宁大餐。

安宁说："你最近不是缺钱吗？还是我请你吃饭吧。还有毛毛，下一门我是不用考的，你要不要看下书什么的？"那门课安宁符合免考要求，所以不用参加考试直接过。

毛某人大手一挥："看什么书啊，船到桥头自然直！"心里想的是：完了，得学微雕了。

蔷薇跑过来跟上队伍："姑娘们接下来有什么活动没？"

安宁问："朝阳呢？"

"去图书馆了，这丫头疯了。"

毛毛说："要说活动嘛，吃饭，睡觉，做春梦，无外乎这三样啦。"

蔷薇鄙夷："你能不能提点儿有建设性的？"

安宁肚子饿了，问两个斗嘴的人晚餐想吃什么，她们倒口径一致："随便。"

安宁说："吃面吧。"

三人吃完晚饭回寝室时，得知整幢楼的热水都中断了。安宁本来打算洗澡的，先前吃面，毛毛见一老师进来，惊得鸡腿掉进了碗里，溅了她一身的汤汁，头发上都是，油腻腻的，难受死了。

毛毛是短发，没波及到，回到寝室脱了外套就完事儿。蔷薇看着阿毛就穿着一套肉色的棉毛内衣裤在寝室里走来走去，“看着怎么那么像是一只扒了皮的青蛙。”之前毛毛穿的是绿色外套。

安宁这边无可奈何，收拾了换洗的衣物：“那我去外面的浴室洗澡了。”

蔷薇喊住她：“阿喵，你去妹夫那儿洗好了。”

“啊？”

刚进来的朝阳一下抓住了关键词：“妹夫？我在图书馆门口遇到他了，他跟一女生从我面前经过来着。”

全体肃穆，一会儿后蔷薇叫出来：“惨了，阿喵仔有情敌了，传说中的小三出场了。”

毛毛语气中含着期待：“不知道对方会不会上来叫板？真是羡慕啊，我这辈子就想被人叫一次狐狸精。”

朝阳：“阿喵才是正牌徐夫人好吧。”

安宁无力地向身后挥挥手：“我出门了。”

走到楼下时，就看见徐莫庭拉开车门走下来，虽然知道他在学校，但一出门就见到他不免有些诧异。

对方走近：“刚想给你打电话。要出去？”

安宁不知道怎么说，于是只“嗯”了一声。

徐莫庭上下打量了她一会儿，很平淡自然地开口：“去我那儿洗个澡吧。”

“……”

安宁被邀去洗澡。

于是，车里。

“那个，我借用一下浴室就好了。”

“难道你还想要做其他事情？”

“……”

安宁的意思是：借用一下浴室，然后我自己打车回学校就可以了。

不想太麻烦他，因为他很忙嘛。

徐莫庭的意思是：洗完澡如果还要做其他事情，他悉听尊便。

安宁扭头望街景，徐莫庭侧目看了她一眼，心中一笑，说道："今天学校的热水都中断了，男生宿舍也是。"

"真的吗？"安宁觉得他们学校每次开什么什么大会，领导在上面总把江大标榜得很牛，怎么连区区热水都不能做到即时供应？

"要不要搬去我那里住？"徐莫庭总能在很恰当的时候提出"恰当"的建议。

安宁一愣，只当他是在逗她："同居这种事情我是不会做的。"她很传统的好不好！

"这样——"徐莫庭还真认真地想了想，"那要不合法同居吧？"

徐老大你就不能偶尔让我镇定久一点儿吗？安宁想，人家谈恋爱男朋友都是甜言蜜语温柔体贴，怎么到她这里就成了"比谁更能冷到谁"呢？她抱着手中的衣服袋子轻声问："徐莫庭，你其实也是火星来的吧？"

莫庭低叹。

安宁一进徐莫庭的公寓门就往浴室走去，身后的英俊房主不忘提醒："新的毛巾在洗手台下面的柜子里。"

"知道了。"说不害羞是假的，第一次用男生的私人浴室，而且这个男生还是自己的男朋友，总觉得有些暧昧。

安宁关上门，看镜子中的自己，脸有点儿红，不过不明显，于是掬冷水洗了把脸。放热水泡澡的时候，安宁不忘研究旁边烤瓷台面上摆着的日用品，他的洗发露沐浴露味道都很淡，却很熟悉……水有点儿热啊。

等安宁终于一身清爽、穿戴整齐地出来，一眼就望见徐莫庭坐在客厅的沙发上看电视，这还是安宁第一次看他戴眼镜，从来不知道他也是有点儿近视的。

徐莫庭听到声音，转过头来，摘下眼镜站起身道："过来，我帮你把头发吹干。"

刚想气势如虹一鼓作气地说"我洗完了要回去了，你不用送我的，我自己叫出租车就可以了"，结果对方一句话就把她打回了原形，"哦。"

电视里在播新闻，耳边的轰隆声盖过了主持人的声音。安宁坐在沙发上，而徐莫庭靠在扶手边上，帮她吹着长发。

每过一分钟，不好意思的感觉就增加一分，他的手指穿梭在她的发间，让她觉得得主动找点儿话题："莫庭，你这么能干，如果去评选市十佳青年，一定手到擒来。"

徐莫庭敷衍地应了一声，说："你今晚住这边吧。"

"啊？"安宁回头，正好对上对方英气的脸庞，灯光下，美色更是入木三分。

"你朋友打电话给我，说你们寝室连冷水都中断了，她们要去旅馆住一晚。"算是解释。

所以没带钥匙出来的人自行想办法？"我能不能问一下她们为什么要打给你？"安宁翻看自己的手机，没有一条记录，郁闷了，这亲疏对比也太明显了。

徐莫庭答曰："她们让我收留你。"

"……"

安宁当时如果没有被某种强烈的情绪冲昏头脑，以致思考能力下降到一般水平线以下，至少还能想到自己也可以去住旅馆啥的，也就是说，不只有"同床共枕"这么一个结局。

很不幸的是，她当时脑抽了。

于是当晚，十点钟的时候，徐莫庭洗完澡出来，身着一套深灰色睡衣，这年代身材好披块布都有型，何况是很家居的深灰色睡衣，安宁承认自己被他诱惑了。接下来要怎么办啊？面对这种要身材有身材，要脸蛋有脸蛋，要手段有手段的……男朋友，难不成真的同床共枕一宿？苦思冥想后，安宁最终选择折中方案："你睡床，我睡沙发。"

对方睨了她一眼："我这儿只有一床被子。"

"呃，那被子给你，你睡沙发，我睡床。"好歹还有一条床单，可以勉为其难裹一下。

徐莫庭皱眉头："你觉得我会睡沙发吗？"你觉得我这种高贵人种会去将就睡沙发吗？

徐莫庭这时低头笑了一下，说："安宁，我相信你可以把持得住。"

"……"

徐莫庭不再多说，上了床，还很有风度地让出了一半床位。安宁见对方如此坦然，自己磨磨叽叽的实在显得小气，而且只是睡一张床，又不会怎么样。思想工作一做通，她便手脚麻利地绕到另一侧上了床。徐莫庭伸手关了灯，只留床头一盏橙黄壁灯开着。安宁背对着他，抓着被子，鼻息间有一股熟悉的清新味道，她下意识地将被子拉下一些，不晓得他有没有开暖气，有点儿热。安宁往床沿挪了挪，认真注视前方黑暗中的一点。

时间一分一秒地过去，安宁依旧毫无睡意，可又真的不早了，明天还要考试，这样的精神亢奋实在是不利啊。翻来覆去，清醒异常，异常到都可以听到远处他书桌上闹钟走的声音，嘀嗒、嘀嗒。

"睡不着我不介意陪你打发一下时间。"低沉的声音从后方传来，安宁被吓了一跳，差点儿掉下床："我就要睡了。"

徐莫庭慢慢道："你再挪过去，就可以直接睡地上了。"

安宁翻身，面朝天花板，往他这边挪了一点儿。

他叹了一声："你动来动去，搞得我也睡不着了。"对方的口气里似乎有点儿不满，第一次听徐莫庭这么孩子气地抱怨，安宁抿嘴想笑，可人在屋檐下为人要谦和。等了一会儿，旁边安静得奇怪，她忍不住扭头去看，朦胧的灯光下，那双黑不见底的眼眸正静静地望着她。闪神之际，对方已经倾靠过来，将呼吸埋于她的颈窝处，轻轻道："安宁，我睡不着。"

他嘴唇极轻极轻地贴上她的耳畔，万般珍惜地落下一吻。

4

安宁一时之间有些不知所措，他靠得很近，他的气息是烫人的，他小心翼翼地抱着她。安宁觉得晕眩，周遭充斥着徐莫庭的味道，宁谧而强韧。

他的左手顺着她的背脊慢慢下行，他侧过脸将嘴唇贴上她的。他吻了很久，舌尖缓慢地滑过她的上颚，退出来时轻咬了一下她的下唇，安宁感觉有点儿痛，睁着眼睛，那里面迷茫地浮着一层水雾。

他说：“安宁，要不要碰碰我？”他的掌心是濡湿的，他执起她的右手，将她的手心贴到他的胸口。

安宁一脸绯红，感觉自己的心如擂鼓般狂跳着，“莫庭……”这名字此时就像是乌羽玉，让她几乎麻痹。

不知道他什么时候关了壁灯，黑色像是一道可以破除禁忌的魔咒，屋内某种莫名的压抑的情热越积越厚重。

被他汗湿了的手一路引领着，安宁的紧张无以复加，她是有些预感的，但又很茫然。她想要阻止，却每每被他的低喃催眠：“安宁，不要拒绝我。”

“我没办法……”

“你可以。”

究竟是纵容还是自愿，安宁自己也划不清界限了。

安宁像是被额外的温度烫了一下，身体微一弹跳：“别……”

“一下……就一下。”他的声音哑得不行，安宁不敢想象，自己会不会就此心跳停止。

慢慢地，喘息伴着渴望，细密的汗珠从他额头沁出，最后滑落在床单上，热浪滚滚而来，蒸发了两人的理智。

在交融的气息吐纳间，在这一方有限的空间里，两具年轻的身体构成一幅再亲密不过的场景。

徐莫庭在之后紧绷了全身，他埋入她发间，低低呻吟了一声，一股激热勃发而出，而安宁的手心也随之一片潮湿。

徐莫庭拥住她躺着，灼热紊乱的气息一点点缓和，他伸手抽了床头柜上的纸巾，细细擦去她手上的体液。

对安宁来说，这一切发生得太过惊心动魄了，以致久久缓不过神来，感觉像是天堂地狱都走了一遭，又重新回到人间。

也不知道是被吓坏了还是真的“心力交瘁”了，安宁闭上眼，当然她不否认自己也有点儿不敢睁开眼睛。

他叫了她一声，安宁只当自己死了，徐莫庭低低笑了一下，温润的指尖滑过她额头的湿发。

“你的脸有点儿烫。”

他是故意的吗？

他的唇又在她唇上吻了吻：“睡吧。”

“……”

安宁原本以为这一晚肯定睡不着了，结果没多久恍恍惚惚就起了困意，身边人独特的味道包裹着她，细腻温醇，好像能安定人的心神。

隔天醒来，窗帘的缝隙间有阳光照射进来，一时间安宁不知自己身在何处，记忆逐渐回潮时才惊慌失措地坐起身，下意识地四下望了望，房子里只有她一人，不禁松了口气。

下床穿好衣服，她的神情还是有点儿怔怔的。她走到餐桌边，见上面摆着齐全的早点，牛奶杯下压着一张字条：

我出门了。门口柜子上的备用钥匙你拿着。有事打我电话。

安宁转身去洗手间，新的牙刷牙杯妥帖地放在洗手台上。她开了水龙头，冷水淋过手心时，整张脸不受控地升温。

洗漱完她吃了一块三明治，剩下的也不知道怎么处理，左思右想之下她在他那行字的下方写了句：吃不下了。

安宁回到学校时差不多十点钟，幸亏她上午那门工程数学不用考，要不然就是传说中的因什么而废什么了。一进寝室就听见毛毛在叫：“那老师凭什么没收我的橡皮？！”

朝阳：“你带了七八块，且块块字如麻，你真以为老师会当那是微雕工艺品吗？”

毛毛：“不是你说不要在一只羊上拔毛的吗？”她回头见到安宁，“哎呀阿喵，你回来了！”

安宁避重就轻，问：“你们提早交卷了？试题很简单吗？”

朝阳、毛毛同时面部扭曲：“太难了。”

毛毛：“对了阿喵，你昨天——”

“我昨天住旅馆了。”安宁表情坦荡。

毛毛“噢”了声：“今早妹夫打电话来跟我确认了一下你的考试安排，然后说你会晚点儿过来学校。”

不带这样玩的！

“阿喵，嘿嘿……”

“我要看书了，下午考试！”

后来直至到进考场前，安宁都一心一意地只读圣贤书，两耳不闻窗外事，不管毛毛怎么连滚带爬，朝阳怎么旁敲侧击，她都是一副春山如笑图模样。

这天考完试，跟蔷薇她们道别，安宁到科研楼交项目的总结报告。结果脚刚跨进办公室大门，就与里面的一人视线相交，猛地定住了身子，眼睛也瞪大了。

她的指导老师看到她，叫了她一声：“李安宁。”

安宁拉回心神走上前，与那道熟悉的身影错身而过：“教授，我来交报告。”

“嗯，放这儿吧。”指导老师并没有察觉到李同学想要放下东西就走人的心情，兀自说开：“你们这一个课题能够做出来，可要多谢谢人家徐莫庭。”

安宁想，这老师平时挺矜持的，怎么今天突然热情起来了？她不得不转身，语气尽可能平淡无波，而当时不知道怎么了，还伸出了手：“谢谢你。”

对方淡淡一笑，与她相握了一下，“应该的。”

安宁收回手时掌心留有的温度让她不由得红了下脸，马上趁热打铁告辞：“那老师没事我先回去了。”

安宁如蒙大赦出来时，就收到了短信：“在外面等我一会儿。”

安宁回：“不要，我要回去了。”

办公室里的人挑了挑眉，眼波流转间，眉梢都似带了情。

安宁回宿舍时正巧遇到走到她们门口的蔷薇，对方不由得问：“怎么了？后面有人追你啊，跑这么急？”

“嗯……我想起来衣服还没洗。”

蔷薇感叹：“又不是阿玛尼，你泡皱了也就百来块钱。说起来，我上次看到妹夫戴的那款手表就是阿玛尼的，那低调的GA标致啊，我眯得眼睛都酸了才看清楚。还有你有没有发现他很多衣服都是GA的，啊，多么感情专一的一个人啊。”

安宁无语。

蔷薇讲在兴头上却见听者明显神游太虚，不免心生恨意——恨铁不成钢，一手按住对方肩膀，“我说你好歹给点儿反应吧？”怎么说都是在讲跟她息息相关的男人不是。

“嗯。”她反应了，“那么薇薇，我可不可以洗我的百来块钱的衣服了？”

“……”

当晚，安宁收到短信：“你忙就不打扰你了。早点儿休息。”

安宁小小舒了一口气，随后又轻轻“切”了一声。

徐莫庭此时正坐在床上，慢条斯理地翻看《养猫一百招》。

第一招：切莫太急躁。

考试周很快接近尾声，安宁是最早结束此议程的，因为平时“用功”所以有两门是免考的，这方面安宁算牛的了，所以，在毛毛等人依旧挣扎在生死边缘的时候，阿喵同学已经开着电脑看贺岁片了。

毛毛、蔷薇、朝阳指着她：“你不是人！”

“……”

本来安宁可以回家了，但毛毛提议考完试大家一起去吃顿大餐。因为明年都要准备实习工作，聚在一起的时间不会像以前那么多，估计一回来就要各奔东西，各自拼搏。

于是，眼下空闲得不得了就等着吃大餐的人，看看电影杀时间不是太过分吧？

毛毛奇怪了：“要我有时间，有如此英俊一个男朋友，铁定每天缠绵上数十回合，让他下不了床，让他无时无刻不含情脉脉地看着我，我如魔似幻地看着他。还要——不行我没力气了——可是人家还想要嘛——那就坐上来吧。”

安宁一口水喷在屏幕上。

毛毛等人离开不久，电话响了，是张齐，叫她出去吃饭。

安宁看时间，三点钟，不上不下这算吃哪一餐啊？

对方笑问：“嫂子，你考完了是吧？我们也完了，太无聊了，打算去酒吧喝酒，程羽也在，来吧，当然老大也会来。”

安宁想到无聊，的确是有点儿，不过徐莫庭也去啊，下意识挺了挺背，她干吗不好意思，怎么说都是他，咳，耍流氓在先，要不好意思也是他才对。

张齐得到肯定答案便立即给徐莫庭打去电话："老大，跟我们去喝——别挂呀，嫂子也去。"

徐莫庭不在学校里，所以安宁是坐张齐的车去的，当时车上还有另外三个女孩子，老三的车在后面，男生满座。

徐莫庭到场比较晚，推开包厢门时里面已经闹上了，众人见他进来一阵起哄，老规矩，迟到了罚酒。他看看左边沙发上的安宁，她眼里光芒闪烁，明显是站在看戏的那一边，徐莫庭笑笑喝了下去。

三杯下肚，徐莫庭走到安宁旁边坐下，拿她的果汁抿了两口，压下嘴里的酒味，他一向不喜欢苦涩的东西。

这时一女生斜手递过来一杯新倒的饮料："徐莫庭，那杯是李同学的，这杯没有喝过。"

坐在另一端的老三已经笑出来："团支书姐姐，她是我们老大的女朋友。我们一直在喊嫂子你不会没听到吧？"

那女生明显怔了下，有些尴尬："我当你们喊着玩儿的，谁知道——"说着看了眼徐莫庭。

徐老大对别的女生从来不用一分心思，认识的顶多也就点下头，相当"不拖泥带水"，团支书姐姐最终咬了咬唇走开了。

原来让对方知难而退的最高境界是无视，安宁钦佩。桌下徐莫庭拉住她的手，放到自己腿上，这是他惯性的亲昵动作。

安宁想，他动手动脚起来还不是一样很精通！

5

何时起，他们之间已经形成了固定的模式，她的手放在他的膝盖上，他坐在她旁边安适从容，好似一切都在潜移默化中变成了天经地义。

安宁想到第一次跟他遇见，在她的记忆中是在学校的图书馆里，也就是半年前，她把自己的图书卡借给了他，他当时回头平淡地说了声谢谢，真的很平淡啊，让她不由得暗想，是不是帅哥都是这么冷酷不理人的？很难想象如今自己就是这号人物的女朋友。不能说惊讶，但觉得世事难料还是有的。不知道他怎么会相中她？呃，据他说还是相中她好几年了的。

徐莫庭这时淡淡开了口："你再盯着我看，我可能会不好意思。"

深呼吸一口，安宁转回头，冷酷什么的是浮云啊。

"老大，你都不陪我们喝酒，就只跟嫂子聊天，太过分了啊。"有人抗议了。

徐老大今天心情好，拉扯嘴角配合地接道："怎么，有意见？"

当然有意见，就您有女朋友，咱们还都是光棍呢，太残酷了也太残忍了，"要不让大嫂陪咱们喝两杯？"

老三心想，终于要有幸目睹到什么叫"战略性失策最终可能导致的毁灭性后果"了。

"好啊。"大嫂友好回复。

于是，老三在一年前奉英明神武的徐莫庭为老大之后，今时今日又多了一个崇拜的对象，大嫂——头一回见女生喝酒可以如此率性且酒力深不见底的。

张齐也不免感慨："嫂子真人不露相啊。"

安宁亦感叹，她每次都想露来着，只是旁边的人总是让她少喝点儿，不过难得今天徐莫庭法外施恩："那就劳烦夫人挡酒了。"然后他就真的在旁边只喝果汁了。

老三当天醉酒当歌："娶妻当娶大嫂这种文武双全之流！"

在场的男同胞们可以说是一致嫉妒起徐莫庭来了——女朋友挡酒，自己喝果汁，关键还是美女啊！而女同志们在衡量对手实力之后决定弃暗投明，再说了，徐莫庭就是那天边的云，观赏可以，真要采还是有相当大的难度的，而且如今已经摆明了是名草有主！

只有徐程羽心中深深喟叹她堂哥是一如既往的高啊。

至于畅饮的安宁也心情很愉悦，她的酒量可以说胜过蔷薇一筹。小时候爸妈忙，她都是跟着爷爷在城乡交接处的小酒馆里混，爷爷也觉得小姑娘打小练练酒量，喝点儿米酒啥的并无不妥，多年下来这酒量自然就练出来了。后来爸爸升职转到了大城市里，就很少喝酒了。上初中那会还会在节假日的时候去爷爷那边待两天，陪着喝上两杯。初三那一年爷爷过世，郊区的老房子也随之变卖，之后就真的极少碰酒了。

不过安宁喝酒是越喝越沉默的人，所以想要乘机套出点儿话来的人基本上都无功而返。

徐莫庭中途离场去接电话，老三因嫉妒开始挑拨离间："大嫂，你不能这么盲目地维护老大！我跟你说，你别看老大这么道貌岸然，其实他什么事情都做得出来，想当年他刚来江大的时候，正常模式嘛人生地不熟的都应该要谦和一点儿——结果，唉，往事不堪回首，我们男生这方面就不说了！对待女生，他也是狠心啊真狠心，比如外语系的系花吧——哎哎，真不知道该怎么说才好了。"

安宁无语，这根本什么都没说嘛！亏她还有了那么一点儿兴致，事实上是很有兴致。听完她往包厢门的玻璃里望出去，他似乎还要聊一会儿，要不赶紧乘机似有若无地问一问？"老三大哥——"还没说完，只见老三干呕两声手捂嘴巴狂奔出门。

安宁目瞪口呆了，牵强地接上上句："多保重。"

程羽过来跟安宁聊天："咱们聊重点吧，我堂哥过来了我就得撤！"

安宁汗颜，怎么听着徐莫庭像洪水猛兽？不过她还是从善如流道："好的，你想聊什么？"安宁突生一种自己俨然是在被采访的感觉。

"我堂哥那人很难搞吧？"

安宁开始思考，所谓的"重点"……"呃，其实还行。"

"嘿嘿，你们有没有亲密接触过？"程羽见对方显然被震惊到了，不得不换种说辞，"我堂哥从小就是生人勿近，熟人也免谈的，所以我对此非常好奇啊！"

安宁咳了一声："没有。"

忽然就想起了某晚上，真是要命！那是幻觉幻觉梦境梦境，阿门！

这时候，很难搞的人已经朝这边走过来，她身边的人立马作鸟兽散。

等他走到身边，安宁率先镇定地开启一话题："你是不是从小欺负你堂妹啊？"看人家都怕你怕成这样了。

莫庭对此没兴趣多讨论，只说：“你喝了多少了？脸有些红。”她似乎有点儿醉了。徐莫庭略微沉吟，随即一笑，“要不要回去了？”

“不要。”安宁摇头。

莫庭靠过去低语：“可是我想回去了。”

安宁还是有点儿为难，徐莫庭乘虚而入，一本正经道：“你要想喝，回去也可以喝，是不是？”

眼睁睁看着美女被带走，已经回来的老三直摇头：“老大那明显是——不是君子所为啊。”

有人醉醺醺地嚷道：“老大什么时候君子过？”

“……”刚出门口的徐莫庭叹了一口气，算了，秋后算账吧。

安宁这边坐上车，迷迷糊糊地要去口袋里拿手机。

“又怎么了？”他笑出来。

安宁脑子并不是很模糊，只是有点儿酒气涌上来，让她难受：“打电话。”

“打给谁？”有人微扬眉。

“室友。”她将头靠在他肩膀上，“我想睡觉。”

……

隐约间，一条柔软的湿热毛巾擦过脸颈，让她获得短暂的舒坦，感觉有手指轻抚过她的眉心、嘴唇，安宁缓缓睁开双眼，才发现已经睡在床上，她习惯性地侧身将自己裹进被子里，旁边的位置一沉，耳边传来一些言语，让她有那么一阵倾心的放松，随之又困倦地跌入梦乡。

天蒙蒙亮时，徐莫庭去附近公园跑了一圈，也顺便带了早餐回去。到住处洗完澡换了身衣服，随后开电脑工作，八点多的时候手机响了，是她的，徐莫庭睨了眼上面显示的名字，拿起来接通。

“安宁，不好意思，应该起来了吧？我跟薇薇约好了今天一起吃顿饭，你——”

莫庭点着鼠标，不紧不慢道：“她还在睡。”

江旭顿时无语了。

时间指向一小时后。徐莫庭关了电脑，发现窗外竟然下雪了，见床上的人似乎有睡到天荒地老的意思，走过去半跪在床边的地毯上，伸手轻摸她的脸，“李安宁，下雪了。”

“李安宁，这学期你已经迟到十三次了啊——”有些年长的班主任也不想多批评这号优等生，可频频迟到班级扣分也实在不算小事。

“嗯……老师，今天下雪了。”十七八岁的小姑娘，白白净净的，声音温婉清甜，看起来也特别乖巧懂事。

老师对这种学生是狠不下心来的，最终道：“今天是冷，可别人也都没迟到啊，好了，这次就算了，下回一定要注意。”

“嗯……”接着的那句“我尽力”说得很轻，所以走开的老师自然没有听见。不过安宁想，这天气估计明天还是爬不起来。

这时有人从她身旁经过，两个身高都算高的男生，一个还回头朝她笑了笑，安宁当然不认识，从东边的走廊过来应该是隔壁文科班的。而没有回头的那一个穿着一件白色外套，修挺的背影看起来相当悦目清爽。

“安宁。”自己班的同学从窗口喊了她一声，安宁施施然进去，高考啊，不成功便成仁，还有半年呢她就觉得有些喘不过气了，不是说自身的压力，而是里面的氛围。

回头望了眼走廊外的大雪纷飞，好想冬眠啊。

……

安宁逐渐醒来，表情有些蒙眬，其实还是想睡觉，头有点儿疼，而且被子里是那么暖和。

“嗨。”他慵懒地打招呼，安宁转头对上床边人的视线，不由得眨了眨眼，“早安。”

莫庭一笑，缓缓地说：“不算早，等你起来后，我们就可以去吃中饭了。”

安宁完全清醒了，坐起身，刚想说要不我请你吃中饭啊啥的，就被封口了。

安宁后来被轻薄完之后看时间，才九点多而已？谁家吃中饭那么早的？！

安宁洗漱完穿戴整齐，试探性地开口，语气偏向想要得到否定的答案："那你还要不要同我一起去吃中饭？"不吃的话她就回学校了。

"当然，我反正没事。"

这是什么理由啊？出门的时候她笑着上去抱住他的手臂，做亲密状，然后问："那个，我昨天有没有怎么样啊？"

对方斜视了她一眼："嗯？"

"就是有没有乱说话或者——"够清楚了吧？不过安宁想肯定没有，据说她喝醉了特别安静。

"没有。"

安宁放心了。下一秒对方补充："除了一整晚抱住我不放。"

"……"

徐老大一副很好商量的样子："既然都这样了，安宁，我们什么时候把婚结了吧？"

"……"

第九章

苍白的记忆

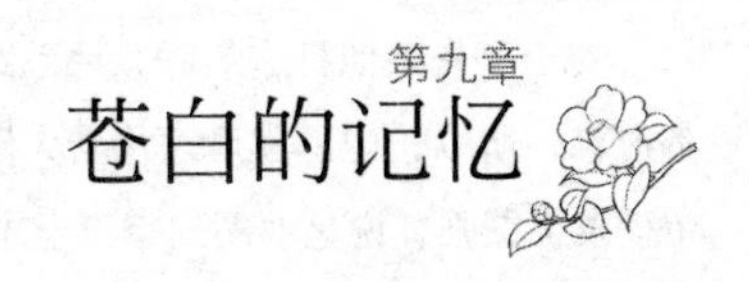

1

终于要步入寒假了，回家前跟好友们出去吃自助大餐。每次吃自助毛毛都要求她们扶着墙进扶着墙出。所以下午安宁回家，莫庭过来接她时，一见到人便问了："不舒服？"

安宁捂着肚子，不能说是吃撑了："胃有点儿疼。"手上的小行李箱已经被对方接过："我车上有药，上去后吃一粒。"

安宁惊讶于徐老大的周全，不由得脱口而出："唔，你可以做我的叮当猫了。"

徐莫庭看着她："你这话的意思是以后都离不开我了是吗？"

"……"他中学时代上语文课分析文章的中心思想肯定很厉害。

这边毛毛和蔷薇拖着大包小包出来，对着徐莫庭就是谄笑，无第二种表情："不好意思啊妹夫，还让你绕路送我们去车站。"

安宁事先跟他打过招呼，毛毛跟蔷薇要去火车站，每逢节假日打的都很难，所以，呃，就麻烦徐老大顺道帮忙载过去了。而朝阳还不走，留校发愤图强，说是要图到年三十才回家，真是服了她。

徐莫庭帮她们把行李放进后备箱。毛毛压低声音神秘兮兮地问安宁："阿喵，你们同居了吗？"

安宁一惊："胡说！"

毛毛被她反吓了一跳，委屈道："没有就没有嘛，那么凶。"

莫庭走回来："安宁，别欺负人。"

"……"

那天在车上安宁吞了两粒斯达舒之后，连头都疼了。

"妹夫啊，我第一次看到阿喵的时候她也欺负我来着——"此时不告状更待何时？毛毛开始爆自己的辛酸史，"我考上江大的研究生我容易吗？！我怀着美好的憧憬和健康的心态过来，结果还没进寝室门呢，阿喵就上来问我，进得来吗？"

进得来吗……

"我有那么胖吗我！？"

安宁好无辜，她当时只是看新来的室友手上拎着那么多东西纯粹想要帮忙而已，压根儿没有人身攻击的意思。

正开车的徐莫庭轻咳一声，挺公正地说："是有些过分了。"

毛毛："就是啊！就算我横着进不去，那我侧过身肯定能进去嘛！"

安宁无语望……车顶，口中默念："古之立大事者，不惟有超世之才，亦必有坚忍不拔之志。"

莫庭笑着看了她一眼，开口道："安宁，帮我换张碟吧？"

安宁纠结归纠结，倒还是挺听话地打开储物格，里面有四五张碟片，刚想问你想听什么？但想想自己干吗老听从他的指挥，于是非常有主张地放了一张英文光碟进去。

一放英文歌蔷薇就不免感伤了："突然想起来我的六级还没过呢。"

毛毛也心有戚戚："真不明白，我们是理科生干吗还非要求过六级？阿喵一早就过了六级，害我都没得抄。嘿嘿，好在其他课都可以抄阿喵的，不过回忆起我第一次抄阿喵答案的那门课，太坑爹了，出来发现竟然是分AB卷的。”

安宁：“……我记得我好像有暗示你不能全盘照抄的。”

毛毛瞥她：“你当时睡着了好不好！做完就趴桌上睡了，只朝我摆了摆手，我以为是‘可以抄了’的意思。”

安宁觉得再这么扯下去，她们寝室什么丢脸的事都和盘托出了。

毛毛这时笑问：“妹夫，我们讲的你听着是不是有些无聊啊？”

徐莫庭微笑：“不会，挺有意思的。”

挺有意思的……安宁这一刻可以无比肯定，徐老大喜欢她……为难。

到了车站，徐莫庭帮俩女生拿下行李，蔷薇、毛毛接过时感激了一遍又一遍。

安宁问：“要不要送你们进去？”

“不用送了不用送了，回去吧妹夫。”毛毛说。

“明年见啊，妹夫。”蔷薇说。

安宁无语了。

果然是戏如人生啊。

当车子再次启动时，莫庭看了她一眼：“去哪里？”

安宁哀怨地抬头：“回家。”

徐莫庭眼里是明显的笑意，从口袋里取出一张深蓝色的会员卡递给她：“拿着它。”

安宁接过来，卡的设计很简单，蓝色的，甚至没有任何花纹，只在上面标注了××俱乐部白金卡，“干吗的？”

“约会。”

安宁不解。

徐莫庭慢慢道：“我们总不能一个寒假不见面吧？”

唔，如果大家都忙的话……也没办法啊。

在她犹豫的时候，徐莫庭已经将车停稳在旁边停车道上。他转头看着她，那目光比往常肆意了一些，让安宁不由得心跳加快：“怎么停下来了？”

他笑了笑：“不想走了。”

耍赖？！安宁瞪着他，对方却是趁机靠过来吻了下她的唇，很轻易地，李某人被秒杀了。

“很抱歉我的安全感比较不足，所以，你得说点儿什么来让我安心。”

被送回家的一路上，安宁一直在想她刚才混混沌沌地回了点儿什么？不过不管说了什么，过年都是得回广庆市的，两人要分开一段时间是一定的。

好像，有点儿依依不舍啊……

抵达自家楼下的时候，安宁在车上坐了一会儿：“那——我上去了。”

徐莫庭叹了一口气，安宁不清楚是不是有一丝无奈划过他英俊的脸庞。

“去的那一天见一面。”

乖乖点头。

徐莫庭很清楚，在她这件事上，自己一定要按部就班地来，再三告诫自己不能出错，要等，要包容，要让她渐渐离不开自己。只是有些事情，真的是……只要想到就让他有些难以忍受——她要跟他相隔两地一段时间。之前的那几年，他就是伴随着这种心情过来的，并不好受。

安宁这边犹豫地问：“你要不要上去，见一下我妈妈？”

莫庭目光轻微闪烁，笑了：“不了，下一次吧，正式一点儿。”

安宁并未发觉就在前一刻自己无意中安抚了对方的不良情绪。

车子开走的时候，安宁将那张卡从衣袋里重新拿出来看了看，然后认真地收进皮夹里。

终于到家了，安宁趴在自己房间的床上，觉得整个人都放松了。

李妈妈敲了下女儿房间的门走进来。

“怎么一到家就趴床上了？”她坐到床边，边说边将女儿的长头发撩到耳后，“晚上跟你大姨二姨她们吃饭，嗯？”

安宁自然地翻身抱住妈妈的腰：“妈妈妈妈。”

“怎么了丫头？”李妈妈笑着捏她的脸蛋，“还撒娇了。你先休息会儿，回头吃晚饭碰到你表姐，两人又有得说了。”

当晚，江泞市一家有名的饭店里。

一个风情万种的……女人以慢动作镜头奔过来，“表妹！”

“表姐……”

“态度太冷淡了！”

“半年不见毕竟生疏。”

“咱俩不是经常在暗度陈仓吗？”等了一会儿，“怎么不说了？”

“……表姐，你的胸部压得我喘不过气。”

“……”

大姨摇头笑道：“别闹了，都多少岁的人了。赶紧去点菜，完了有什么话饭桌上说。”

两姐妹相视一笑，上桌点菜去也。吃饭的时候，长辈们惯例询问起两人的学习、工作及交男朋友情况。

表姐说了：“这年代恋爱这东西，恋也少了爱也虚了，就剩日实在了。”

刚开始几位长辈都没整明白，直到二姨“噗嗤”一声笑出来，随即立刻严肃批评道：“一小姑娘怎么不学好呢？！”

安宁想，表姐的人生真是处处有亮点啊。

“宁宁呢？交男朋友了吗？如果没有，大姨给介绍一个处处看，啊，不好咱可以换。”

李妈妈笑着开口：“宁宁有了！”

“……”妈，你这口气咋那么像……怀上了！

于是安宁被盘问了男方的各项指标，哪里人，学什么的，工作情况，家庭背景……

安宁回答：“本市人，跟我同一所学校的，学外交的，在工作了，不怎么清楚……”

大姨说：“下次带来给我们看一看。大姨看人可准了，一眼就能定乾坤，所以让阿姨看一眼就知道这人是不是适合我们家宁宁，如果那人不好啊，咱就甩了他，大姨给你介绍更好的。”

“嗯。”有点儿心虚啊。

表姐：“我说娘哟，你怎么越来越像老鸨了？”

大姨哭笑不得：“你这孩子，我这不全是为了你们，希望你们——”

表姐：“打住！您这套无私奉献全为下一代的理论我都能背下来了。”

于是，母女俩照例吵上一回合。

安宁想她家表姐还是很仗义的，赶紧帮忙绕开了话题。

当晚出饭店后，长辈们去喝茶，两姐妹相偕去散步，刚和长辈分道扬镳，表姐一掌拍在表妹肩上："好啊，背着我偷人！从实招来。"

就知道有后招。

安宁淡定道："就是聪明反被聪明误了。"

"……"表姐深深觉得她家表妹的段数似乎被磨练得更高了。

2

散步途中，表姐的盘问不外乎："有没有照片？拿出来让我瞧瞧！"

安宁摇头外加小小蔑视了一下："你就只会在意外表吗？"

表姐笑了："难不成还去关注内在美啊？！"

呃，徐老大的内在啊……

"究竟长啥样的，你好歹口述下也成啊。"表姐没啥耐心，"不会长得很寒碜吧？"

安宁瞪她："你才寒碜呢！"

"我92，63，94那可是国际标准哪！"表姐怒了。

安宁觉得再这么聊下去也不是办法："总之是我喜欢的类型。"

表姐盯住她，须臾，"完了，媚眼含羞合，丹唇逐笑开——你发春了。"

"……"

扳回一城的表姐心情愉悦，嘴里不由得哼道："天上的星星……"本来是想唱"天上的星星不说话，地上的娃娃想妈妈"这首歌的，结果忘词了，抬头，"参北斗啊！"

安宁好想回家。

最终是安宁低头一路，表姐也没问到外貌，算是平局。

刚进家门安宁的手机就响起，一看上面显示的名字，她跟客厅里已经回来在看电视的妈妈笑笑便跑进房间了。

"晚饭吃了吗？"低低的声音，很好听。安宁抱着抱枕趴在床上：

“嗯，跟妈妈和阿姨她们出去吃的。”

“明天见一面，可以吗？”

“啊？这么快？”这完全是下意识的，毕竟今天下午才分开的嘛，不过问出来之后安宁就觉得疑似触礁了，果然对方淡淡道：“看来我所托非人。”

所托非人？安宁一头黑线，徐老大你的说辞还真是……

“明天早上我要陪妈妈去超市买下东西，下午才有空。”

“那就下午吧。”对方这时笑了，“安宁，我在看你发给我的E-mail。你给我画的，我挺喜欢。”

啊？啊？？

记得她考完试之后的那天上午无所事事，于是就在寝室里拿了许久没用的手绘板涂鸦，速成了七八张人物图，徐莫庭肖像画，非常有成就感地存进了自己的邮箱里，打算回家的时候再修改，问题是她有发出去吗？

“你盗我邮箱？！”

徐莫庭此时此境也不免无言了一下：“我想应该是你发给我的。”

怎么可能？！她又不是头脑短路了，存草稿跟发送还是分得清楚的。毛毛……动过她的电脑。

安宁死的心都有了。

如果安宁知道她发出去的，呃，不对，是毛某人“代发”出去的邮件标题是：彼其之子，美无度（那个男子啊，美得没有限度）。她可能会真的直接抹脖子了。

“我……随便画的。”

“嗯。”

“你别当真。”

徐老大叹气：“明天你自己出来，还是我去接你？”

“自己出来。”

停了一会儿，徐莫庭悠悠道：“安宁，你是在消极抵抗吗？”

为表示自己没有被“一语中的”，她立即做出积极的反应：“你那么忙，作为你的女朋友当然要独立嘛。”

女朋友，虽然好像很久以前就是了，可这一刻从她口中如此自然地说出，感觉又有些不同，徐莫庭很受用，相当受用。

“安宁。”低柔的声音从话筒中传来，被点名的人心律不由得跳快了一拍。

一时间没有人开口，他也好似只是想叫她的名字，微妙的气流在彼此间流转，安宁觉得这样对心脏实在不好，于是速战速决道：“我要睡觉了，你也早点儿休息吧！明天见，拜拜！”

安宁非常干脆地收了线。李妈妈笑眯眯地靠在门边：“电话打好了？”

安宁坐起来：“妈妈偷听。”

“我敲门了，你没听见。”李妈妈撇清罪行，人已经走到床边，手捧住女儿的脸，“吾家有女初长成。”

安宁刚想接下一句诗，李妈妈已经自行道出：“何时让我抱外孙？”

妈妈哟，你这也跳得太快了。

无从接起，倒头便睡。

隔天陪母亲大人逛超市采购，临近过年，里面挂满了降价的牌子，安宁突然想到一个经典的段子，某某商品原价20现价19.99。说给妈妈听，李妈妈“嗯”了一声。安宁想，果然妈妈吃过的盐比她吃过的饭还多，如此淡定。走出数米，李妈妈突然停住脚步“噗”的一声笑出来，“这降了不是跟没降一样嘛！”

咳！她家妈妈一如既往地有爱啊。

刚走出日用品区，安宁突然停住了脚步，前面走过来的人正是周锦程，身边是一个落落大方的女人，挽着他的手臂。周锦程自然也看到了她，也有点儿意外，走近的时候他跟李母先打了招呼，李妈妈对周锦程说不上好感坏感，但毕竟是相识的，“周先生陪女朋友逛超市？”

周锦程点头，浅笑道：“宁宁，学校放假了吧？”

“……嗯。”

安宁看到对面的女人对她友好地笑了笑，她也回以一笑。

“这是我外甥女。”周锦程对女友温和介绍，又转头向她们说了一下女友的名字。

安宁觉得这种介绍其实没什么必要吧？

周锦程这时又将视线放到安宁脸上，像是不经意地问道："宁宁今年也是要回广庆市拜年的吧？我明天就要过去一趟，可以跟我一道过去，你爸爸也放心一点。"

"呃，不用了。"虽然不大客气，但有些事安宁并不想拐弯抹角，"谢谢，但是不用了。"

李妈妈笑着摸了摸女儿的头发："这孩子。周先生，晚点儿我会送她过去，多谢你的好意。"

既然如此，周锦程也不再多说什么，又客套了两句，便道了再见。

比起之前，现在的周锦程似乎已经恢复该有的立场身份，像一位真正的"长辈"。

等他们走远，安宁想到一点："妈妈要送我过去？"她怎么也不会舍得让母亲大人开三小时的车送她过去的。

李妈妈答："送你去车站嘛。"

安宁一愣，笑着抱住母亲大人的手臂："妈妈真好！我帮你推车吧？"

下午安宁去赴约，路程不算长，徐莫庭指定的地点从家里打车过去二十分钟就到了。刚要进大门，安宁就遇到两名女生正被服务员拦着说："不好意思小姐，我们这里是会员制的——"

"什么啊。"女学生有些恼，被人拦截这种事毕竟不光彩，"又不是皇家俱乐部。"

服务员苦笑，谦和地解释："真的很抱歉，我们的规定就是如此。"

当另一名服务生过来"服务"安宁时，安宁立即拿出包包里的卡递上去。

对方一笑："李小姐是吗？请跟我来。"

从那两名女生旁边经过，感觉到有目光扫过来，安宁不好意思地笑了笑，心里想的是，怎么这年代连腐败都要设门槛了？

被领着上了楼，二楼是茶座，环境相当清雅幽静。

安宁是早到的，她选了一处隐蔽卡座，摘下浅色围巾，跟服务生说："先给我一杯温水，谢谢。"

等的时候她瞄到旁边的木架上陈列着许多书籍，连《史记》都有，拿来翻看，一翻翻到《牧野之战》这篇，历史上有名的以少胜多的战役，历史性的兴周灭商。安宁一直觉得这场战役商朝败阵很大原因不是战略上的失策，而是人员的组成，殷军（商朝的军队）号称七十万大军，可大半是奴隶和战俘，而战俘和奴隶这种朝不保夕的存在，策反是极其容易的——呃，这么说来，所谓的“以少胜多”又值得推敲了。

安宁喜欢历史，很大原因是从中可以发掘出很多有趣的东西。

电梯的开门声让她抬起头，里面走出来几个人，其中一人便是徐莫庭。安宁表情稍稍一顿，显然没有想到他身边有其他的人。徐莫庭也在同一时间看到了她，眼眸一闪又恢复平静。等西装革履的人们拐进另一条过道里，安宁继续低头看血拼。

几分钟后，徐莫庭走了回来。当感觉身边坐了人，安宁转过头对上他的视线。他笑了一下：“早来了？”

安宁脸上是“幽怨”的表情：“你有公事忙，干吗还叫我出来啊？”

“不算公事。”徐莫庭说道，“我爸也在里面，等会儿见一下吧？”

“啊？”这下她是真的蒙了。

“我还没有准备好。”安宁在心里吐槽：这么大的事要不要用这么平常的语气说出来啊？

莫庭上下打量了某人一下：“已经很好了。”

安宁的心情真是百转千回，怎么喝个茶成见家长了？

当天安宁被带进某包厢，唯一的感触是那哪是见家长啊？简直是见家族嘛。

叔叔、姑父、姨父，然后，徐莫庭爸爸，安宁不得不承认自己小小惊讶了一下，她在电视上看到过，呃，要不要上去表示一下对对方政策的支持呢？

然而还没等她发表什么言论，这位和煦大度的徐家目前最有实权的长辈已经笑着对她说了第一句话：“小姑娘，久仰了。”

“……”这原本是她想说的。

安宁偏头看站在她身边的人，徐莫庭根本不救场的！

“安宁，是吧？坐啊。”徐父指了指位子。

连名字都知道了？好吧，自我介绍也不用了。

安宁谨慎地落座。

然后，在几位长辈和蔼的询问下，她镇定地一一作答，与其说是镇定，还不如说是——她已经出离紧张。而安宁秀雅的外貌和不骄不躁的性情、合理有度的谈吐貌似都挺讨长辈们喜欢的，所以总体来说，见家长算是圆满的，甚至最后一位长辈还说了："等明年毕了业就结婚吧，后一年是壬辰，生孩子也好。"

安宁无语了，原来她结婚就是为了后年是龙年，生孩子好？

假期头一天，精彩地被陷害的一天。

3

从包厢里出来，安宁快怨死了："你怎么都不帮我？！"

就刚刚在说完龙年生孩子好的事之后，几位叔伯随口说到一个家族里的亲戚，常年驻留国外，这次回来是媳妇要生二胎什么的。安宁在心里感慨原来大人物平时喝茶聊天也是很平民的同时，因受身边朋友毒害实在太深，完全没经大脑地蹦出来一句："常年在外国，怎么会有第二胎呢？"

"……"

全场寂静，三秒钟后，包厢里响起雷鸣般的笑声。

安宁当时真的是切身体会到了什么叫"追悔莫及"，而旁边的人还不动如山地见死不救，恨啊，而且，她敢发誓他也笑了！

最终徐莫庭咳了一声，对长辈说还要带她出去走走，她才得以获得解放。

莫庭轻笑："你已经做得很好了。"

虚伪，真虚伪！安宁懒得理他了。

徐莫庭这一边，表面一直沉着冷静，几乎毫无破绽，只有他自己知道，这段感情他一步步走过来是多么紧张，担心着她会拒绝他，很多地方很多时候他都担心。好在现在她终于接受了他。

"接下来去哪里？"出了大门，安宁问。

“随便逛逛吧。”徐莫庭已经拉住她的手。

虽然她也经常陪朋友或者陪妈妈出来逛街，但是，徐莫庭耶！逛街？感觉有点儿奇怪啊。

“怎么了？不愿意？”某人淡定地给她扣上罪名。

“我哪敢啊。”哀怨。

“没关系，等一下累了我可以背你。”徐莫庭适当地安慰了一下她。

安宁非常坚决：“才不要。”大街上人来人往，趴徐老大背上一定会引来不少人关注。

在路过一条街道时，安宁突然想起网上看到过的一段有趣的对话，于是问身边的人：“你知道我们市最安全的是哪条街吗？”

“你左手边的这条。”

呃，要不要这么轻易就破解啊？好吧，的确是她左手边的这一条，仅仅几百来米就驻扎了公安局、检察院、法院。这条街如果要打广告就是：在此处犯法，可享受一条龙服务。

莫庭看着她笑了笑：“好了，下次你问什么，我会先装不知道。”

安宁摆摆手：“我不玩虚的。”

“……”

繁华的街景，热闹的人群，今年冬天比往年来得冷，却也多了一些暖心的东西。

两人走到广场上时，徐莫庭接了通电话，听了两句后递给安宁，后者疑惑。

“张齐。”

安宁不解地接过来，对方一上来就是：“嫂子，硫酸要用什么洗啊？！”

“你被人泼硫酸了？”

张齐一头黑线之后含糊道：“不小心泼到一个朋友，只是手上而已。”

安宁想了想说：“有没有碳酸氢钠？就是小苏打。不要用水冲，用干净的毛巾擦掉，然后涂小苏打。如果严重，最好去一趟医院。”

“谢了，嫂子！”对方挂断之后，安宁把手机还给徐莫庭。在对上他投过来的视线时，她不由得心又是一跳："你干吗这么看着我？"

莫庭一低头，笑道："没什么，只是，感觉很不错。"

安宁想，不带这样撩拨人心的。

幸好表姐的短信及时救场，其实也算不上救场。

"耳闻你在约会，本人刚好也在市中心的肯德基里小饮果汁，要不要过来联络联络感情？"

估计是听她家妈妈说的。安宁很直接地回："不要。"

表姐也干脆，马上电话过来了："你当做爱哪，不要？赶紧过来，饮料都点好了！"

安宁不由得嘀咕，那你之前还问？她看向身边的人，而徐莫庭的直觉向来是敏锐到令人泪奔的。

"需要我见客吗？"

这话，说得她都成皮条客了。

"我表姐说话有点儿口无遮拦。"如果要过去，可要事先打好招呼，免得等会儿出什么岔子。

"不用担心，我一向爱屋及乌。"

"……"

好吧，当事人都如此"大度"了，她再扭扭捏捏的实在没必要，最终回了表姐，"就过来。"只希望表姐别太过火，她嘚瑟起来比毛毛和蔷薇还要让人无力招架，不过，徐老大这种人……她是不是担心错对象了？

那天见到表姐，完全出乎安宁的预想。

徐莫庭本来就是淡然自若的人，但表姐竟然也一本正经的，奇也怪也。

"让你们这么大老远过来真是不好意思啊。"

莫庭微微一笑，泰然道："没事，安宁的亲人自然是要见一下的。"

表姐很认真地问："你们算是正式在谈恋爱了吧？我们家宁宁各方面都是相当出色的，只是有时候有点儿迷糊，思想有些出格，还要请你多多包涵。"

"你说的那些，我并不觉得是缺点。"

安宁："……"真爱啊。

表姐温婉点头，"那就好。"

徐莫庭："应该的。"

安宁真有点儿恍如隔世的感觉。正琢磨着表姐什么时候改性了，一条短信进来："啊啊啊啊！帅啊！！！你哪里搞来的极品？！那唇，那眼睛，那气质！我的至爱福玻斯的真人版啊！！"

安宁差点儿把果汁喷出来，原来，一切都是假象啊假象，被骗了！

表姐这时朝表妹眨眨眼："宁宁怎么都不说话？"

没什么好说的了……

接下来就是表姐诚挚托付，徐莫庭从容许诺，皮条客究竟是谁啊？

当天，徐莫庭开车送她们回去，先绕了路送表姐到家，后者下车时礼貌地说："有机会再一起出来吃饭？"

"可以。"徐莫庭对女友的朋友、亲人一向极好说话。

"那行，路上小心。"然后对自家表妹道，"宁宁，到家给我个电话。"

"嗯。"可以预见等会儿少不了一番闹腾。

终于，又恢复到"二人世界"，安宁想到一件事情，不知道该不该这时候说一下，踌躇再三还是决定早死早超生："后天我可能就要去我爸那里了。"

对方"嗯"了声，听不出什么情绪，安宁觉得自己先前的担心显然是多余的，放松下来笑道："那我们明年见了。"

没有回话，过了一会儿，安静开车的徐莫庭才问道："明年你打算考博是吗？"

安宁也不意外他会知道，这件事情一早就排在她的计划里了，继续在这边读书，留在江泞的理由就多一条。

"嗯。"说起来他英文应该很厉害，"你要帮我补课吗？"

"那倒没有。"

安宁瞪眼，徐莫庭慢慢说道："不过我可以牺牲一下。"

"嗯？"

"江大升博一张国家级证书可以加10分。"

安宁更加糊涂了。

徐老大云淡风轻地继续补充："结婚证应该算是国家级证书。"

"……"

这……这算是求婚吗？

喂！

安宁脸上一烫，义正词严道："我要靠自己的实力！"才不走后门！其实，这也不能算后门吧？

"是吗？"徐莫庭一点儿也不勉强，"那算了。"

安宁不由得怀疑自己是不是又被摆了一道。

莫非真如孟子说的，天将降大任于斯人也，必先苦其心志，劳其筋骨？可是，她压根儿没什么大事要做啊。

安宁不厚道地猜测："你是不是也要考博？所以想找一个——"

对方悠悠打断她："这种话说出来，你不怕天打雷劈？"

"……"说归说，干吗还诅咒她啊？

车子在她家小区大门口的路边停下，徐莫庭转头注视她，安宁也下意识偏过头来。他笑了笑，伸出右臂揽住她的脖子，靠过来在她颈侧吻下去，然后张嘴咬了她。

他的心像起航后便未靠过岸的船，再次遇到她之后，他才意识到他以前有多么孤独，他要的岸一直在这里，他的自私已渗透进血液，他一定要她，别人都不行。

此时她的气息笼罩着他，让他有片刻的沉迷，相识至今，他一直朝思暮想着她，而几年前的一幕让他知道他暗恋的女生可以转身便将他遗忘……

"徐莫庭，今天放了学要不要去唱K？"

"不了，你们去吧，玩得开心点儿。"

等两名女生走开，前座的林文鑫转身过来："人家女孩子鼓足勇气来约你，干吗那么冷漠啊？"

徐莫庭翻了页手上的书本，意兴索然："快期末考了，还是多看点儿书吧。"

“我说老大，以你的能力就算不看书照样能进年级前三，干吗非得整得那么辛苦，搞得我都不好意思出去玩了。”

莫庭只淡淡地道：“这世界上没有什么是不付出努力就可以得到回报的。”

徐莫庭的同桌这时从试卷中抬起头来附和：“老大这话在理，中肯！”

林文鑫撇嘴：“你可知道咱们年级理科班的榜首？据说一半时间是在看闲书的。”

徐莫庭听到这一句，眼眸中微微一闪烁，有几分沉潜的眷恋，听着他们又聊了几句，他放下书，刚要起身就跟从后门进来的一名女生差点儿相撞。

“不好意思。”她退后一步，腼腆地笑了笑，“我找你们班班长，呃，你们的班主任让他去一下办公室。”

莫庭往后望了一眼，回头平淡道：“他不在。”

附近有男生举手：“同学，我们班长去厕所了，他回来我帮你转达吧。”

“谢谢。”转身走的时候，女生想到什么又回过头来对徐莫庭道了声“谢谢”。

这些记忆存在他的脑海里，清晰得就像是发生在不久之前，可她却没有丝毫印象了。徐莫庭偏头吻她的嘴唇。

安宁感觉到脖子上轻微的痛感，相信全世界的情侣中，她算是最悲壮的了。

“安宁，不要转身就忘了我。”

4

她的忘记，只是因为不记，不在意。

所以他觉得恼，觉得难受。

可偏偏自己就是喜欢了，这世界上总是有一个人能丝丝入扣地嵌入你的心口处，将你体内稚嫩纯真的情愫一点一点地勾引出来。

有女生走过来说："刚才那女的就是理科班的榜首？"

林文鑫说："说起来她妈妈是在我们学校教语文的，她怎么不念文科？那样的话说不准就跟咱们一个班了，太可惜了！"

徐莫庭的同桌道："那我们不就多了一个强劲对手？还是别了。"

徐莫庭已经抬起步走出去，原本走过来想说说话的女生一下子就没了热情，"唉，看书吧，聊别人干吗？"女生摆摆手走回自己座位，回头再望一眼那道背影，那种不张扬的卓然独立总是让人本能地想要去追逐。

徐莫庭品学兼优绝顶聪明，不仅是女生倾心的对象，也是男生崇拜的人物。她还记得第一次在高一新生演讲台上看见他时，他穿着一套米白色的运动装，柔软飘逸的黑发在一堆染发烫发的男生中显得格外清爽出尘，他拿着稿子的手指白皙修长，他口齿清晰发音标准，举手投足稳妥、沉毅。

他是女生宿舍卧谈会的焦点人物，不少女生在聊到他时总是原形毕露地红了脸。

但很多女生也都明白，徐莫庭是不切实际的憧憬。他的出类拔萃让爱慕他的人不敢多靠近，而他本身也是冷淡的，对人总是有那么些距离。

而且听说，他是外交官的儿子，他爸爸经常出现在报纸电视上，他妈妈是教育局的领导，他从小便经常拿全国级的奖项，校长视他为得意门生，他是学校篮球社的主力，他参加的比赛都能获奖……这样的人是高攀不起的，她们这年纪已经知道什么是相配，所以只偷偷注意着，偶尔说上几句话，就足够开心上好几天了。

徐莫庭去厕所洗了把脸回到教室。

下午还剩最后一堂体育课，他跟班里的同学打了场球，发泄过后心境平和许多。

莫庭走到场外一棵香樟树下拿起饮料喝了几口，林文鑫过来倚在旁边抗议："老大，今天手下不留情啊！"

徐莫庭一笑，也没说什么。有活跃的女孩子这时在外围喊了一声："徐莫庭我爱你！"害得林同学刚喝的一口水就这样呛了出来，"要死了！”回望过去也不知道是谁喊的，三三两两你推我搡。

徐莫庭对此已经习惯，他并不是自恋的人，只是对有些东西缺乏热情，他的热情……只会在面对那个人时呈现出来，他甚至不知道怎么去压抑。心高气傲的少年在半年前第一次经历了日有所思夜有所梦，当他在隔天清晨醒来发现腿间的濡湿时，恼红了耳脸。

莫庭咬了下唇，将手上的饮料瓶扔进一旁的垃圾桶里：“我先走了。”

“喂，老大，你回家了啊？”有男生投进一个球后喊过来。

徐莫庭走出球场，朝身后挥了下手，没有停留地往教室走去，打算拿了车钥匙和包就回家，他不喜欢身上有汗味，却没想到在楼梯上碰到了她，不由停下步子，她正低头在包里找着什么，在经过他身旁时似乎被人影吓了一跳，脚下踏空一步，莫庭第一时间扶住了她，随即松开手。

安宁惊魂未定，茫然地抬头：“谢谢。”

“不客气。”

安宁并没有多停留一秒，终于摸到包里在震动的手机，边跑边接通：“我就来了，我就来了。”

徐莫庭握了握手心，嘴角露出一丝苦笑。

青春期，总是有很多的变动，很多的烦恼，即便是他徐莫庭也不例外。他是老师眼中的资优生，是同学的榜样，是一些女生迷恋的对象，可只有他自己知道，在这段时期里他有多么没把握。他需要结果，需要胜利，不可否认，人一旦动念，真是可怕的经历，他甚至还像懵懂的少年一样写了情书。

高中时期追求女生，以他的性格来讲本就已经很冲突了，而对方回报的是无视和难堪。

他从小受的教育使他对自己的要求本来就高，即使有些地方不能做到完全洒脱，却也是比一般人骄傲的。既然被拒绝了，那么又何必再死缠烂打。苦情剧里的情节他不想上演，而父母有意让他高考之后出国留学，他考虑过后答应了，不是逃避，只是理智回归，清楚自己当下最应该做的是什么。

后来的几年，他过得很忙碌。

他本来以为只要忙了就不会想起她，却发现错了，身体和心是分开的。

徐莫庭伸手抚过被他咬出一道齿印的颈侧，轻轻柔柔道："安宁，你以前走路经常一心二用，我一直担心你会摔跤。"

"嗯？"

"说起来我还救过你一次。"

安宁不确定这人是不是在咬了她之后还要来讨便宜？幽怨地瞪他："你到底想怎样？"

"报一下恩吧。"他说得好温柔。

安宁想，好吧，砍一刀也是砍，砍两刀也是砍："怎么报？"

"以身相许。"

那是一刀毙命吧？安宁气死了，脸也有点儿红："我要上去了，我妈一定在等我了！"

某人拉下他的手终于落荒而逃，不过她也知道是对方愿意放手她才这么顺利"逃脱"。她下了车快走了两步，又回头，神情有点儿英勇："徐莫庭，我会想念你的。"

此时，小区里走出来几位认识的邻里阿姨，她们认出了正勇敢表达爱慕之情的姑娘："宁宁？"

所以说，不能感情用事啊。

安宁这一晚严重睡眠不足，除了主观因素，最主要的是，半夜两点多，表姐打电话过来："我一直在等你给我打电话，你怎么到现在都没给我打过来啊？！"

"……"

被表姐闹到将近三点，隔天安宁十点多才爬起来，一出房间就看到周锦程在客厅里，也不觉得意外了，走到妈妈旁边接过温水："谢谢妈。"

李妈妈轻声道："提早一天过去吧，妈妈没关系的，他送你，也算是有心。"

安宁微微皱起眉头："不是说明天吗？"

"傻丫头，不差这一天的，而且你又不是一去就不回来了。"

周锦程已经站起身："如果宁宁决意明天再走，我可以推迟一天再过来。"

本来这件事就与你无关，又何须你多事？安宁想这样讲，却还是忍了下来，伤人的事情她毕竟是不愿意做的。

妈妈帮着收拾了行李，安宁吃了粥后就要动身了，走前再三强调："我二十天之后就回来！"

"知道了。"李妈妈也很不舍，抱了抱女儿，"妈妈等你回来。"

在门口跟母亲道了别，安宁默默地走在前头，周锦程并不与她并行，而是跟在她后面一米远的地方走着。

前面的女孩子不紧不慢，也不情不愿。

他一向擅长发掘人性，不得不说，她是他遇到过的最简单纯粹的人，也大概是因为关注过了头，难免受其影响，生出了一些连自己也辨不清的东西，暗自摇了下头，走上去接过她手上的行李，"我来吧。"

安宁抓着行李袋的指关节本能地紧了紧，"不用了。"

这样的场景，让她想起多年前他强行带她离开。

安宁甩了甩头，想阻止那些不愉快的回忆。

第十章

什么最珍贵

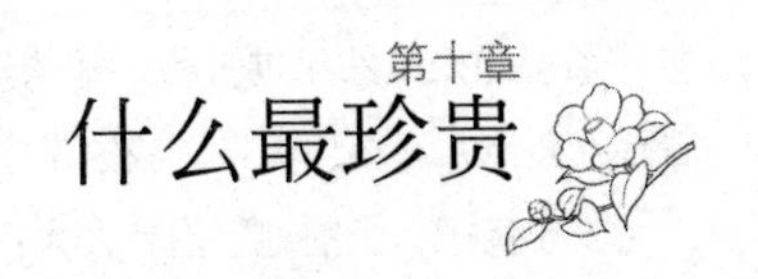

1

广庆市。到的时候是下午两点，安宁一直望着车窗外，一路沉默，而周锦程也一门心思地开车，并不寻找话题。

安宁拖着行李下车，环顾宅子四周，花园里多了一只大狗，此刻正虎视眈眈地盯着她这位陌生来客。

她对小狗小猫是不怕，但这种大型犬无疑很有几分危险，幸好用铁链拴着，安宁走进去的时候很是小心翼翼，身后的人这时倒笑了笑："你同它相处上一段时间就好了，它不难讨好。"

安宁是喜欢宠物，不过——再望了眼，还是太大只了。

房子里首先迎出来的是奶奶的保姆詹阿姨，一见是她，兴奋得差点儿变了声，"宁宁！？"接着就激动地转头往里喊人，"老太太，宁宁回来了！"

李家奶奶虽然年过古稀，却依然健朗，披了棉大衣就跑出来了，见着孙女差点儿喜极而泣："我家宁宁总算来了，可想死奶奶了！"

安宁笑了，上前抱了抱老太太："我也想您，奶奶。"

一老一小互诉了一通相思之情后，老太太这才看到先前靠在门边、此时笑着走过来的周锦程，立即招呼他："锦程，过来见见我的宝贝孙女，一年不见是不是又变漂亮了许多!"

周锦程竟真的装作刚见面的样子："许久不见，是漂亮了不少。"

安宁心说：这演的是哪出啊？惯例只是点了一下头。

晚上见了父亲以及周锦程的姐姐周兮，安宁对这位温婉的后妈没什么特别大的观感，不熟也不打算多交往。而对父亲提的问题虽有问必答，但也是不热络的。李启山也知道女儿对生母太过偏爱，与他有些嫌隙，所以很多地方都迁就着，并不勉强。

当天吃完晚饭，安宁到厨房帮忙，詹阿姨私底下问她："宁宁，先前是不是周先生接你回来的？"

"嗯？"安宁正洗水果，没听清楚。

詹阿姨自顾自地说："前天周先生还在这里，昨天说要回江泞一趟，也没具体讲，只说去那儿处理些公务，我说呢，这大过年的有什么公务非得赶回去啊？原来是接我家宁宁去了。"

安宁听得微愣。

出来时刚巧碰到要出门的周锦程，两人一对视，对方朝她微一点头。

安宁望着他的背影，心里不由得想着，大人的心思还真是难懂。

安宁拿着水果去奶奶的房间聊天，八点多上楼时看到周兮在她房间给她加棉被。安宁轻声道了谢，对方也有些拘谨，忙好只笑笑就出去了。

安宁叹了一声倒在床上，觉得自己像是坏人。

郁闷了一会儿跳起来开电脑上网，一上线蔷薇的头像就闪了过来："阿喵啊啊啊！你来广庆了吧吧吧？！"

安宁："嗯。"

"太好了！后天出来陪我！"

蔷薇是广庆人，当年大一时安宁说到自己过年也会住广庆市一段时间，蔷薇直感叹缘分啊缘分。

“我能先问一下是干吗吗？”

“相亲。”

“啊？那我不去！”

“又不是让你相！我知道你有了妹夫这种国色天香，其他人都是过眼云烟了！可我还是单身啊单身……”

正看着蔷薇源源不断打“单身”过来，手机响了，安宁一看正是国色……咳，徐莫庭。

“到那边了？”低沉的男音，虽然已经很熟悉了，可每次听着都有点儿入迷，安宁不禁怀疑自己是不是声控。

“嗯。”之前安宁给他和妈妈发了短信，妈妈是必须的，而徐莫庭，当时也非常自然地报告了自己的行踪。她手指扯着桌沿的流苏慢慢说：“我昨晚上在网上给妈妈买助眠的香薰袋时，呃，也给你买了两只绣袋，你的是用来醒酒的，里面是葛藤花，还有一些素馨花，香味很淡。今天应该就会寄到你那儿了吧。”

“嗯。”

“我特意挑了纯黑色的袋子，男生带在身上也不会太难看，而且如果是出去应酬，放在里兜就可以了。”

“知道了。”他的声音像是在她耳边，低声细语。

安宁耳朵一红，说：“你怎么不道声谢谢啊？”

对方微微笑了：“安宁，我们大恩不言谢。”

很久之后安宁都没明白，他是指这恩惠很大呢（可是两只小袋子实在不算大恩惠吧），还是暗示她下一句“施恩莫图报”？

与此同时，江泞市。

徐莫庭正与几位刚回国的朋友在酒吧里喝酒。

一位稍显胖的哥们走过来，将一杯酒推到徐莫庭面前。

徐莫庭坐在吧台前，一身深色系的风衣，黑色的头发永远干净清爽，表情单一，完全是一副冷漠自持的形象，很难想象他刚才去外面打电话回来时的柔情是真实的，因为这落差太大了。他此时正微低着头，手机放在台面上，手指有一下没一下地敲着。

那微胖的男人坐到徐莫庭另一侧："你小子，交女朋友了吧？"

徐莫庭只笑了笑。

对方见他不说也不追问，只说："早知道就不叫你来了，你一来这里的美女都只盯着你看了。"

徐莫庭拿起旁边的酒杯懒洋洋地抿了一口："差不多是该走了。"

"不是吧？这么早？"

徐莫庭抬手让他看了看表，意思是十点不算早了。

对方大叹："我说你堂堂徐大少爷，有才有貌有钱，怎么生活过得这么清心寡欲的？"说着指了指他身后，莫庭回头望过去，卡座里坐着的女人，穿着红色吊带长裙，娇艳欲滴，正望着他的方向。

"莫庭，我这辈子最羡慕你的是什么你知道吗？女人缘！难得一见的美女，要不要过去打声招呼？"

徐莫庭一笑："我对女人很挑剔的。"

"这水准还不够高啊？"

徐莫庭起身，将酒钱放在吧台上："差远了。"

说完拍了下对方的肩就走人了。

有两人蹒跚着脚步过来："徐莫庭走了？"

"嗯。"

"你怎么放他走了啊？"

"他是徐莫庭，我拦得住吗？"

三人面面相觑。

这边徐莫庭开车回到公寓，手上拎着一份鳗鱼饭。

刚打开房门，一团黑色的东西就跑过来，亲昵地绕在他的脚边，莫庭俯身将它抱起，小家伙舔了舔爪子，"喵喵"叫了两声，柔顺异常。

徐莫庭带它到厨房的大理石台上，打开盒饭，黑色的小胖猫埋头就吃起来，他伸手捏了捏它的耳朵。

"要不要带你去见妈咪？嗯？"

小家伙竟然非常配合地抬起脑袋，看了眼主人，然后"喵"了一声。

徐莫庭一愣，笑了出来。

时间过了两天，要说李安宁这边，心境平和一点的话，日子过起来也不算太糟，每天跟妈妈通电话，呃，还有徐莫庭。然后就是吃、睡，偶尔跟奶奶出去活动下。

这天早上安宁跟奶奶去附近的公园练了半小时太极，回来时难得碰到还没出门、在吃早餐的周兮。

“宁宁，运动好了，吃早饭吧。如果你等会儿没有事情，陪阿姨去逛逛街吧？”

安宁想了想，摇头道：“我有事。”的确有事情，约了蔷薇十点在一家咖啡馆门口碰头。

当天见到蔷薇后，安宁觉得自己真不应该来蹚这趟浑水。

蔷薇的嘴角浮着意味深长的笑容，双瞳犀利，显示出某种执着。

“为什么要扮成同性恋啊？”安宁欲哭无泪。

“测试他的性取向。”

“……”

安宁真的是硬生生被拖进去的，当蔷薇走到那男的面前，说到“我是傅蔷薇，她是我爱人”的时候，安宁差点儿想仰天长啸。

对方一笑：“傅小姐是吗？请坐。”他看了眼安宁，“请问你叫——”

“我姓李。”没打算说名字，赶紧吃完了就撤，太丢脸了。

蔷薇却兴致勃勃，因为是帅哥。

不过，十点，他在谈医院工作，十一点，还在谈医院工作，十二点，医院工作……蔷薇兴致平平了。

“我说大哥，除了你的医院，咱能不能再说点儿别的啊？”

对方停下来：“行，你想说什么？”

“你先前说你是什么科的？”

“Department of Gynecology，中文就是妇科。”

蔷薇兴致全无了，想走人但也不能表现得太明显，于是笑问：“你们医院处女膜修复要多少钱？”

对方嘴角抽了一下，缓缓站起身：“抱歉，我想起来今天还有事要去一趟医院。”

等那可怜的人快步走出咖啡座，安宁才忍不住笑道："你就不能找个委婉一点儿的理由？"

蔷薇耸耸肩："大凡委婉，攻击力度都不大。你说一男的，妇科，我老娘也真是厚道！"说完挺伤感地摆摆手，忽然想到什么，又问，"对了，你这次来广庆，妹夫有什么表现？"

"什么？"安宁不动声色。

"就是不让你来或者很黏你啊之类的，有没有？"

安宁鄙视："他很大方的好不？"不过，她来之前，他又是骗她去见家长又咬她什么的……算是黏她吗？

蔷薇深沉摇头："你要知道，越高风亮节的男人其实有些时候越阴险狡诈！他们寝室不是有一个人叫老三吗？昨天在网上碰到我就问我你去哪儿了，他们老大都恶劣（空闲）到找他们打球了，具体原话是，'妈的，老大那水平我们打得过吗？一场输了就一个月的工资啊啊啊！还让不让人活了！大嫂在哪里啊？！'"

安宁一头黑线。

蔷薇继续学老三的口气说话："我们老大从来没让人牵过手，从来没隔着几十米就能分辨出走过来的女生是谁，还隔三差五准点来学校报到，老大跟大嫂在一起那是纯良啊真纯良——我说这么多你明白吗？大嫂不在我们很难过啊。还有，嘿嘿，能不能让大嫂帮我把钱要回来啊？"

安宁非常无力地问："多少？"

蔷薇同情答："六千。"

"……"徐老大，你也太狠了吧？

2

安宁跟蔷薇在咖啡馆简单吃了点儿午饭后出来，在经过一家商场门口时竟碰到了周兮，安宁一时不知道要不要打招呼，倒是周兮先走了过来，笑语嫣然地问："宁宁，跟朋友逛完街了？要回去了吗？"她臂弯上挂着两袋衣物，是学生层的人穿的牌子，还有一些床上用品，东西挺多，她拎得也有些累的样子。

安宁看在眼里，犹豫着要不要帮忙，可又实在觉得有点儿别扭，最终只“嗯”了一声，也幸亏旁边的蔷薇机灵救场，跟面前的女士说：“阿姨，我们还要逛逛呢，就先走了啊。”

“她就是你那后妈？”没走几步蔷薇就问了。

“嗯。”

“看起来不坏嘛。”蔷薇算就事论事。

“是啊，不坏。”

其实，这位后母的性格跟母亲有些相像，很多地方可能还要来得更温柔一些，可安宁就是不知道怎么跟她相处和交流。

她还依稀记得上中学时第一次见到周兮，她是爸爸的秘书，她的脑海里一直记得周秘书漂亮的紫色长裙，步履轻盈，裙摆飘飘。

可这位漂亮的阿姨后来对着她妈妈说：“他爱的是我，为什么你就不能成全我们？！”

为什么？为什么有人觉得用“爱”的名义就可以光明正大地拆散一个家庭呢？而陪着那个男人一步步从头走来的糟糠之妻就成了阻碍这份伟大“爱情”的绊脚石？安宁不明白，她只知道母亲因为这件事情身体愈加不济，甚至胃出血进了医院，她当时并不明白那有多严重，她只是难过地陪在妈妈身边，没有别人，只有她。

母亲醒来时对她说：“妈妈当了十几年老师，累倒竟然不是‘春蚕到死丝方尽’，而是为了这种争先恐后的‘儿女情长’，也真是惭愧了。”

妈妈答应了离婚，而她判给了父亲。这场婚姻结束时妈妈唯一哭的是女儿没能属于她。

那天父亲找人将她带到广庆，那人长得很像周兮，好看的五官，带笑的眼睛，一种浑然天成的精英模样。她当时不知道怎么了，突然厌恶极了那种道貌岸然……她哭了，也闹了，而她只是不想离开这里，不想离开母亲。

以前的很多事情现在回想起来都有些支离破碎，甚至很多细节都想不起来了，但那种不舒服的感触却始终在，抹不去。

蔷薇见安宁一直默不作声，伸手碰了碰她的胳膊："阿喵，妹夫！"

安宁赶忙朝四周望了望，哪有徐莫庭，不禁皱眉道："你干吗吓我？"

"噗"一声，蔷薇笑出来："怎么看到徐莫庭你是'吓'啊？"

安宁有些悻悻的，不过不良情绪倒在不知不觉中消失了大半。

蔷薇搂住阿喵："走，再陪我去一个地方！"

"还要见人吗？"安宁头疼，"你到底约了几个？"

蔷薇安慰她："放心，接下来的是女人。"

更加不放心了。

蔷薇去停车场取车，她的自行车停在一片汽车里，在来去行人的注视下，傅某人一边淡定地开锁一边问："阿喵，你们寝室招贼了你知道吗？"

"啊？什么时候？"

"就昨天，朝阳说，半夜三更有人摸黑进来偷东西，结果被打得进了医院，啧，你说这贼也真会挑寝室，老沈那可是持有国家二级运动员证的哪！"

"呃……做贼确实也是项技术活。"说到这里，安宁不由得想起一件事情，"我们学校升博，一张国家级证书可以加10分吗？"

"你听说谁的？没这回事儿，上次朝阳还特地去问了导师来着，加分那是今年考研那一批的政策。"

安宁愣了愣。

蔷薇皱眉头："该不会是有人向你兜售假证吧？"

"不是假证不假证的问题……"而是，那是欺诈吧！太缺德了太缺德了，安宁咬牙，徐莫庭这人……就说没这么善良。

蔷薇直起身，将锁放在车篮里，看安宁一脸纠结："不会真被骗了吧？"

安宁幽幽道："我想回江泞。"报复……

这时旁边停着的车突然摇下车窗："美女，你们要去哪儿，我载你们一程？"

蔷薇打量了一下车主以及车牌，淡然一笑，说："谢谢，不用了，我有车。"

走出来的时候，安宁笑道："奔驰不错了啊。"

"不行，我在等阿斯顿·马丁！"

蔷薇要带安宁去见的人是傅大姐，按蔷薇的说法是她姐离家出走了，让她帮忙劝劝，"我老娘天天问她涨没涨工资。她最近压力也挺大的，嚷了一句：'当我援交妹啊，工资按日涨！'就走了。"

安宁一头黑线："那我要怎么劝呢？我跟你姐姐也不算熟悉啊。"只见过一次面而已，会不会太逾矩？

"没事儿，她挺喜欢你的！"

"……好吧。"

然而当天没有在傅家大姐"离家出走"时待的小公寓里找到人，蔷薇猜测："估计拔火罐去了，前些日子她身上整得跟七星瓢虫似的。对了，什么时候咱俩也去拔一拔？据说可以行气活血，平衡阴阳，阴阳噢！"

"……"安宁想回江泞。

此时的江泞市，虽然温度依然有点儿冷，但难得的是阳光明媚，所以徐莫庭正带着猫咪散步，路上偶尔来去的人都不由得望一眼这位清俊男人以及跟在他脚边的可爱小黑猫。

徐莫庭走到旁边的木椅上坐下。小黑猫也乖，马上跟过去跳到位子上盘坐成球，然后舔了舔背上的毛，朝主人"喵"了一声。莫庭一笑："你倒挺配合，不像——"说着抚了抚小家伙的脑袋。口袋里的手机响起，徐莫庭拿出来接听，对方说："老大，出来打球！"不是别人，正是最近输了不少钱的老三。

正晒太阳的人懒洋洋地回道："没空。"

"什么没空啊？大嫂又不在。"不赢回来誓不罢休！

徐莫庭眯了眯眼，有那么点儿命中红心的感觉，"你还有钱吗？"

赤裸裸的羞辱啊！老三火了，使出杀手锏："我有一张大嫂的照片！"

徐莫庭笑了笑："她的照片，我要大可以自己拍。"

老三笑了："嘿嘿，我手上的可是大嫂大一新进校那会儿照的，19岁啊19岁，你拍得到吗？拍得到吗？啊哈哈哈哈！"

莫庭轻哼了一声：“你找死。”

当天下午安宁在回家的途中接到一通陌生来电：“嫂子，你什么时候回来啊啊啊？！”

声音有点儿耳熟啊。

安宁回到家里时，周兮已经回来了，在厨房里煮晚餐，听到声音，周兮探出身，“宁宁，回来了？”

“嗯……奶奶呢？”

周兮笑道：“在房间里。差不多开饭了，你叫奶奶出来吧？”

老太太正窝床上戴着老花眼镜看京剧呢，安宁走过去坐到床沿，老太太拉着她有些凉的手放进毛毯里：“还是不喜欢周家的人？”

安宁缓缓低下头。

老太太拍拍她的手臂：“不喜欢就不用勉强自己了，有些人毕竟在你的生命里只是过客。呵呵，过几年奶奶就真成了你的过客了。”

“奶奶会长命百岁。”

老太太慈祥地笑道：“那就借我孙女的吉言了。”

吃完晚饭，安宁在客厅里陪着奶奶和周兮看了半小时电视就回房间了。一开电脑，千年难得看到徐莫庭在线上，安宁想了想，发了一张笑脸过去。

徐莫庭回：“视频。”

安宁：“汗！一上来就视频，也太轻浮了吧。”打字的速度比脑子转得快的悲剧。

结果就是全屏视频聊天，两人有几天没见面了，安宁发现自己看到他时竟然有种很想念的感觉。徐莫庭在家一向穿得很居家，很舒适，这时节不是毛线衣就是羊绒衫。他的相貌性格属清冷派，穿着却偏爱温和的料子，温和的色系。

安宁咳了一声，说：“好久不见。”

徐莫庭微一挑眉，“确实好久了。”

“咳咳……你最近挺忙？”

“托福。”

很空，拖你的福？“……”这种说话境界估计她一辈子都修炼不到。

两人有一句没一句地聊了一会儿，安宁想到之前的电话以及蔷薇复述的那些，含沙射影地问道："莫庭，老三大哥是江泞人吗？"

"张齐和老三都是本市人。"

"哦，你去赌钱了？"原本安宁想委婉地一步一步来，先问：你跟老三他们去打球了？然后问：你们打球输了是不是要被罚的？最后问：罚什么呢？结果……

徐莫庭看着已经趴在桌上的人，眼里笑意明显，但语气还是挺淡的："其实，要还钱也不是不可以。"

安宁抬起头："嗯？"

"我喜欢的人……以身抵债。"

徐老大你上辈子是土匪吗？安宁嘴里不由得嘀咕出声："幸亏现在你人不在这里。"天高皇帝远什么的。

"既然夫人邀请，那么，我过去吧。"

安宁好久好久之后都没反应过来，当她回过神来时对方已经说："不早了，早点儿睡吧。"

怎么可能睡得着？！

当晚，安宁失眠了，翻来覆去一宿，最终总算睡着了还做了噩梦，大灰狼来了，大灰狼笑着对小白兔说："要我给你胡萝卜也可以，你得让我咬一口。"

可怜的安宁忘了，其实那赌债说到底跟她一点儿关系都没有的。

3

之后安宁担惊受怕了两天，结果风平浪静。

她不禁怀疑徐莫庭是不是又在逗她？

第三天蔷薇一通电话把她招了出去，说是发现了她姐的踪迹。

出门的时候坐在门口晒太阳的老太太笑呵呵地说："宁宁今天穿得这么漂亮是要去约会吗？"

安宁莞尔："奶奶你想太多了，去见朋友而已。"说着转了一圈，"新毛衣，穿出来现一把。"

跟蔷薇在市区的一个公交站牌处会合，安宁远远看到那道熟悉的身影打着电话晃过来，“对不起，你打错了。我不认识他。你这女的咋这样啊，我都说了我不认识什么医生了！”越说越没耐心，也不晓得对面回了什么，最后只见傅某人邪魅一笑，一气呵成道：“妈的，我们还没起床呢，正忙着，他没空来接你电话！”

周围一圈等车的人都齐刷刷地望过来，已被蔷薇搂住肩膀的安宁淡定地一笑，境界这种东西……只要不是面对徐莫庭，她还是很有的。

蔷薇上下打量了一下安宁：“姑娘，漂亮啊。”

“那是。”

两人再次来到傅大姐在外的住处时，刚到小区大门口，就听到花坛旁边传来争吵声，安宁和蔷薇循声望去，就见一男一女在对骂，女的正是傅家大姐：“你以为我愿意跟你啊？！你赚的钱还没我多呢！”

那男的被说得面红耳赤，恼羞成怒，竟然在大庭广众之下就想冲上去打巴掌，不过蔷薇比他动作快，冲过去从背后就是一脚，直接将人踹翻在了地上，“我姐你也敢打！我踹不死你！”说完又加了两脚，她看周围看的人越来越多，就抽空说了句：“看什么看，没见过以多欺少啊？”

“……”

那男的从地上挣扎起来，啐了一句脏话：“妈的！”就想扑上来打蔷薇，这时傅大姐从他身后猛踹了一脚！

这局势安宁也不知道该担心还是该笑，而那男的估计有点儿恶向胆边生了，撞开蔷薇，与傅家大姐搏斗起来，大姐毕竟是女人，一下落了下风，场面有点儿不好收拾了，安宁看到小区铁门边上放着一根木棍，略作思考——最后过去拿起来，从那男的头后方一棍子打下去。

所有人都看向她……而那男的也看了她最后一眼后晕倒了。

也不知道是谁报了警，总之，安宁生平第一次进了警察局。

二十多平方米的房间里，摆着几张长条凳，里面除了她们三人，还有其他两男一女。

“对不起啊姑娘，把你连累进来了。”傅大姐坐在安宁身边很是惭愧地说。

安宁笑笑："没事，我就当来见见世面了吧。"

"呵，我就说你这姑娘有意思！"

站在门口一直往外边张望的蔷薇回过头来问："不会真要把咱们拘留了吧？不就是打个架吗！"

低着头的一男的此时抬起头来看了眼蔷薇："第一次进来啊？让人准备八百块钱吧。祈祷你打的那人不起诉你，否则坐牢都有可能！"

"不是吧？"蔷薇跟安宁对视一眼。

傅大姐这时倒是挺淡定的："没事儿，我有后台！"说着就拨电话了。

安宁坐在那儿，等得也有些无聊，拿出手机想看新闻，结果竟然上不去网，泪奔，警察局的信号怎么比山区还差啊？退而求其次发短信打发时间，然后发出去不到两秒对方就电话过来了。

"怎么回事？"徐莫庭的声音不急不缓，跟平时没多大差别。

"呃，没事。"她先前发的是，"我打架了，在警察局，上不了网。"她想表达的重点是"警察局竟然上不了网！"毕竟这种公家部门……

"自己有受伤吗？"

"没有没有！"安宁完全没想让他担心，而且这也确实是小事情，所以才会跟他可有可无地说一下，算是报告"行程"。

莫庭略沉吟："伤了别人？"

呃，相当不好意思，"伤了。"

对面停了两秒，"嗯"了一声，"那没事。"

安宁望向拘留房的天花板，怎么感觉那么像……"助纣为虐"？

跟徐莫庭又聊了几句，对方也像是不担心了，挂断的时候傅家大姐正作势摔电话："平时把自己吹得牛逼哄哄的，什么局长什么官员都认识，妈的，到头来谁都不认识，就认识一司机！窝囊废！"

蔷薇说："要不咱出点儿钱算了。

傅大姐不同意："干吗出钱？错的又不是我们，是那小贱人不识好歹，没打得他满地找牙算便宜他了！再说了，出钱，那是助长社会不良风气。”

蔷薇苦笑：“那咋办？总不能真被拘留吧？有了污点出去不好找对象啊。”

安宁问：“要不我找人帮忙试试？”

傅大姐回头，“你警察局有认识的人？”

“不是警察局的……不过也是官员吧。”

安宁找的是周锦程，虽然心里是不大愿意的，但，总不能找她爸吧。

对方问了详细的事情经过，安宁在说到自己把对方打晕时，手机那头的周锦程似乎笑了笑。

打电话的中途一男警员过来，说是要做笔录，问她们仨谁先来，傅大姐自告奋勇先过去了。

“你们是犯了什么事？”房间里那名不认识的女同志从她们进来开始就在打量她们。

蔷薇耸肩：“斗殴。”

“呵，不像。”

安宁已挂断电话，好奇问：“那像什么？”

对方说：“知识分子。”

蔷薇笑出来：“姐有眼光！咱们正是未来的科学家。”

安宁默默扭头看墙角。

轮到最后安宁去做笔录时，周锦程过来了，一眼望到要找的人，他没有马上走上去，而是跟一位从办公室出来的警局领导握手寒暄。

“原来是李书记的女儿。”

周锦程笑了笑：“年纪小，不懂事。”

“其实周先生不来，我们也要放了，上头刚来电话，是徐家的人。你说我——唉，其实也就是一件小事儿，被打的那人也已确认过没大碍了。我们这边走完程序，把该问的问完，她们就可以走了。”

周锦程点点头，再次跟他握了手：“谢谢。”

走出警察局，傅大姐谢了周锦程，蔷薇跟安宁比了个晚点儿联系的手势，便与傅家大姐打车离开了。

安宁跟在周锦程后面走了一会儿：“今天的事谢谢你。”

锦程回头看了她一眼，说：“送你回家吧。”

安宁也不再多说什么，回到家洗了澡，出来时就听到电话在响，正是蔷薇，这家伙一上来就直奔主题：“你那舅舅挺厉害的嘛。”

“嗯。”安宁一边擦头发一边含糊地应着。

“阿喵啊，我姐让我问你，你舅有对象了没？”

“咳咳咳！”

这晚经常在外应酬吃饭的李启山难得回家吃晚饭，安宁下楼时就见到正进门的父亲，还有先前跟她一道回来的周锦程。坐在沙发上的老太太见孙女下来，起身过来牵了她的手，满面笑容地问孙女：“宁宁饿了吗？奶奶今天特意陪着詹阿姨去市场买了许多菜，都是你爱吃的。”

“谢谢奶奶。”

李启山见老太太对女儿的宝贝状，不免摇头道：“她都多大了，您还当她孩子似的。”

老太太哪里在意这些，笑呵呵地说：“我就这么一个孙女，我不疼她我疼谁？”

安宁随奶奶坐到沙发上，周锦程坐在离她不远的位子上。她和这位亲戚一直相处不融洽，主要是因为以前的一些不愉快，但今天毕竟是他帮了忙，所以在他给奶奶削了个苹果后，又削了个递给她时，安宁接过朝他说了声“谢谢”，对方微微点了点头。李启山跟周锦程说了一会儿工作上的事情，才将注意力转到女儿身上：“过了年，你有什么打算吗？”

“想考博。”

这一说，让在座的所有人都朝她望过来，李奶奶也有些讶异：“怎么？宁宁还要继续读书吗？”

李启山说：“书读得多未必有用。”

安宁也明白父亲肯定不会轻易答应的，正待开口，旁边的周锦程浅笑道：“宁宁这专业能读博倒是不错的，毕竟是理化科，学历是硬要求。”

安宁愣了愣，眼里有些意外。

李启山却明显不认同：“女孩子不需要太高的学历。”

老太太道：“宁宁想读就让她读吧。”

“先生，老太太，可以吃饭了。”詹阿姨从厨房里端出最后的一道汤，安宁起身去帮忙拿碗筷，也算松了一口气。只是不大明白，在这种事上周锦程怎么会帮她说话了？

吃饭的时候老太太在讲佛理，李启山也不便再对女儿多说什么。

“能守信者，则家内安和，福气自然而至，非神之所授也。”老太太笑道，“佛家的道理，你们年纪轻的，都要领悟几年才能懂得。”

安宁笑道：“奶奶，这是阿难说的吧？”

“对，对！”老太太惊讶之余，眉开眼笑地对孙女道，“人生活百岁，不解生灭法，不如生一日，而能了解之。”

“嗯，奶奶，据说阿难长得是令人神共愤的英俊潇洒噢。”

“……”

好吧，她把奶奶也冷了，看到对面的周锦程正望着她，带着几分笑意，安宁咳了咳，低头吃饭。

詹阿姨走过来对她说道：“宁宁，有人找。”

安宁“咦”了声，心想，这时候还是这里，谁会找我？

4

安宁起身跟阿姨走出去的时候还是忍不住好奇先问了声：“阿姨，是谁找我？”

去牵大狗进屋的詹阿姨满面笑容地指向花园门口，笑着问她：“宁宁，是你的同学吗？真是漂亮的年轻人。”

安宁随之望过去，就看见栅栏边停着一辆白色的车子，车旁站着的人，一身浅色系衣装，清俊不凡。

安宁眼睛里满是不可置信，等思绪一稳定，马上跑向他：“你怎么来了？”

徐莫庭脸上一向是看不出什么情绪的：“我来讨债。”

安宁想到前两天说到的“以身抵债”，无语了。

莫庭看够了，才略带笑意地慢慢开口：“我来看你，你好像不是很乐意？”

对于某人的欲加之罪，安宁现在已经很能从容应对了，笑眯眯道：

“我看到你很惊讶，但也有喜啊，俗称惊喜。”

莫庭的目光微微闪动，然后说：“既然这样那再多给一点儿‘喜’吧。”

那是一个结结实实的吻，充满隐秘的思念的渴望。安宁只觉得有细微的电流穿过全身，让她不由自主地颤了一下，想要开口，湿热的舌趁其不备探入，吞咽了她所有的言辞。徐莫庭拥着她侧了点儿身，安宁的背就贴在了车门上，后颈被他的手臂勾住，完全没有可以移动的空间。灼烫的男性气息来势汹汹，唇齿间执拗的纠缠让安宁有些喘不过气来。也不晓得过了多久，对方才逐渐放松力道，改成点点轻吻，恢复了温柔有礼。

他靠在她耳边说：“我还没吃晚饭，不介意陪我去吃顿饭吧？”

被诱惑了心智的安宁机械地点头。

徐莫庭一笑，往她身后看去，“那跟你的家人说声再见。”

“……”

安宁转头，詹阿姨牵着大狗还没进屋呢，又是难为情又是三姑六婆的模样望着他们，见安宁看过来，马上乐呵呵地俯身做抚摸大狗状。

安宁满脸通红，回头瞪着面前的人，最后委屈道：“你就不能挑一个没人的地方？”

徐莫庭轻轻扬起嘴角，注视着她的黑眸尤为深邃：“说得是，下次记得。”

她刚刚说了什么……安宁黯然神伤，觉得跟徐老大在一起时间久了，自己都变得不得要领了。

“说再见。”徐莫庭指尖轻轻缠住她的发尾。

安宁睨他，抽回自己的头发，回头跟詹阿姨轻喊了一声：“阿姨，我陪朋友出去一下，晚点儿回来。”

“去吧去吧！”胖胖的詹阿姨眉开眼笑地只差没挥手了。

阿姨，长得好看不代表他就是好人，不代表他童叟无欺啊。

坐上车的时候安宁想到一点，转头问身边的人：“你要不要先进去见一下我家人？”

徐莫庭说：“如果是正式见，我想先见你母亲。”

安宁一愣，随后有些动容地望着他，唔，她好像越来越喜欢他了。

眼见白色车子开远，詹阿姨安置好大狗后就笑着快步走进里屋，一碰到厨房里在倒水喝的李家奶奶便兴奋道出："老太太，刚刚啊，宁宁的男朋友来了！"

老太太呛咳了一声，问："谁来了？"

"宁宁男朋友，长得是真真俊，我倒还真没见过长这么好看的男孩子呢，跟宁宁站在一起登对极了。"说着四五十岁的詹阿姨红了下老脸，"还抱了就亲嘴呢，现在的年轻人可不比我们当年了呀。"

老太太走到窗口往外头望，"人呢？"

詹阿姨走过来扶住她，笑道："带宁宁出去玩了，小两口二人世界去了。"

老太太也笑了："她连饭都还没吃完呢。你看着那年轻人可靠吗？"

詹阿姨点头说："一看就是好人家的孩子，有教养，有礼貌，之前跟我说话也是客客气气的。"

"这丫头，怎么也不带进来让我们看看？"说着倒有些许怅然若失，"一眨眼原来我们家宁宁也到了谈恋爱的年纪了，我总还记得她十来岁扎着马尾辫子去上跳舞课时的模样。"老太太心里既骄傲又有些不舍，以后嫁了人可更难见到了。

"老太太，这是应该开心的事情，宁宁早些成家立业，您也能早点儿抱到曾外孙、曾外孙女了。"老太太听了也不得不赞同地点头，老人家最开心的就是看到儿孙满堂。这时詹阿姨看到周锦程拿着自己吃用过的碗筷走进厨房，马上过去接手，"周先生，您放着，我来收拾。"

"不碍事，举手之劳。"

周锦程出来时，按了按眉头，此时客厅里的李启山起身道："那丫头出去了？锦程，你如果不急着走我想跟你谈谈。"

刚到书房里，周锦程一坐下便点明了："您是想说安宁升学的事情？"

李启山道："读博士，呵，读出来能有多大的用途？"

周锦程淡淡开口："您有没有考虑过，也许安宁并不适合兢兢业业的生活？"

李启山转头看着他，"你从北京回来后不愿到我这儿来发展，回了江泞，也好，我也说过你回了那边能照应她的地方多照应一些，但不是让你帮她在那边安身立命的。”

周锦程微微颔首，没再多说什么。

李启山道：“你也明白我一直想要她回来，宁宁是我唯一的女儿，我能给的也就是为她铺平一条道路，过了年她就25岁了，在此之前我可以任她过自己想过的日子，但是今后我绝对不希望她再这样空洞无目的地过下去。”

当年离婚，江泞市的房子和一半的财产他都主动划分给了前任太太，工作他也申请调到了广庆市，他李启山什么都可以退一步，但女儿必须得跟他，要冠他李家的姓，这点毋庸置疑，而当初宁宁也的确判给了他，本来当天就要把她带回来，可偏偏她闹得出了车祸，住了医院，住院的那两个多月她都没说一句话，而她开口的第一句话是：“我想跟着我妈。”

那句话，他听着是心酸的，难受的，作为一个父亲，他也希望女儿偏袒自己一些……最终是让了步，他想等孩子大点儿，懂得一些世俗道理，再带她回广庆，却没想到女儿一直都没有来广庆的念头，她母亲也任由她得过且过。

那时可以当她不成熟，但现在她依然不懂人情世故，对未来没有该有的抱负，他是不能接受的。

李启山语重心长道：“锦程，我信任你，不光是那一层亲戚关系，更是因为我看中你自身的能力。”

周锦程笑笑：“我知道。”

“你姐姐这几年也挺不好过的。我不奢望宁宁能叫周兮一声妈，可她到现在却是连一声‘阿姨’都不肯叫，你姐嘴上虽然没说，但心里是难受的。当年我不让她生孩子，是我补偿宁宁的，也是亏欠你姐姐的，我想让她把宁宁当亲生女儿，也希望宁宁能接受周兮，可是那孩子——”李启山拿起书桌上的一张女孩照片，林下风致，眼睛清亮，笑靥如夏花，“你说宁宁乖么是乖的，但却有些孤僻，不想理的人是一分心思都不愿意花，现在，连我这爸爸她都有些爱理不理的。”

周锦程沉默不语，眉宇间隐隐有几分淡漠。

安宁这一边，由她带路去了一家广庆市比较有特色的餐厅，徐莫庭去停车，她先进去找位子。

“请问几位？”

“两位。”刚要穿过内门，旁边有人快步经过她身边，两人挤了一下，那女人望了安宁一眼，“猪啊，不会侧着走啊？”

安宁皱眉：“又不是螃蟹。”

旁边站着的两名服务生笑了出来。

那女的面露不快：“笑什么？你们什么服务态度？”

服务员看着这位比安宁体型明显“丰满”N多的顾客，真觉得那什么多作怪了，不过也马上招呼：“小姐，您几位？”

对方斜了眼安宁，才对服务生道：“已经有人定位子了，带路吧！”说完扭着腰进去了。

而安宁则在服务员的友好带领下找了一张相当不错的靠窗位子，不过一坐下就望到隔了两张桌位的地方正是刚刚那女人。

安宁“咦”了一声，因为那女的对面的男人有点儿眼熟，是谁呢？

安宁感觉脸上一凉，抬眼看到徐莫庭，他的手指擦过她左脸，然后落座在她对面，“东张西望什么呢？”

安宁严重怀疑这人现在有托词没托词都要来乘机调戏自己一把了，于是默默戒备。

徐莫庭给安宁倒茶：“夫人请客？”

“好啊。”

……

上菜的时候，安宁的电话响起，看号码似曾相识，接起：“你好。”

“大嫂，我没钱吃饭了！”

“……”

电话那头，旁边一道声音骂道：“老三，咱们不是跟嫂子要钱，说清楚，是要让她帮忙把老大‘××○○’了！”

“……”

“对，对！”老三继续悲怆地说，“大嫂，你什么时候回来？老大他太狠绝了，连后路都不给我们留一条啊！他吃人不吐骨头啊！”

背后耀武扬威，声音自然洪亮，因此，话筒外面也能听到，所以徐莫庭伸手接过了电话。

当对方悲怆了三分钟后第一道菜上来的时候，徐莫庭才慢悠悠地说："放心，回去我会加倍'还'你们的。"

"……我是谁？这是哪里？我为什么在打电话？……"老三的声音慢慢飘远。

安宁咬着唇忍着笑接过手机。

"以后他们打来，你不用理。"

安宁终于笑出声："但是很好玩啊。"

"有我好？"有人非常厚脸皮，且断章取义。

安宁瞅了他一眼，嘟哝道："你要是生在古代，绝对是杀人不眨眼的魔教教主。"

徐莫庭笑了："夫人抬举了。"

5

莫庭吃饭是相当慢条斯理的，安宁晚餐算是吃过了，所以只陪着喝茶，偶尔看看窗外，再看看对座的人，徐莫庭本就是眉目清朗的人，但因有点儿形于外的气势，总让人觉得过于偏冷傲了，不过……依然很好看啊。莫非是情人眼里出西施？

浑然不觉自己的"隐秘欣赏"已经被对方察觉，徐莫庭抬起头，若无其事道："是否打算以身相许了？"

这人……

安宁哭笑不得之后很有风度地略过，忽然想起一件事，打岔问他："前天我妈妈跟我说收到一些包裹。"都是极高档的滋补品、养生品，大姨说如果是真货加起来好几万呢，安宁觉得这礼也太重了。

徐莫庭放下手里的筷子，淡淡道："不是我送的。"

安宁不相信，继续狐疑地看着他，她的感觉一向很准的。

徐莫庭无奈轻笑："是你未来婆婆送的。"

"……"

“你不用在意这些，只是——如果对你母亲有所帮助，其他都是其次。”徐莫庭不想她想太多。

安宁盯着他看了一会儿，心里暖暖的，不过还是严肃道：“以后叫你妈妈不要送了，太破费了。”安宁是真觉得太贵了。

“没事，反正都是一家人。”徐莫庭说得天经地义。

徐老大，你一定要绕到那里去吗？

“跟你说真的呢！”

徐莫庭微微一笑道：“安宁，我说得再真不过了。”

某人完败。

这时候，安宁看到跟他们相隔两桌的地方，那女的正指着她问对面的人：“你干吗看她？是不是她？”

安宁莫名其妙，而那男的望了她一眼，低头对女伴解释起来，但后者显然不肯配合，“我不听！你们什么时候认识的？你说，你说啊！”只离了四五米的距离，中间的位子也没有坐人，所以即便那两人说得不响，安宁还是能听到一些大概。

安宁心想，莫非遇到了传说中的“狗血剧”……那男的再次望向安宁，有那么点儿悔不当初地说：“就几天前吧。”

安宁傻眼了，他谁啊？

徐莫庭问：“是不是觉得有些吵？”

他是背对那一桌的，而且有沙发边的盆栽遮挡，所以上演爱情保卫战的两人只能隐约看到徐莫庭的一点侧影。

安宁收回视线，反正是无关紧要的人，随他们去吧！

只是安宁不晓得通常狗血是洒不完的。

“她是不是追着你来的？怪不得了，我刚进门的时候她就跟我过不去！”越说越八点档，已经有不少临近桌的客人翘首观摩。

安宁很无奈，那女的又说了一堆，那男的才吞吞吐吐地回：“她跟她朋友就问过我，我们医院修复处女膜的事情，是她们来缠我的。”

安宁听到这句话才依稀想起那人是谁，跟蔷薇相亲过的那名妇科医生。

不过，安宁有些火了，这人也太没品了吧？

“认识的？”莫庭问，他懒得回过头去看闲杂人等一眼。

安宁摇头：“不算，只是蔷薇跟他相过亲。”

徐莫庭微扬眉，“你去相亲？”

安宁有些想笑，“我只是陪客而已，你就只关心这个……”

“那关心什么？”

呃，好吧……

安宁见徐老大挺平和的，但安全起见还是说：“没关系的，毕竟嘴长在别人脸上。”只要你不误会，最后一句话安宁放在心里。

“不行。”莫庭笑了笑，“我一向有仇必报的。”

安宁呆了数秒，徐老大不会是想去格杀勿论吧？

虽然很高兴很开心他的信任和维护，但是，那种人不值得。

安宁正要说：“走自己的路，让别人说去吧！”那医生竟然主动送上门来了。

对方走过来挺抱歉地叫了一声“李小姐”，转头看到安宁对面的人，不由得一愣。

安宁自然不舍得让徐莫庭搅合进这种事情里，冷淡地开口：“有事？”只希望他快点儿走。

那医生犹豫再三，还是说：“李小姐，我女朋友——唉，能不能请李小姐帮一下忙。”

帮忙？安宁没见过这么厚脸皮的人，一时无话可说。

妇科医生还想再说什么，就听到一道声音突然问：“你想让她帮什么忙？”

医生回头看出声的人，安宁也看他，徐莫庭脸上没什么表情，只是道：“你要我太太帮什么忙，我总要知道一下吧。”

医生傻眼了，安宁也傻眼了。

太太？

“夫人”嘛，安宁觉得还有点儿戏的感觉，但是太太……

那医生站在那里极为尴尬，原本以为这有点儿冷峻的男人只是她的另一位相亲对象，没想到竟是……

徐莫庭对别人向来没多少耐心，等了两三秒见他无话可说，便道："既然没有，那可否让我跟我太太安静用餐了？"也就是可以滚了的意思。

"……"

唔，安宁心说虽然被"太太"小小刺激了下，但是不得不承认被人维护的感觉真好。但对于徐莫庭来说这只是铺垫，所以当那丰满的女人过来时，徐莫庭很适时地又缓缓地对那医生说了句："你觉得你跟我比……我太太会看你一眼？"你觉得你跟我比，何止差一点儿，我太太会看你一眼，在任何情况下？

所以说，不要轻易惹腹黑又护短的外交官，他们擅长彬彬有礼地把人刻薄死。

当时那名彪悍的女士竟也没有发飙，安宁很奇怪，然后又瞬间了悟了——传说中的秒杀啊。

出来时安宁一直扯着莫庭的袖子闷笑，虽然不应该，但真的觉得挺痛快的，"你太坏了。"

"不喜欢？"

"喜欢极了。"安宁愣了愣，另一只手轻打了他一下，"又套我话。"

徐莫庭低头对她一笑，"什么时候我不套你也说了，我也就轻松了，不用想招了。"

这人啊……

隐隐地，心里头有烫烫的感觉。

安宁咳了咳，问："你以前也是这么对付看不顺眼的人的吗？"

"不，第一次。"

安宁不信。

"通常不太会有人敢来主动冒犯我。"

"……"

这一边，周锦程开车到住处，在经过一条街时，望到一对出色的情侣，男的俊，女的漂亮，他们靠在一起，宛如就是为了印证那句"天造地设"。女孩子的手一直挽着男友的手臂，轻言细语，笑靥如夏花。

周锦程不由得跟着一笑，然而笑容很快便淡下去了。绿灯亮起时，他踩了一脚油门。过了十字路口，他摇下车窗，让冷风吹进来令头脑清醒一些。他周锦程一向比常人懂得如何循着处世规则机巧善变，压抑真实情绪，因此，做人也比别人累。

车子停在他在广庆市这边买的房子楼下，周锦程在车上坐了一会儿，伸手拉开储物格，那里面放着一本《五代史》，很旧了，封面上还有一些早已干透的血迹。

那是一场意外，他却也难辞其咎，他应该考虑到她当时的情绪。

可他一开始却只把她当成一个幼稚任性的女孩。

他抱着她到医院的时候，她一直在说："你让我回到我妈妈那里好不好……"

锦程打开书，里面夹着一封信，也染了血迹。

他翻开白色信封里抽出来的纸张，字体被血染得斑驳，大体已经看不清楚，只在尾端没沾血的地方能看到一个名字：徐莫庭。

安宁陪着徐少爷找酒店，其实广庆市酒店行业是相当发达的，也就是说哪哪都有，偏生徐老大挑剔得很，床单不够干燥不行，里面常年中央空调的不行，服务生不够漂亮也不行。

安宁怒了，拉低他咬牙道："你管人家漂不漂亮！这是最后一家五星级了！再说你女朋友我漂亮不就行了！"

莫庭抿嘴一笑："那你陪我？"

"……"

就在安宁纠结不已的时候，徐莫庭付了押金，一间双人房。柜台后面的服务员看了眼这对养眼的情侣不禁会心一笑。

在电梯里，安宁严谨道："我坐一会儿就走。"

徐莫庭点点头："可以。"

突然这么好说话了，安宁反倒不适应，刚要转头看他，就觉得眼前光线暗了暗，温热柔软的唇覆盖上了她的嘴唇。

一吻过去，安宁迷离的眼眸望向面前的人，当她对上对方的眼睛时，那里清晰地燃着幽深的光亮。徐莫庭并不是热情的人，但面对李安宁时却时时透着隐秘的真诚的渴望。

"安宁。"徐莫庭擒住她的下巴，再一次将她的呼吸吞没。

第十一章

相知相许

1

安宁是被迷迷糊糊地揽着出电梯的，他竟然在电梯里就吻了……又吻，那里面还有摄像头呢！她还隐约听到走廊上经过的一个女人说了一声："真帅啊。"

安宁想到《倚天屠龙记》里殷素素对张无忌说的"越好看的人越危险"，不禁入情入境感同身受。

进到房间里时安宁弱弱地提防着，毕竟是酒店，徐老大，很危险，说不定马上就会……

结果是，莫庭把行李放下，给她倒了杯矿泉水，开了电视，电视里在播晚间新闻，他进了洗手间洗手，听到新闻说地震就问她："哪里地震？"

"新西兰。"

"嗯。"

安宁鄙视自己思想龌龊！

房间里电视节目主持人的声音时不时传出，莫庭走到安宁旁边坐下，脱了外套。他里面穿着一件暖灰色的毛线衣，把他衬得很是斯文清俊。安宁望了他一眼，心不由得怦怦直跳。徐莫庭目不斜视地看新闻，也非常自然地拿过她的水杯喝了几口。

安宁见他好像挺渴，要起身再去倒水，莫庭伸手拉住她，“不用，坐着吧，多陪我一会儿。”

安宁捏着空水杯重新坐下，顾左右而言他：“你打算在这边待几天？”两人靠得很近，他的手一直没松开。

“三天。”徐莫庭微笑，“如果你希望我多留几天，我可以考虑多待几天。”

安宁第一反应就是好短，不过听他说出后一句便坚定答：“不用！”主要是大过年的，人家也要去陪父母的，总不能自私地让他在这边陪她过完年才回去。

莫庭笑了笑，像是随口说道：“对了，我养了只猫。”

“真的？”安宁有些惊讶，徐老大养猫，不可思议，于是抓住他的手臂就问道，“什么时候养的？长什么样的？下次让我看看！”她一直想养，可惜妈妈身体不好，不能养。

徐莫庭轻描淡写地说：“原本是想当聘礼的，不过提早让你看下也不是不可以。”

安宁一顿，随即明白过来，抬起他的手轻咬了一口。莫庭无声地微笑，随后将她轻轻压在了床上，安宁手上的杯子滚到了地上。徐莫庭在她唇上吻了一下，然后伸手覆住她的眼睛，渐渐加深亲吻。

当天徐莫庭送她回家，文质彬彬。

在下车之前，莫庭抚了抚她的脸开玩笑地说：“你的表情好像有点儿失望？”

安宁面颊绯红地跳下车，才敢回头道：“我只是在想你什么时候从良了？”

见心上人“落荒而逃”，徐莫庭按了按眉心，他不是从良，他是从长计议……在酒店里，庆幸她不知道他在想什么，也庆幸自己涵养功夫了得，没有溃不成军。

徐莫庭看到她进了房子里，才长长、慢慢地呼出一口气，握着方向盘的手心有些许汗湿。

安宁走进客厅，就同从厨房里出来的周兮碰上了。

“宁宁。”周兮素面朝天，快三十五了，却仍然美丽动人。

安宁点了下头，极淡地笑了笑。从她身边经过时，周兮又叫住了她：“宁宁，你有时间吗？我上次给你买了几件衣服——”

安宁微微皱了皱眉，才摇了摇头说：“谢谢，我有衣服。”

周兮的表情有些为难，随即又恢复从容，她上前一步想拉住安宁的手，却被安宁轻轻避开了。

安宁也不想这么冷淡的，可就是条件反射一般地不想与之多接触。

周兮看着她，眼中有歉意：“宁宁，当年……”

安宁低声打断她，不喜欢她谈论到当年，更不喜欢她谈论到她妈妈，但毕竟不擅长讲重话，只是道：“我上楼去了。”

安宁洗完澡，躺在床上辗转了大半夜，一直睡不着，最后拔了熟悉的号码。

“喂？”

“你也还没睡？”

“在等你电话。”

安宁的情绪立刻好转：“莫庭，你讨厌过什么人吗？”

“哪种程度的？”徐莫庭的声音低柔，慢慢陪着她消磨时间。

安宁想了想：“不愿意与之相处、见面、讲话……”

“那很多。”

“哎，你认真一点儿。”

徐莫庭莞尔：“只有你总以为我是在说笑。你为何不问我喜欢什么人，我倒能说上一位，要听吗？”

“不用了。”安宁翻了身，轻声道，“莫庭，我觉得自己越来越坏了。”

“嗯，如果你想杀人，我会给你递刀并替你坐牢。”

安宁无语，不过精神却不再消极，于是有一句没一句地跟他聊着，对方低柔的声音仿佛能催眠，渐渐让她闭上了眼帘……徐莫庭听着她舒缓的呼吸声，过了许久才轻声道了句“晚安”，挂断电话。

安宁睡了五六个小时就醒了，不过精神很好，一走到楼下便看到了奶奶。老太太一见她便笑眯眯地招她过去，自然是要好好询问宝贝孙女的“男朋友了”。安宁对奶奶是知无不言的，老太太问什么她答什么，名字、出身、长相、人品……最后老太太笑道：“姑娘家也不害臊，有这么捧自己男朋友的吗？丰神清朗，颖悟绝伦？什么时候带回来让奶奶瞧瞧才是真的！”

“我问问他。”安宁摸摸额头有点儿窘。

这时詹阿姨过来说：“宁宁，你爸爸找你呢，在书房。”

“哦。”安宁的脸上挂起一分无奈。

李启山本是大忙人，一周都见不上几次面，最近两天居然都无须外出。见女儿进来，他从皮椅上起身走到沙发边坐下，拍拍身边的位置：“宁宁，爸爸有些话要跟你谈谈。”

安宁有些预感，果然一坐下父亲便问道：“你跟徐家的儿子在交往是吗？”

“嗯。”这件事安宁不想隐瞒。

李启山沉默了一会儿：“宁宁，我知道你们之间或许有了不错的关系，可是，感情并不是那么简单的事情。你们都还太年轻，甚至还没有定性，追逐一时的快乐无可厚非，如果只是单纯谈恋爱爸爸不会反对，但如果是长久交往，甚至牵扯到婚姻，那我是不同意的，徐家太复杂了，里面有太多的政治冲突。宁宁，徐莫庭不适合你。”

安宁沉默着没有出声。

李启山一向是铁腕人物，如果不是对女儿习惯性地包容，可能会直接命令她跟徐家的少爷分手。

“他现在才25岁，就在外事局里任要职了，别人要花好几年才能争取到的位子，他一两年就上去了，多少人羡慕嫉妒，但这些让人羡慕嫉妒的东西，也都只是他们徐家人让他小试锋芒的，他将来的职位、事业，绝对不可能简单，包括婚姻也是。”说着将茶几上的一份档案拿起来递给女儿，才又说，“宁宁，我跟你讲一件旧事你就会懂了，我也想让你知道，锦程和他姐姐并不容易。”

“锦程他们家本来也是江泞上得了台面的世代书香家庭，破败下来，很大的原因就是因为徐家。

“这种事情，徐家少爷估计不会跟你说。

“当年锦程的母亲原本是徐莫庭二叔的恋人，两人留学相遇，认识一年后正式确定了恋人关系。

“徐家老二当时跟IT业大亨张家的女儿有婚约，徐家人发现这段不该发生的恋情后就命令徐家老二回了国，让他跟张家的女儿履行了婚约。这件事那时候闹得很大，但被徐家用权势压了下去。

“锦程的母亲后来嫁进周家，精神一直不太好，而徐家老二还一直跟她暗中有所往来，但又不负责。锦程的母亲最后是自杀身亡的。而锦程的父亲周慕华当时是小有名气的书画家，在锦程母亲死后一直过得很不得志，最终也抑郁而终。宁宁，两条命去了，徐家却一点儿事都没有。

“你看不出其中有多少门道，爸爸却很清楚。徐家走到今天，一代爬得比一代高，不是轻而易举就能达到的。

“爸爸不想看到你受到伤害，你明白吗？”

安宁从书房出来，便收到了徐莫庭的短信：起来了吗？我打电话过来。

安宁一时之间不知道要回什么，走回房间洗了脸。蔷薇打电话过来，约她出去，安宁想了想，答应了。

跟蔷薇在一家日式拉面店碰头，蔷薇还带了两男一女过来，都是她高中同学。

一见安宁出现在门口，蔷薇便起身招手：“阿喵，这边！”

一男生已经主动拉开身边的座位让她坐下，安宁说了声“谢谢”，蔷薇拍拍男同志的肩说：“别想了，她有主了。”

对方没在意，只笑笑：“庸俗了吧，咱就是单纯想为美女服务而已，不求回报，只求深刻理解。”

在其他人笑闹的时候，安宁始终心不在焉的。一伙人边吃边聊，安宁很少搭话，被问到就回一句。

跟她不熟悉的三人都觉得她有点儿冷淡，心想大概美女都是不好亲近的吧，蔷薇是完全没察觉到异样，阿喵想事情发呆是很正常的事。

安宁没什么胃口，吃了一点儿面就喝着温水听他们讲话，阳光透过玻璃照进来，暖洋洋地铺在身上，却一点儿也驱散不去心里的阴霾。

“对不起先生，我们这里不能刷卡。”

低沉的声音回答了什么，听不太清楚，安宁僵了一下转头，便看见十来米外一道熟悉的身影站在柜台处。

安宁回过神来，立即起身走过去，从包里拿出皮夹用现金付了账，收款的服务员见的世面也是多的，只当是美女帮帅哥付钱了，笑着结了账将找的零钱递给她，安宁一直感觉到身边的人在看着她，忽然眼睛红了，什么也不想就伸手抱住了他，对方的神情温情如水。

帅哥美女本来就吸引人眼球，这么“亲密”的就更加让人一顾三盼了。

先前对安宁献殷勤的男生轻声感慨：“唉，哪里冷淡了。”

蔷薇也震惊得很，妹夫怎么来广庆了？！

徐莫庭远远对她点了下头，就揽着女友出了餐厅。

到了车上，徐莫庭开了暖气，并不急着开车，而是轻轻搂住了她。

“我发短信给你的时候，车已经开到你家附近，看你开着车出来，便跟了过来，见你约了朋友，就不想打扰了。”

安宁有些内疚，抱着他，将脸埋在他的胸口。

徐莫庭也不问她为什么突然之间情绪低落，只一下一下抚着她的背。

而安宁因为之前精神太过紧绷，放松下来后就有点犯困了，抱着莫庭没多久就睡着了。

安宁醒来时，车子正在平缓地向前行驶，轻柔的音乐流淌在车厢里。

旁边的人见她醒了，柔声道：“这边亲戚有一幢闲置的房子，我借来住两天。还困吗？马上就到了。”

安宁这才看清楚外面的风景，依山傍湖，安详宁静，参天古木中偶有几幢别墅点缀其间。徐莫庭拐进一条幽静的小道，将车子开到一幢砖红色的两层别墅前，旁边有车库，他没有停进去，而是在花园门口熄了火。

徐莫庭俯身帮她解开安全带。

安宁下车看了看周围，不由得赞叹："这里真漂亮。"

徐莫庭过来牵住她的手说："等一会儿可以去湖边看落日。"

安宁笑着点头，也忘了问为什么要来这里。

2

徐莫庭去楼上放东西，安宁在房子里粗略逛了一遍，只得出一句："如果是两个人住，我可不要这么大的房子，感觉太冷清了。"

徐莫庭从二楼下来，手上多了一件外套，听到她说的话不由得一笑："那120平方米的怎么样？"

"呃，差不多。"其实还是有点儿大。徐莫庭示意她过去，安宁开心地走到他面前，刚进屋的时候就开了暖气，但客厅一时还没能暖和起来。徐莫庭将手上的外套给她穿上，她笑着展平手臂配合他，米色的外套柔软又有质感，一穿上就觉得温暖，似有若无的还有一丝清新的香味。穿好衣服，安宁抱住他，手从他的线衣下摆伸进去，碰上他光滑的腰背，"真暖和。"

徐莫庭无奈："别闹。"说是这么说，但也舍不得拉走她的手，温柔地问，"饿不饿？"

安宁被他一提醒，就觉得饿了，早上没吃东西，中午跟蔷薇他们在一起时又只吃了一点儿面条。她仰起头问："我们要再开车出去吃东西吗？这里离市中心好像有点儿远。"

"不用出去。"徐莫庭道，"我做给你吃。"

安宁忘了徐老大是出得厅堂下得厨房的全能型男友，马上喜滋滋地奉承："那我帮你打下手吧！"

徐莫庭轻笑："好啊，去洗手，看看冰箱里有什么。"

安宁走进厨房打开冰箱，琳琅满目，不禁想到之前逛房子的时候也是一尘不染的，狐疑地望向身后的人。

徐莫庭一看她的神情便知道她在想什么："应该是我那亲戚让人来打扫整理过。"

安宁眨了眨眼睛："照顾得真周全。感觉像微服出巡。"

徐莫庭抬手轻轻捏了捏她的脸："胡说什么，我充其量就是来探视女友，谁让她那么冷血弃我于不顾。"

安宁心里欢喜，脸上却仍然一本正经："明明有这么好的待遇在，那你之前干吗还要住酒店？"

"离你家近点儿。"离你近点儿……

安宁自然听明白了，脸上泛起些微红晕说："饿了，煮饭给我吃！"

徐莫庭低低地笑出声来："是，愿意为夫人效劳。"

这顿饭吃得很愉快，安宁心里的沮丧一扫而空，只觉得外面阳光明媚，里面暖气也怡人。

吃完饭两人出门，悠闲地往湖边走去。

安宁身上还套着徐莫庭的外套，有些宽松，但她身材修长匀称，穿着他的衣服倒也不突兀，反而有几分潇洒英气劲儿。而徐老大是一如既往的清俊文雅。偶尔有人从他们身边经过，都忍不住朝这对出色的情侣多望一眼。

西方霞彩满天，安宁拉着徐莫庭的手，慢悠悠地在湖边散步。

她见红日马上要下山了，激动地摇了摇徐莫庭的手，后者会心一笑，牵着她往高处跑去。等她气喘吁吁地停下来，直起身子便望见远方天地相连处，晚霞将地面染成了金黄色，壮美绚丽，凉风吹来，安宁不禁深呼吸，感觉特别心旷神怡。

刚回头想说什么，却发现徐莫庭正看着她，心中一动，便捧住他的脸吻了他。徐莫庭紧紧拥住她，细腻灼热地索吻，霞彩渲染得两人的衣、发像铺上了一层红光。有人经过看到，不由煽情地感叹了一句，这一刻天地间竟是这一处树下的相拥最唯美悸动。

小两口回到别墅已是夜幕降临时分，在花园门口停下，徐莫庭轻声征询："是现在送你回去还是……等会儿？"

安宁面上微红，咬了咬唇说："我能不能住一晚？"

徐莫庭的眼睛变得很幽深，神情始终温柔："安宁，你知道这句话代表什么吗？我已经没有信心再对你彬彬有礼。"

安宁一怔，耳根都红了："那……那算了。"刚要转身就被徐莫庭拉住，他将她拥进怀里，柔声说："打电话跟你家人说一声吧。"

安宁打电话回家，是奶奶接听的，老太太竟然一口就答应了，让她反倒心虚不已。走到客厅的沙发上坐下，电视上在转播大型的体育比赛，在看比赛的徐莫庭将手中的陶瓷杯凑到她唇边："喝一点，润润口。"

她很少喝茶，但觉得这茶很香醇，回味无穷，不由得多抿了两口。

"要躺下来吗？"他轻笑着问。

她今天算是忙了一整天，精神上和体力上都有点儿累，这时也不矫情，懒懒地滑下了身子，头枕到了他的腿上。徐莫庭看着电视上的篮球比赛，背靠着沙发，手指轻抚她的头发。

安宁心里默默想着，如果爸爸知道，肯定要大发雷霆了，他站在父辈的立场为儿女着想她知道，可她更知道自己喜欢徐莫庭，一想到可能要跟他分手就难受得要命。她不管徐家怎么样，复杂也好，阴暗也罢，她喜欢的是徐莫庭，他很好很好就够了。

徐莫庭见她望着屏幕想心事也不打扰她，时间一分一秒地过去，等中央五台的体育比赛播放完已将近八点，安宁坐起身，徐莫庭便温和地问："饿吗？我把菜热一下再吃点。"

"不饿，下午的时候吃太多了。"

徐莫庭忍不住笑出来，关了电视："如果还不困，陪我下盘棋吧。"

是不困，可是下棋……那她宁愿去睡觉的，安宁心说，但是看他貌似完全没有打算放她去客房睡觉的意思，不禁想入非非脸热脑热，最后犹豫了一下还是点了点头，"哦。"

徐莫庭从电视机下方的柜子上拿了棋盒过来，安宁盘腿坐在沙发上，徐莫庭坐在对面，轻松地斜靠在沙发背上，"黑子还是白子？"

"黑子。"

莫庭摆好棋盘，两人各自拿了棋子，开始对阵。

徐莫庭虽不是围棋高人，但思路缜密，深谋远虑，安宁根本不是他的对手，不到一刻钟就输了两盘，简直就是一开场就收局。安宁郁卒，好歹她是他女朋友吧，竟然一点儿都不手下留情。第三盘收局时徐莫庭像想起什么，温声道："对了，我忘了说，我们这是比赛，三局定胜负，赌注是以身抵债。"

"……"

“刚三局都是我赢的是吧。”

“你无赖！”

徐莫庭靠过去，眼眸里全是她，他揽住她的后颈，柔声道：“我是说，赢了的是债务人，输了的是债权人。”

安宁一愣，心如擂鼓，不敢再看他，而徐莫庭在下一秒已若无其事地退回去。她抬起眼便见到他脸上的微笑，不由得脸全红了：“我要去睡了。”

“嗯。”他点头，竟一点都不为难她就放了行。。

安宁一进到二楼的客房，便拿手扇风，最后到浴室洗了脸才平静下来。刚刚真的有种一不小心就会被吃掉的强烈感觉。

走到房间躺在床上，虽然已是夜深人静，睡意却一点儿也无，胡思乱想了一通反而更加精神抖擞了。她拿起床头柜上的遥控器打开了电视，晚间节目多种多样，但安宁却完全看不进去，一台一台地换过去，过了二十来分钟倒是渐渐有了些困意，之后便迷迷糊糊进入了梦乡。

徐莫庭洗完澡，在阳台上站了一会儿，才慢慢走到南面的一间客房门口，拧了下门把手，竟然没锁，还真是信任他。推门进去，看到电视还开着，不由摇了摇头，关了电视，最后走到床边轻轻躺在了另一边。

他只是希望“近距离”的时间久一点儿。

安宁夜里总是会起来喝一次水，刚转醒便隐约感觉到了身旁熟悉的气息，心中猛地起了一阵异样的情绪。

徐莫庭低沉柔和的声音传来：“要喝水吗？”

“嗯……”

床头的台灯拧亮了，安宁接过递来的玻璃杯喝了几口，还回去的时候对上对方的眼睛，那双幽深的眼眸一直是清醒的，静静地凝视着她。

“才三点，再睡会儿吧。”莫庭放下水，安宁重新躺下，安静的空间里只有两人的呼吸声。

徐莫庭靠在床头坐了一会儿，最后俯身过来在她耳边低语：“安宁，你要不要我？”

安宁立刻满脸绯红，双瞳剪水。她的表情有些朦胧，但她的眼里是干净的，坦诚的，是爱慕的。

徐莫庭笑了，低下头去吻她的眼睑。

安宁双手无意识地滑入他的发间，他的头发很软，凉凉的，划过指间的时候生出一种酥酥麻麻的感觉。

莫庭缓缓下移吻到她的嘴唇、颈项……

表面风平浪静，但徐莫庭的内心却真的快要失控。心浮气躁原来是如此难耐。

他太清楚自己要的是什么，心中的呐喊震耳欲聋。他伸手去碰触她的脸，想要得到她，得到她人生才能圆满，否则都是残缺的。可他还是停了下来："你说不要，我便停下。"

上方英俊的脸也是红的，深邃的眼里有着如火般的炙热。安宁的回应是将他拉向自己，吻了他。她喜欢他，她不想与他分手。

残存的一点儿从容、冷静刹那间烟消云散。他的动作是温柔的，并不急躁，即使内心是那么迫切，当两人坦诚相见时，呼吸已经彻底混乱，初尝情欲，都分外紧张，拥吻，交缠，均是惊心动魄。

徐莫庭膜拜着爱人的身体，双手游走在她身上的每一处，身下人迷离的眼中满是他，可单纯的亲吻相拥已经无法满足他更深的渴望。徐莫庭难耐地笃着眉头，体内更强烈的欲望渴求着倾巢而出，他拥住她的腰，轻托起她，将她的双腿架到自己腰间，汗水不断地沁出，兵临城下便已快感划过全身，还没攻入就已经一身湿热，即便平日再沉静清冷，此时此刻他也是懵懂无措的……终于，他深呼吸着轻缓推入。

安宁浑身微颤，眼睛里泛起薄薄的雾气。

徐莫庭知道她痛，可他停不下来，他比她更难受，当他倾身更进一步时，身下的人疼得眼泪滑出眼眶。

他也不知道该怎么安慰，只一次一次吻着她，吻去她的泪水。

适应的过程每一秒都是煎熬，温柔的抚慰令女孩慢慢平静下来。终于，徐莫庭按捺不住的渴望，一点点随着本能打开了，虽不算有技巧，但彼此缓慢而有力的动作渐渐步入了轨道。那种绝妙的律动，男女间最原始的默契，最终碾碎了所有的矜持，只剩下悸动的男欢女爱。

徐莫庭湿热微颤的手拉住她的一只手，放到他的脸侧，当欲望攀上巅峰，他偏头吻她的手心。

3

两人都是初行男女之事，虽是急切莽撞生涩，但都得到了满足，那是一种相濡以沫的安定。

徐莫庭抱着她，一直无法平复内心的激荡，指尖缠绕上她的发丝，吻着她微湿的额头。

安宁睁开疲惫的眼，过烈的激情让她有些吃不消，不过一点儿都不后悔，只是觉得有些累，她侧身揽住他的脖子，蹭了蹭，轻声嘟哝："好困。"

徐莫庭心口一热，身体又随之火烫起来，忍不住再次靠过去。不过再心驰神往也不忍在女友初夜当天再三索取。莫庭低头吻了吻她的嘴唇，然后伸手关了台灯，在黑暗中柔声道："睡去。"

安宁"嗯"了一声，闭上眼渐渐睡去。

等她再次醒来，身边的人已经不在了。房间里昏暗宁静，厚重的窗帘遮去一切光亮，只有床头柜上的液晶闹钟显示着时间。

安宁开了灯起身去浴室洗漱，玻璃台上摆放着整齐的毛巾和衣服，衬衫和线衣是他的。洗完澡穿好衣服，因为袖口有些长，所以不得不卷了两圈。走到楼下，徐莫庭正坐在客厅的餐桌前，开着笔记本电脑，见她下来，微笑着说："我在煮粥，一会儿就可以喝了。"

"嗯。"安宁走过去坐到他旁边的位子上，神情慵懒迷离，刚要趴到桌子上，便被他伸手托住了下颌，"桌面上凉。"

安宁直起身子，揉了揉眼睛，无意识地低喃道："还是有点儿累，怎么办？"

徐莫庭笑着将手伸到她的颈项处揉捏，力道不轻不重，却让她舒服地叹了一声。徐莫庭看她穿着自己的衣服，襟口显露出一点白皙的皮肤，心里又有些异样的蠢动，收回手，只迟疑两秒便轻声问道："安宁，过完年，我们结婚吧？"

安宁一愣，脸"唰"地一下红了，虽然他以前也会隔三差五地提及

“结婚”的话题，但从未像这一次这样让她紧张，又想到昨夜两人的亲密行为，安宁连耳根都红了。

“为什么……我……会不会太突然……我还没有毕业……”

莫庭已经握住她的两只手，眼神温柔：“安宁，我不想再等两年，三年。我想跟你在一起，我想，你的想法跟我是一样的。我们彼此相爱，那么，结婚只是时间的问题。而我比较胆小，如果早一点儿领证，那张纸可以让我安心。你愿意吗？”

安宁红着脸，一下子应不下来，感觉像是在私定终身。

“我……没有想过这么快……结婚。”以前她是连恋爱都没想过的，只想着陪妈妈一步一步走完。

对方为难无措的表情让徐莫庭看了有些心疼，倾身向前搂住她的肩膀，安抚道：“对不起，是我太过急躁了。”

安宁心里愧疚，垂着头，靠在他胸口：“我喜欢你。”

“我知道。”

“我……我也爱你。”

“我知道。”

安宁放在茶几上的手机响起，莫庭松开手笑道：“我去把粥盛出来。”

她走过去时铃声停了，手机上一共有四通未接来电，最新一通是蔷薇的，两通是父亲的，一通是周锦程的。安宁先回拨了蔷薇，对面一下就接起，爽朗的声音传过来：“阿喵啊，跟妹夫在哪儿呢？要不要出来啊？”

“要干吗？”问清楚比较保险。

“昨天吃到一半你就走了，今天继续，嘿嘿，让妹夫也来。”

安宁不确定他今天的行程安排是怎样的：“我问问他。”

“哎哎，我知道妹夫是大忙人，但午饭总是要吃的吧？”随即意味深长地一笑，“是不是有情况了？”

安宁一惊，不露声色，“什么情况？”

“别装了，坦白从宽。”蔷薇直乐，“昨天你看到妹夫就扑上去了，这么热情，晚上肯定那啥啥啥了吧？”

“薇薇，你思想就不能健康一点儿！”安宁心虚地批判。

蔷薇一顿："我是说一起吃饭，看电影，手牵手——你想哪儿去了？"

"……"

"跟徐莫庭这种人手牵手逛街，一定很心潮澎湃吧，啊，多么阳春白雪般的人物啊！"

"……"

徐莫庭将电脑关了，走过来在她耳边悄声说："粥在餐桌上，我去车上拿点儿东西。"

安宁微微点头，徐莫庭笑了一下，不打扰她打电话，转身出门了。

蔷薇心潮澎湃地说了一通，见对面的人都没反应，不禁义愤填膺："正说你男朋友呢，怎么这么不积极？不会是……被遗弃了吧？"

"你才被遗弃了呢。"安宁欲哭无泪，不想再跟她瞎扯，"薇薇，如果等一下，呃，徐莫庭有时间，我们就过去，行吗？"

"行吧，我就是想让你跟妹夫出来亮亮相，镇压全场。老实跟你说吧，昨天我叫出来的其中一女的，我一直看她不顺眼，丫高中一度抢我男朋友，回头又把自己标榜得美丽善良、闭月羞花，我呸，我怀疑她是不是不照镜子的！只要你跟妹夫往那儿一站，她连朵喇叭花都算不上，撑死就是一雏菊。"

真毒啊，安宁汗颜，深深觉得傅某人真的是太无聊了。挂上电话，徐莫庭刚好进来，手上拎着一袋东西。

安宁走过去帮忙，徐莫庭笑着递给她："昨晚让人帮忙买的，做早餐前我出去拿了下。应该符合你的尺寸，等会儿出门的时候换上吧。"她穿他衣服的模样，他不舍得让别的人瞧去。

安宁惊讶地接过，走到餐桌前入座后，才拿出里面的东西看了看，更不可思议了，"你怎么知道我穿衣服的尺寸？"

"手感。"

安宁瞪他，徐老大挺无辜的："你的身材很标准，玲珑有致。我的眼光一向很准。"最后那句有点儿一语双关。

安宁语塞，不过听他夸自己身材好，还是挺开心的，放下袋子，端起桌上的粥，闻到香味，才发觉自己非常饿了，喝了一口，暖心暖胃，舒坦地直点头，"真香。"安宁喝完小半碗，才说，"我最近好像长胖了。”

徐莫庭微笑，柔声说：“不会，抱起来刚刚好。”

某人不由得联想到限制级面画，脸上泛起红晕，咳了咳，振振有词道：“反正胖不胖，你以后都只能喜欢我了。”

徐莫庭脸上的笑意更浓，深邃的眼睛里满是真挚的爱怜。安宁被他看得有些不好意思，索性一门心思埋首喝粥。

“不会的。”低柔的声音响起。

安宁没听清楚，抬起头看向他。徐莫庭轻笑，认真说：“除了你，不可能再有别人。”

在青春的年华里，在芸芸众生中，找到你爱的人，让她也爱你，这便是此生最大的幸福。而他已经找到，也抓牢了，并且永不会放手。

过了许久，安宁才低低地“嗯”了一声。

两人吃完饭，出门时已经将近十一点。安宁想到他今天就要回去，不免有些惆怅，但也知道不能任性，他本来就是比她事情要多很多的人，而且快年三十了，总要让他回去陪爸妈过年的。

车子平稳行驶，车厢里很安静，徐莫庭的右手在下面一直握着她的左手。

今天外面的温度降到了零下，即使是正午，仍然有淡淡的雾霭在空气中弥漫着，公路上车辆不多。

安宁偏头看他，轻声开口：“你上高速的时候也开慢一点儿。”

感觉到左手上的力道稍稍紧了紧，安宁抿嘴笑了一下，再说：“我过完年就去看你养的猫咪。”

徐莫庭叹了一声，终于开口，声音很低很低：“真想跟你天天在一起。”

安宁脸红心跳，只因清楚他说的不是甜言蜜语，而是真实的想法。

徐莫庭将车停下，她的沃尔沃就在前面，安宁还没下车便看到昨天吃面的那家店里，蔷薇和一男一女坐在老位置上。

想到薇薇之前的电话，安宁转头问驾驶座上的人：“要不要去跟蔷薇打声招呼？”说着指了指蔷薇的方向。

“不了。你去车上拿钥匙吧，我等你。”

“哦。”唉，想也知道他是没兴趣的，下车后又迟疑地说，“那我过去跟薇薇打一声招呼？”

莫庭笑着点了点头，“我等你。”

他说了两次“我等你”，安宁赧然。

徐莫庭看着她跑过街道，走上两级台阶，推门进了餐馆。他靠到椅背上，开了音响，柔和的音乐流淌而出。

这时有人敲了敲副驾驶座的玻璃窗，莫庭看清人，慢慢按下车窗。

“跟你聊两句，可以吗？”

徐莫庭打开车门下车，双手插入裤袋中，周锦程走到他这一侧，从对面的餐厅望过来，越野车半遮去两道高大的身影。

莫庭靠在车上，淡淡道：“什么事？”

“我昨天看到她的车子停在这里。”周锦程笑了笑，说，“你来这边看宁宁？”

徐莫庭脸上没什么变化，“周先生有什么话可以直说。”

周锦程也不意外他的冷漠，将手上的一只牛皮纸袋递给他，沉吟片刻才慢慢说：“这里面有一本书，是宁宁的，我希望你能帮我还给她。她高中的时候出了一场车祸，书里面夹着一封信，她没来得及看。”

4

徐莫庭抚过斑驳的纸张时，手指微微颤了下。她出了车祸，他耿耿于怀多年，原来，原来是这样。看着上面干枯的血迹，这么多的血，她当时伤得有多重？心不由得紧了紧。

徐莫庭抬头望向对街的面店，透过落地玻璃窗可以看到她被她的朋友拉着坐在旁边，脸上是浅浅的笑，阳光照在她不施粉黛的素颜上，温润如玉。他的心像被什么灌满了，思念，迷恋，百般心疼。

幸而，一直做不到放弃，幸而，从始至终剪不断想她，幸而，他想再试一次，幸而……她要他。

莫庭注视了很久，然后将手中的东西放进储物格里，拔了车钥匙，下车关了车门，慢慢穿过街道。

周锦程的车开出两百多米，在红灯处停下，后视镜已经看不到那家餐厅。

他看向前方斑马线上形形色色的行人，神色淡漠。

一开始，他确实不乐见她跟徐莫庭在一起，撇开私人因素，徐家本就不适合她。宁宁不知道，比起李启山，徐家远远不干净得多，却万万没想到兜了一圈两人仍旧在一起了。他也想过怎么让她跟徐莫庭分开，但始终狠不下心，毕竟她跟他在一起，很开心。而徐家少爷也并非等闲之辈，真要从中作梗，不见得能成功。几次公事上的协作，让他知道年仅二十五的徐莫庭能力并不容小觑，年纪轻轻就少年老成，雷厉风行。而他在意宁宁，对她势在必得，甚至，那种耐心和决心都超乎了他的想象。

原来徐家也有痴情种。

当年徐成胜风流成性，拈花惹草，与他母亲藕断丝连，最终害得她自杀身亡，父亲郁郁寡欢，最后也无疾而终，留下他跟周兮在亲戚中周转过继。年少时寄人篱下的生活，艰辛的求学，让周锦程多少对徐家有些怀恨，但他心里也清楚，母亲自杀是因为她的懦弱，她不爱父亲，却也得不到爱的人，最后走了一条最自私的道路，而真正爱着母亲的父亲，因为母亲的离去一蹶不振，最后也跟着走了。

爱情是什么？他只知道一旦爱错，便是万劫不复。

而宁宁，是真的喜欢他吧……而他希望她快乐，不管是出于愧疚也好还是别的什么，他都希望她开心。

安宁一直在看时间，一刻钟了，不知道徐莫庭会不会等得不耐烦。蔷薇的手一直拉着她的，此时笑容满面地朝对面的姑娘说：“我家阿喵可是文武全才，进江泞大学那可是顶着理科状元的名头被恭迎进去的。”

安宁瞥了薇薇一眼，她当年高考发挥不佳，离理科状元差了一大截。

“呵呵，是吗？”对方也笑笑，抱着男友的手臂，对蔷薇说：“你们都是名牌大学的高材生啊，我们大专毕业就工作了，不能比咯，不过书读太多不会让人觉得很像书呆子吗？”

蔷薇友好地“呵”了一声，指着安宁道：“你见过这么漂亮的书呆子吗？”

“……”好吧，偶尔牺牲一下也无可厚非，只要蔷薇开心，而且，薇薇好歹也是在捧她，不能“不识抬举”。

对面两人面色复杂，女的心里不爽却一时反驳不了，男的有些歉然，朝安宁点点头，安宁自然是无所谓的，只是道：“其实，人类基因学已经表明，有六成以上的人外貌和智力是成正比的。”

她刚说完就感觉一直抓着她手的蔷薇一抖一抖的。安宁回想了一下自己说的话才惊觉貌似那话有种“当众给了对方一记耳光”的味道，见对面姑娘眯眼看着她，不禁有些无奈，果然对方说：“对了，李小姐，你昨天是跟你朋友走的，他是你男朋友吗？怎么今天没有陪你一起出来？”

蔷薇笑道：“阿喵她男朋友不是什么随随便便的阿猫阿狗都能见着的，他是我们学校的校草，OK？”

“呵呵，是这样啊，别是徒有外表。”

“哪能啊，人家海外名校毕业回来，有才有貌绝对顶级品种我跟你说。”

“呵呵。”

“哈哈。”

安宁听着两人表面亲如姐妹，实则冷若冰霜的一句接一句，觉得不能再逗留，正要开口辞行，场面突然安静了下来，见对面的姑娘望着她后方，下意识回头，熟悉的身影正不急不缓地走近，安宁眨了下眼，起身道：“你……你怎么过来了？是不是等太久了？”

徐莫庭站到她身边，他的角度有点儿背光，所以脸上的表情看不大清，但声音依然很温柔，“是太久了。要走了吗？”

“呃，差不多了。”回头跟蔷薇说，“薇薇，我先走了。有事再联系。”

“行！”蔷薇也站起身，笑着对徐莫庭道，“妹夫，好久不见。”

徐莫庭“嗯”了一声，对女友的室友他一向很友善：“我带安宁先走了。”

“嗯嗯，慢走！”蔷薇目送他们走出餐厅，才重新坐下，笑了，

“什么叫郎才女貌，天造地设，啧啧，真不是什么人都适合这些词的。”

“你这两天连着叫我出来，就是为了给我这点儿难堪？蔷薇，你也太无聊了吧？”

“没办法，寒假嘛。”

“……”

出来后安宁见身边的人一直没松手，也没说话，虽然看上去跟平时无异，但隐隐感觉有点儿不对劲，想可能是让他等太久了，于是某人马上笑眯眯地赔礼：“对不起，让你等了二十多分钟，那——我请你喝饮料，想喝什么我去买？”安宁抬手指向正对面一家饮料店。

“你买什么我就喝什么。”徐莫庭的声音低沉。

安宁笑道：“那我买一杯苦丁茶，你喝不喝？很苦的。”

“可以。”

“……”

他可以，但她哪里舍得让他喝苦涩的东西。安宁笑了笑正要松开手跑过去，却没能如愿，徐莫庭说：“我陪你过去。”

两人走进店里，安宁买了两杯现榨橙汁，走出来时身边的人问道：“安宁，要不要跟我一起回去？”

安宁一愣，“回江泞？”

“是啊。”莫庭微笑，“想不想见你妈妈，我带你过去，隔天再送你回来。”

见妈妈？安宁心动了，不过，“还是不要了，太麻烦了。”而且妈妈看到她离开又要难过上一天，当然，她也不想徐莫庭多来去两趟。

“不麻烦。”莫庭看着她，轻声说，“就当陪我，好吗？”

“啊……”安宁的脸不知怎么红了，徐莫庭见她犹豫，继续略带商量地说：“大后天才年三十，你回去一天陪你妈妈过一下年，隔天我陪你回来。”

“那……”她挣扎了一会儿最终投降了，“那好吧。但是，你不用送我回来，我自己坐车就可以了。”

徐莫庭一笑，拉着她的手紧了紧，脸上有清晰的笑意。

下午一点车子上了高速，广庆到江泞的这条线，一路过去风景都不错，山峰迭起，满山植被。安宁喜欢自然风光，坐车时多数是精神十足的，两人聊着天过去，心里都充实不已。

抵达江泞是四点钟左右，安宁在下高速之后倒是靠在座椅上睡着了。进到市里，正巧是车流晚高峰期，徐莫庭将车速减到六十码，避开超车道，一直开得很平缓。音响里放着柔和入眠的轻音乐，与车外的喧嚣世界相比，车内显得尤为宁静安逸。

开到目的地，徐莫庭停稳车，转头看睡着的人，略微迟疑了一下，便俯身过去轻轻吻上她的嘴唇，心里满是情动，满足，眷恋。

安宁没动，过了片刻才本能地侧身抱住他，自然而然地将微凉的手伸进他的衣服里。徐莫庭欣喜她亲密的贴近，而安宁睁开眼后，笑了笑，有些迟疑地回吻他。

徐莫庭从来都是冷静自律的人，可如今却频频失常，但这种不受控制随她而动的心情令他感觉快乐。他停下来，柔声说："到你家楼下了。我陪你上去，见一下你妈妈。"

"哦，好。"她还有些迷糊，只是惯性地听从他的话。

徐莫庭笑着帮她解开安全带。两人推开门下了车，安宁才问："你真的现在就要上去？"

"怎么？你不想？"

安宁瞅他："是你上次说要正式一点儿的。"

"嗯，聘礼改天再送，今天先见一面。"

"……"

徐莫庭莞尔，牵住她的手。然而刚刚走出两步安宁便停了下来。

"怎么了？"

安宁看着前方，说："我妈，还有，大姨她们。"甚至连表姐也在。

莫庭转头一看，就见花台边上几位女士站着在说什么。安宁低声道："那个，我大姨她们很难搞的，你要不要改天——"

徐莫庭摇摇头，拉着她的手径直走过去。

大姨首先看到过来的两人，不由得呆住，"宁宁？！"接着看到与她手拉手的人，又是一怔。

李妈妈见着女儿早就激动地上来了，“宁宁，你怎么回来了？”

安宁私自跑回家，而且还带了“男朋友”来，三姑六婆顿时沸腾了，一进到家里就更是七嘴八舌地说开了，大姨上下打量着徐莫庭，无可挑剔，她做媒那么多年，还是头一次见到这么俊的小伙子，态度也得体有礼，笑着直点头：“宁宁眼光真不错啊。”

二姨问徐莫庭：“你跟宁宁是同一所学校的？工作了？具体是做什么的？”

徐莫庭声音沉稳，淡淡笑着：“目前在外事局做事。”

“外事局。”大姨再度点头，“不错不错。”

李妈妈看着他，温和地说：“莫庭是吧？你跟宁宁相处多久了？她有点儿孩子气你要多包容她。”

徐莫庭笑道：“我会的。”

在厨房跟表姐一起负责泡茶的李姑娘不禁感慨啊感慨：“还真是人见人夸。”

“是啊。”表姐也啧啧有声，“你看我老娘，都跟看着自己儿子似的了。”

安宁无言，不过看到家人很中意她喜欢的人，心里是极开心的。

表姐用胳膊碰了碰表妹：“我说，你们有没有那啥过啊？”

“咳咳！”

“别咳了，我是过来人。他看你的眼神，简直就是想要以身相许了，我就不信他没碰过你。”

“……”

第十二章
读你一生

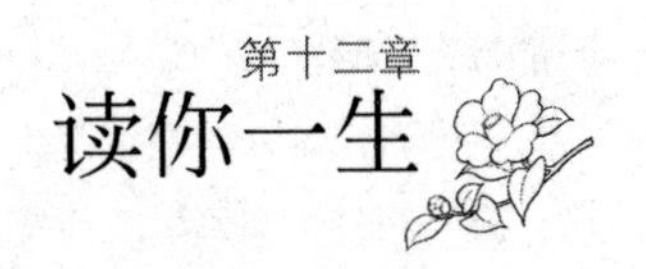

1

几位长辈对徐莫庭的第一印象是极佳的，一看就是出色的年轻人，严谨斯文得体。安宁从厨房出来时，大姨都已经在问：“莫庭啊，你家还有没有兄弟？”

“……”

徐莫庭微笑：“我是独生子。”

李妈妈见女儿上完茶就要走回去，笑眯眯地索性将她拉到身边坐下：“宁宁，你也坐着说说话吧，不用忙了。”

大姨说：“我家宁宁怎么看着又变漂亮了？”

刚坐到自家老娘旁边的表姐笑道：“滋润的呗。”

“咳咳！”

徐莫庭看了一眼呛红了脸的女友，心里倒也有点儿底，低头间，眉眼都带着温情。

于是，三姑六婆在客厅里继续絮絮叨叨地问这问那，徐莫庭态度恭谨，有问必答。李妈妈看徐莫庭越看越称心，最后完全当他是女婿了："莫庭啊，毕了业之后有什么打算吗？"

徐莫庭声音温和："看宁宁有什么打算。"

"……"

大姨已经哈哈笑出声来："行了，订婚吧，啊，年初小两口就把婚订了，到国庆或者你们年轻人喜欢的情人节结婚！酒席嘛定上十几桌应该够了吧？"

二姨说："订婚两三桌就够了，结婚十几桌怕是不够。"

表姐说："我当伴娘啊。"

李妈妈还有点儿理智，轻声询问莫庭："你父母怎么说？要不哪天一起出来吃顿饭，见一面？"

莫庭笑道："我爸妈同意的。"

此时阿喵同学已经被挤到了角落……

当天安宁奉命送徐老大下楼时，偷偷，偷偷地捏了他一把。

徐莫庭轻笑，握住她的手，拉上来，咬了一口，再一口，很轻，更像舔。安宁心口一麻一麻的，暗中瞪他，却忽然感觉到他加快了脚步。直到被拉着上了车，安宁才气喘吁吁地问怎么了，对方的手臂已经环上她，心满意足地轻轻叹息。

他的怀抱很温暖，安宁十分喜欢，一直没有动弹。这份感情是她的初恋，刚开始懵懵懂懂，然后渐渐清晰，明白自己喜欢他，便顺从地跟着自己的心走，之后，越走越深。

"安宁，想不想知道我以前给你的那封信里写的是什么？"

安宁眨了眨眼睛，"想。"她一直很好奇。

"嗯。"徐莫庭侧头在她脸颊上吻了一下，柔声道，"婚后我会一个字一个字念给夫人听。"

"……"

太……太讨厌了！

安宁上楼时，屋里的亲人还围在一起议论着。

“这年轻人真不错，长得好看先不说，性格也好，踏实，稳重。”

“的确是很难得。”

“宁宁这回是确确实实交上对象了啊。”

“这么大了，也该定下来了。”

“是啊，要不是书读得多，早结婚生孩子了。”

安宁无力抚额，默默回房间了。

当晚夜深人静的时候与妈妈两人躺在床上，李家妈妈抚着女儿的头发问：“喜欢他吗？”

安宁点头，很喜欢，很喜欢。

被子床单只要出太阳妈妈都会帮她晒，裹在充满阳光气息的被褥里，这一觉安宁睡到了中午才醒，起来刷牙洗脸，神清气爽。

昨天跟爸爸打电话，左思右想还是实话实说了，电话那头停了很久，才说：“我年三十去接你，你——多陪你妈两天吧。”

她一愣，第一次真心地说了声，“谢谢爸。”

安宁对着镜子轻轻拍了拍还沾着水的脸，“嗯，白里透红，与众不同。”

刚走到卫生间门口要叫女儿吃饭的李妈妈笑喷了，“闺女啊，白里透红也要吃饭啊。”

安宁嘿嘿一笑。

这天陪母亲大人去市场买了N多菜，从简地拜了年。

下午跟妈妈窝在阳台上晒太阳的时候，些微眼熟的电话进来：“大嫂，你人在哪儿呢？是不是在江泞啊？”

安宁听出来是老三：“嗯，对，我在江泞。有什么事吗？”

“太好了。”老三激动，“大嫂，出来吧，我们在市体育馆的露天球场上，老大也在，在打球，哈哈，来吧来吧。”

“你们玩吧，我就不去了。”

“来吧！来吧来吧，程羽妹妹也在。”随即老三压低声音道，“嫂子，你不来老大可能又要大开杀戒了，虽然这次我跟老大同队，但是说不定下一秒他就心情不爽转头残害同胞了，所以求你来当菩萨，救苦救难。”

安宁汗，回头正想问妈妈，李妈妈已经笑着对她挥手：“去吧去吧。”

“……”

安宁回房间换了大衣、牛仔裤和平底球鞋，在脸上抹了点护肤霜，便出门了，走时关照了妈妈睡午觉。

体育馆离家不远，安宁是骑自行车过去的，虽然是冬天，但阳光灿烂，所以骑得还蛮热乎的。

大概花了十来分钟，穿过两条街，远远便看到了体育馆的篮球场上几名男生在打球，都只穿着一两层衣服，有的还脱得只剩棉毛衫，在太阳底下挥汗自如。

安宁慢慢骑到铁网外，一只脚踩地，里面场上那道出色的身影一目了然。

坐在旁边椅子上的程羽一眼望到她，起身走过来："嗨，你来了。"

"嗯。"

程羽也靠在网上，看场上的比赛，笑道："三对三，现在比分是40比52，堂哥今天心情不错，很手下留情。"

这时坐在场外休息的老三也过来了："大嫂，好久不见啊！"

安宁笑笑："好久不见。"

"怎么，你骑车过来的？你家就在附近？"

"嗯。"

老三愣了一下，随即直摇头："怪不得老大要选这边来打了，徇私啊徇私。"

"行了。"程羽笑着打断他，对安宁说，"你快进来吧。"

老三说："嫂子，里面有停车棚，你进门往左就看见了。"

"好。"安宁又望了某处一眼，然后踩上车，他看到她了呀。

徐莫庭接过队友从场外捡回来的球，笑了笑："继续吧。"

安宁把车停进车棚后，走到球场这边时就有仁兄朝她吹了声口哨，然后，场上的张齐喷了："吹毛啊吹，那是我们老大的夫人。"

对方一惊，连忙说："Sorry sorry，无意冒犯哈。"

场内的人也都诧异地停顿了两秒，直到一道冷淡的声音说："还打不打？"

"打打打！"

程羽等安宁走过来，就把右边椅子上的一件外套拿起来："坐这儿吧，这是堂哥的外套，嫂子您帮忙拿着吧。”

安宁看了下，只有三张椅子，另一张上堆满了衣服，不禁弱弱地想，那人还真有点儿洁癖。

老三过来递给她一瓶水：“大嫂，等会儿打着玩的时候要不要上去玩一下？”

“我不会打篮球。”

“没关系的，不会就让老大带你嘛。”

程羽说：“我堂哥才不舍得让安宁上去跟你们这些臭男人打球呢。喂，你休息得差不多了，上去换我老哥下来吧。”

“老大是主力，怎可在关键时刻下场！”

程羽看着他，颇无力地摇头：“我总觉得跟你之间有代沟。”

老三佯装怒了：“程羽妹妹你这话太毒了啊，我不就比你大一岁嘛！”

“一岁隔重山。”

“嘿，那老大跟嫂子还相差一岁呢。”

程羽讶异，转头问安宁，“你比我堂哥小一岁啊？”

安宁点头，手上的厚实外套盖着手臂，非常温暖。

“你们不是同一所高中的吗？我还在他书房里看到过你们高中的年级毕业照，他可是把你——”说到这里突然停了下来，嘿嘿一笑，“没什么没什么。”

安宁笑笑，不介意，转头继续看场上的比赛，有点儿兴致。

老三见缝插针地为大嫂解说：“老大除非是一对一，否则很少自己出球得分，都是传队友，俗称控球后卫，呵呵。”

“哦。”安宁想到前些日子老三的几通电话，不由得偏头问他，“呃，你们上次打球赌钱——”

“没事了没事了，老大已经把钱转回来了，唉，老大就是喜欢精神折磨，只是对不住嫂子您了。”老三惭愧，“打扰你那么多次。”

安宁笑道：“我倒无所谓，没事就好了。”

“呵呵，我上次打过来，你是跟老大在约会吧？”

安宁想到那人在广庆市的两天，抬手抓了下额头，只含糊“嗯”了一声。

有人走过来从后面拍了一下老三的肩，低沉的声音夹着些许喘息：“上去打一下。”

来人正是徐莫庭，米色的贴身线衣勾勒出修长的身形，之前的一番运动使得他额前的头发微湿，袖口卷着，神色明朗，更显英气勃勃。

程羽非常识相地立即起身，笑眯眯道：“老哥，给点儿钱，我去买几杯果汁。安宁要吗？果汁或者奶茶？”

“不用，谢谢。”她手上还有一瓶水呢。

徐莫庭坐下，没有拿过安宁腿上放着的外套，而是俯身过去直接从外套衣袋里拿出钱包递给徐程羽，后者接过便乐了，“钱包在手，那我多买点儿了！”

等程羽走开，这一方天地只剩两人，安宁见他脱下护腕，下意识接过，然后把手上的水瓶递过去，徐莫庭微微一笑，接过喝了几口水后看着她温和地说：“原本想给你打电话，怕你没空。”

安宁低声道：“上午睡到十点多才起来，中午陪妈妈过了下年。”

“嗯。”徐莫庭黑色的眼睛里隐着淡淡的柔情，“等会儿带你去看猫咪？”

安宁眸中一闪，开心地点头：“好啊。”

2

球赛完了之后，一群人奔到休息处，喝水的喝水，拿毛巾的拿毛巾，推搡捶肩，万分激昂，安宁不由得想男生果然精力充沛。

有人蹭过来跟她打招呼：“大嫂，第一次见面，您好您好！”

安宁也已经习惯了这种寒暄，莞尔道：“您好。”

周围一圈人见徐莫庭女友如此亲切，不禁都涌上来：“你好，我叫阿铮，初次见面，多多关照！”

“徐莫庭真不够意思啊，嫂子这么漂亮不早带出来。”

“大嫂，玩球不？我教你！”等等，等等。

于是，徐老大在众人热情高涨中，将水瓶交予女友，然后伸了一下手，安宁很自然地停下与他人的交谈，把怀中的衣服递给他，徐莫庭从容地穿上，淡淡地道：“它可能有点儿饿了，你现在去我那边还是……要留在这里再聊一会儿？”

安宁想到猫咪可能饿肚子，当即便说：“现在就过去吧。”

他们之间没有什么亲昵的动作，但彼此之间却弥漫着一股难以言语的默契与亲密，让人无从介入。

周围的人陆陆续续停下来，然后，纷纷用羡慕、嫉妒、鄙视的目光望着徐老大。

徐莫庭才不管别人心里怎么想，他跟她在一起的时间本就少，所以万分珍惜。他倒也不是占有欲特别外显的人，只是难得她过来找他，总不怎么乐意她把注意力花在别人身上。

见徐莫庭起身，有兄弟忍不住要闹腾一下：“老大，这就走了？！下半场还没比，胜负还没分出来呢。”

莫庭只是眉微一扬，正要开口说“下半场比不比，结局都一样”，却是安宁先拉住了他的手，笑眯眯对其他人道：“下次再比吧，今天我们还有点儿事。”猫咪猫咪……

大伙儿见说话的是温婉可亲的大嫂，一时间竟都不敢再瞎起哄，安宁给人的感觉是温暖如春的，好像面对她，什么聒噪、毛躁的性子都安分了下来。

就这样徐莫庭笑着被女友带离了场。

程羽回来时就看见安宁拉着堂哥走出场地：“哥，你们要走了吗？”

徐莫庭将手上的车钥匙递给她：“嗯。车子你开回去。”

程羽眼珠一转，笑道：“行。”然后对安宁说，“堂嫂，再会！”

安宁对她的“堂嫂”还有点儿不能适应，总觉得太正式了，不过还是微笑着点了点头，“再见。”

莫庭看着女友，温声道：“走吧，先去把你的车取一下。”

徐程羽从未见过她堂哥如此轻言细语，一点儿也没有了平时的那种冷漠强势，多少有些惊叹，心底琢磨着，以后你不近人情，我就找李安宁！

徐程羽回到球场上时，那群男生正在说：“这么多年了，我终于看到大嫂了。”

老三问：“在美国他真一个女朋友都没交过？我不信。”

“别说，真没。当然追他的姑娘不少，不过徐老大都说差远了。如今一见嫂子方才知道水准之高。”

“唉，高啊。”

“刚才老大是不是吃醋了？”

张齐嗤笑：“吃毛醋啊，嫂子多体贴啊，他一伸手她就递衣服，老大心里不知道怎么乐呢。”

老三同意：“以后打球都找大嫂出来吧，安全一点儿。”

“……”

这一边，安宁去取车，徐莫庭站在车棚外面静静等着，看她推着车走到他面前，然后歪着头笑着说：“你载我？”

徐莫庭接手了她的自行车，安宁见他穿着深色的外套，身形颀长，黑发永远干净清爽，俊逸的脸在阳光下有种独特的魅力，忽然说：“我记得高中时，你在台上讲话，也是这么与众不同。”

徐莫庭眸光闪动，轻声问：“哪里不同？”

安宁想了想，“就是……跟别人不同。”

徐莫庭心中一悸，不管她有没有记得当年的他，现在的她对他的感情一目了然，她喜欢他，这一点让他心痒难耐，情不自禁吻了吻她额头，然后才说：“回家吧。”

安宁很开心，坐上后座，等着他骑上车后就抱住了他的腰，徐莫庭感觉到她的手，才踩动车子。

新年期间，街道上一片喜气洋洋的，经过的不少商店里放着流行歌曲，安宁听到耳熟的就跟着轻哼两句。

直到前方的人说：“走调了。”

安宁一愣，轻打了下他的背：“那你唱啊。”

徐莫庭将她的手拉到前面，慢悠悠地唱道：“明年今日别要再失眠，床褥都改变，如果有幸会面，或在同伴新婚的盛宴，惶惑地等待你出现……”

低低的嗓音有一种浑然天成的暗哑，安宁终于知道什么叫悦耳，不由得闭上眼睛，脸颊贴着他的背，静静听着，像一只午后慵懒的睡猫。

等到了徐莫庭的住处，终于见到那只胖猫咪时，安宁激动了：“它的眼睛是金色的。”

小家伙看到主人带着人来，一点儿都不怕生地跑过来，绕在他们脚边打转。

安宁将它抱起来，还挺重，“好有分量，它多大了？你是不是给它吃太多东西了？”

“一日三餐，不多不少。”徐莫庭走到客厅开了暖气，温了一杯牛奶放在茶几上，见女友坐在沙发里一心一意逗猫，他便去浴室冲了澡，十分钟后换了一身家居服出来。

徐莫庭见她蘸牛奶喂猫，笑着提醒：“小心被咬到。还有，那杯牛奶是给你喝的，喝了好午睡。”

“……”安宁抬起头，“它很乖，一点儿都不凶。”

莫庭“嗯”了一声，“像妈咪。”说着转身踱到厨房里，拿了一份猫粮出来。小黑猫一听到食物进盘的声音就跳下沙发奔过去，男主人将盘子放在厨房门口，小家伙闷头就吃。

安宁看它吃得津津有味也不便再去逗它，起身到浴室洗手，前一刻他刚洗完澡，里面还盘绕着带着沐浴露香气的热气，镜子上也是雾蒙蒙的。洗了手和脸，刚想抽台面上的纸巾擦干，便感觉身后有人抱住了她。

贴近的温热身体让她似有电流触动心口，安宁转过身，徐莫庭俯下头吻上她闪烁着淡淡光泽的嘴唇，动作温柔，似有若无地挑逗着。安宁张开唇，放他的舌尖进来，他轻轻地触及，偶尔吮吸，偶尔咬啮，不激烈，但缠绵。

一吻完毕，安宁靠在他怀里，双眼仿佛沾了水。

徐莫庭爱惜地看着她，眼中有着不加掩饰的渴望，然后勾起她的下颌，再次吻住她。

安宁沉浸在美妙的亲吻里，渐渐意乱情迷。

一切都发生得自然而然，徐莫庭将她抱进卧室，放到床上，慢慢地，柔柔地吃干抹净，极尽情致。

事后，徐莫庭抱着她进浴室清洗，手在她凝脂般的身上滑过，欲望又有了动静，忍不住吻上光滑细腻的肩颈，他压抑已久，如今食髓知味，难免有些不依不饶。

安宁睁开眼，在诧异之余有点儿招架不住地想求饶，前一场的欢愉还让她全身疲软着呢。她想说让我休息一下，可显然对方等不及。徐莫庭将她轻抵在潮润的瓷砖上，抱起她的腰，缓缓进入她的身体。

安宁呻吟了一声，颤抖地搂住了他的脖子，脸深深地埋入他的颈窝处。

徐莫庭见她适应了才敢凭着本能，动作起来。

热情如火山喷发，一波一波的快感不断袭来，久久不能平息。

安宁喘息不止，感觉到他退出自己的身体。在高潮余韵中，他细细吻她微颤的眼睑。

等到最后洗完澡，两人回到床上，已是傍晚时分。

安宁觉得身上每一根骨头都酥软无力。

徐莫庭摸摸她的额头："饿吗？"

"嗯……"

"那我去做饭，你躺会儿。"

徐莫庭穿上衣服出去，冰箱里食材充足，挑了几样她比较偏爱的，系上围裙，准备晚餐。

徐老大工作非常有效率，不到二十分钟便煮了两道菜，饭也跳到了保温状态。安宁恢复了些许体力，闻到香味，便更感觉饿了，坐起身穿上他放在床尾的干净衣服，走到客厅，原本想问要不要帮忙，但只一看便知道她根本插不上手，站在流洗台前的人动作娴熟，游刃有余。

徐莫庭将最后一份汤料下锅，转头看到她，她欢爱过后总是显得有些迷迷糊糊的，脸在灯下如玉瓷，白净温润，他看着，总忍不住心荡神迷。

"还有一道汤，你去外面坐着，先吃点儿别的菜。"

安宁点点头，刚走到餐桌边坐下，门铃响了，起身去开门——万万没想到是徐莫庭的父母，两位长辈她分别都见过一面，当下就愣在了原地。

门外两人倒没怎么惊讶，徐母笑容可掬地看着她："安宁，你也在。"

安宁反应过来，连忙侧过身让他们进屋，温和地叫了声："伯父，伯母。”

徐母走上来愉快地拉住她的手，“莫庭前段时间说你一直有事儿忙。伯母就在想，什么时候才能再见着你。”

呃，其实也算不上忙，就是身不由己而已。

徐父将外套挂到衣架上，回头对她们笑说：“进到里面再聊吧，门口冷。”

“对。”徐母看到安宁身上深色的厚质睡衣，两眼都笑弯了。

安宁这时候也注意到了自己的穿着，是他的睡衣，顿时满脸通红。

徐莫庭端着汤出来，转头看到玄关处的人，也微微一愣，不过马上又一脸平静，他走过去，见女友脸上清晰的红晕，安抚地在她耳边说：“爸妈喜欢喝普洱，茶杯在厨房里，你去泡两杯。”

安宁当然求之不得，对二老腼腆地笑了笑，转身到厨房去泡茶了。

徐莫庭领父母到客厅里坐下：“爸，妈，你们怎么过来了？”

“我陪你爸来这附近出席饭局，还早就上来看看你。”徐母说着望了眼厨房，轻声询问儿子，“莫庭，年初一，小姑娘如果有时间，你带她回家吃顿饭吧？”

徐莫庭想了想：“我问问她。她可能还要去一趟外省。”

徐母点头：“她父母分居两地，小姑娘两边跑也着实辛苦。以后嫁过来，势必不用这么麻烦了。”

徐父笑着拍了拍太太的肩：“就算嫁过来，回娘家还是要的。莫庭，什么时候你安排一下，我们跟女方的家长正式见一面。你要娶人家闺女，礼数可不能少。”

徐莫庭说：“年初十过后吧，等她回来我就安排。”

安宁将茶端出来，徐母接过道：“安宁，以后有空多来找找伯母，嗯？陪伯母吃顿饭伯母也开心的。”

徐母给安宁的感觉跟她家妈妈很像，都是大方温柔的，她很喜欢。

“嗯。”

徐母很满意：“那伯母等着你。”

二老没多留，喝了两口茶，便起身离去了。

莫庭送父母出门时对她轻语：“你先喝点儿汤，不烫了。”

一瞬间，安宁觉得心里被什么东西轻易填满了。

徐莫庭回来，她已经帮他盛了饭，正坐在餐桌前捧着一碗冒热气的汤心满意足地喝着，见他坐下，也帮忙盛了一碗汤放到他面前，笑眯眯道："很好喝。"

徐莫庭笑着端起碗喝了一口，屋里很静，却充满了温馨的气氛。

"莫庭，我们过完年订婚吧。"

一道极轻极轻的声音，但徐莫庭却每一个字都听清了。

他放下碗，静静地看着她，很久才低低道："安宁，你要说话算数。"

当晚徐莫庭送她回家："回来的时候我去车站接你。"

安宁点头。

徐莫庭叹了一声，抱住她："有点儿舍不得。"

安宁笑着回抱他："我也是。"

等她上了楼，那辆越野车停了好一会儿才开走。

3

隔天安宁去广庆市，是李启山来接她的。当时父母在客厅聊了很久，她在房间里等着，后来她跟父亲下楼时，父亲说："宁宁，毕业之后，你如果不想到广庆，就留下来陪着你妈妈吧。"这是父亲第一次明确地表示让她跟着妈妈。

安宁看着父亲不知何时已经发白的两鬓，微微红了下眼睛，犹豫着伸出手握住父亲厚实的手掌，"谢谢，爸。"

李启山微微动容，人老了终归是只要儿女开心，能偶尔找他们敞开了心聊聊，便也就知足了。

安宁这一次过去，心理上明显比上一次放松。不过，对周兮还是不能做到完全坦然，有些人，她可以善待，可终究不喜欢。

大年夜那天安宁陪奶奶喝米酒喝多了，朦朦胧胧间被詹阿姨扶进房间，安宁酒品极佳，就算喝醉了也是乖的，一倒在床上就抱着被子安静地闭眼休息了。

詹阿姨对帮忙的周锦程笑道："谢谢啊周先生，今天老太太高兴，竟然把宁宁都灌醉了，这小娃喝酒可称得上是千杯不倒的，打小练出来的，呵呵。”

锦程看着床上的人：“等会儿她如果醒来，你让她吃片阿斯匹林再睡吧，否则明早起来估计得头疼。”

“好，好。”

安宁迷迷糊糊地听到有说话声，然后渐渐消失，喝醉酒之后整个人晕陶陶的，想到什么都想笑，听到衣服袋里的手机响起，她吃力地摸出来按通，“喂？”

徐莫庭温和的声音传来，“怎么？睡了？”

“没……”安宁听到他的声音就觉得很开心，“我跟奶奶喝酒了。”

“嗯，我也是刚吃完饭。”莫庭有些担心，“你喝了多少？难受吗？”

“一点点……一点点……”安宁蒙在被子里，无意识地嘟哝，“你声音真好听。”

徐莫庭笑出来，轻声说：“要睡吗？要睡我挂了，你睡觉。”

安宁摇头，“不要，不睡，你讲故事……”

莫庭无奈，却宠爱地问：“那你想听什么？”

“什么都可以……”

徐莫庭笑着起身去书架上挑了一本《万物简史》，坐回椅子上，“历史的，你应该喜欢——1911年，一位名叫威尔逊的英国科学家经常爬到本尼维斯山顶去研究云层的构造。这座山位于苏格兰，以潮湿闻名……”

他的声音温柔舒心，神奇地减轻了她的头疼，慢慢地安宁就有了睡意。

莫庭读了十来分钟，听到对面悠缓的呼吸声，停了下来，“安宁，睡着了？”

这一晚安宁睡得极舒服，隔日起来神色愉悦，完全没有宿醉的那份难受，奶奶看到她都说“神态清明，顾盼生姿”。

安宁汗然，奶奶你平时看的是佛经还是《镜花缘》啊？

很快拜年走亲戚到了年初九，然后，年初九是月末，月末了她大姨妈还没来……往常是月中的，也就是说迟了十来天……然后然后，她想到来之前，那啥……然后，世界爆炸了。

不……不是吧？

安宁头晕目眩，思绪乱成一团，拿了包就跑到车库开了车，匆匆忙忙就出了门。

她第一想到的是去药店，不过要买什么测试她也不知道，情急之下给蔷薇打电话。吞吞吐吐地说明了原委，电话那端的人明显比她更震惊："不是吧？！妹夫动作也太快了！"

二十分钟后，两人在某家大药房门口会合。

蔷薇大衣里面穿的还是睡衣，拉着安宁走进去，很熟练地挑了几样物品，笑着说："我说啊不管你有没有那啥你们就趁热打铁结婚算了，记得，你跟妹夫的孩子一定要认我做干娘啊！"

安宁都要急死了，她还有心情开玩笑。

"你别瞪我啊，妹夫要是知道，绝对立马就带着你去扯证了你信不信？"

信。

蔷薇轻声问："要不要通知他？"

"不要。"

蔷薇嘿嘿笑道："真期待啊，你不觉得在校期间就结婚，然后再生一漂亮娃很让人心动吗？"

安宁只觉得迷茫，不真实。

蔷薇跟她分道扬镳的时候不忘关照："有good news一定要通知我！"

而当天发生的事，让安宁很多年之后都异常纠结纠结纠结……

事情是这样的，她回到家进了房间后，拿出蔷薇说的"测试条"，把其余东西扔在床上就急匆匆地进了卫生间。刚要看说明"测试条"怎么使用，就听到门外面父亲的声音叫她，出来就见父亲面色严肃地看着她床上的东西。

"怎么回事？"

"……"

于是，年初十，安宁回了江泞市，连同父亲、奶奶。

接下去发生的事情简直可以用电光火石来形容，李启山跟徐父在当日见了面，具体谈了什么安宁不清楚，只知道她和徐莫庭的订婚和结婚事宜都被迅速敲定了——于这年的3月3号在江泞办酒席订婚，3月14日结婚，15号到广庆补办婚宴。

徐莫庭初十看到她的时候，眼中带着淡淡的笑意，也没说什么，领着她去外面吃了饭。

安宁这两天心情繁复到无以复加，吃东西都没多少胃口。徐莫庭也不勉强她，只让她喝了点粥。

安宁一直想告诉他，可又觉得他肯定已经知道了，郁闷得半死，开不了口就只好闷头喝粥。

徐莫庭偶尔夹点菜到她碗里，安宁见碗里菜越吃越多，不由得瞪了肇事者一眼。

徐莫庭莞然，神情一如既往的温柔，也耐心地等着。

终于，安宁委屈："你一定要我说吗？"

"我说也可以。"他倾身向前，伸手覆住她放在桌上的右手，"安宁，我很开心我们能这么快就结婚。"

安宁咬了咬唇，忍不住笑了："我们这算是先上车后补票吗？"

后来，安宁知道他们完完全全走的是正常程序。

她没有怀孕……

不过，知道这点已经是三月中旬了，也就是说已经风风光光订完了婚，结婚喜帖也已发出。

李父得知后，也长叹了一口气，关心则乱啊。

4

安宁回想起这年三月，忙乱得就像是世界大战。

订婚纱，拍婚纱照，开学，订婚，登记，正式婚礼……她怀疑自己是不是瘦了好几斤，订的婚纱结婚那天穿上去时都有点儿松了。

要说那场婚礼，当天天公作美，阳光普照，据说刚巧还是白色情人节。

婚礼在江泞市某大酒店举行，安宁穿着简单但精致的婚纱挽着父亲的手臂步上红毯，徐莫庭站在另一端等着她，他一身剪裁合体的礼服，英俊的面容带着笑，整个人在璀璨灯光下显得异常俊逸不凡，犹如王子。

当新娘的手放进新郎手中时，所有亲朋好友都为这一对出色的新人鼓掌。

徐家、李家的亲戚都到场了，还有一些政坛、商界的朋友，可谓隆重。

安宁第一次见到了徐家的大家长——徐莫庭的爷爷，传奇的政治人物，安宁恭恭敬敬地叫了“爷爷”。

对方说了声“乖”，不怒而威的老人眼神慈爱和蔼，然后给了安宁一个厚实的红包。

接着是叔叔伯伯阿姨婶婶，安宁一个个敬酒过去，一杯不落，主要是新郎都不帮忙！有几杯敬新郎的还是新娘代喝的。

旁边伴郎张齐、伴娘表姐无不一得空就鄙视地望一眼新郎。

徐莫庭心情极佳，所以不介意。

当天酒席上，不得不提的就是新人朋友们那一桌。

安宁走过来的时候，阿毛举杯，“阿喵啊，乃们动作也太快了，我就回了一趟家，时差还没倒过来呢，你们就婚了！不过，合法H还是要的，恭喜妹夫啊！”说完豪爽地先干为敬。

蔷薇敬新郎：“妹夫，我们家喵我是看着她长大的，以后就拜托你了！还有，孩子出生了认我做干娘啊！”

朝阳起身：“没啥说的了，永结同心，百年苟合！”

老三唱道：“大嫂，你是电你是光你是唯一的神话……”

“……”

这样的一天，喝酒，吵闹，笑声不断。

安宁总结，结婚是两个人的事，却能收到很多很多人的祝福，怪不得叫“大喜之日”，大家都来道喜嘛。

华灯初上，新娘去三楼的套房换了一款粉色晚礼服后稍作休息，等下要下去送宾客，安宁坐在床沿揉着肩膀，老实说她快累死了。

倒在床上在总结里再添一句：“结婚就是折腾人。”

表姐笑道：“等到了午夜时分，更折腾人的事还要在这张king size的大床上上演呢。”

精疲力竭的新娘已经没力气跟表姐拌嘴。

这时有人推门进来，正是玉树临风的新郎。

表姐一见徐莫庭便温婉道：“我下去吃点儿东西，你照顾她吧。”

“好。”

房内只剩下新人，安宁闭着眼睛动也不想动，徐莫庭走到床边坐下，抚了抚她的脸说：“很累吗？”

安宁睁开眼，拉过他的手咬了一口。

莫庭微笑道：“饿了？”

安宁对某人的明知故问很气恼，重新闭上眼装睡，不饿，就是累。感觉温润的手指从裙摆下伸入附上她的小腿肚，安宁一跳，半坐起来，“你干吗？”

徐少爷笑得人畜无害：“帮你按摩。”

恰当的力度渐渐缓解了她小腿上的酸胀感，舒坦多了，让安宁马上倒回了床上弃甲投降，任凭他处置了。

“别睡着。”似耳语般的声音。安宁嘟哝了一声，困意更浓了。

徐莫庭很心疼，手上力道抽去，拉过被子帮她盖上，亲了亲她额头，“睡吧。”

安宁含糊地“嗯”了一声，抱住他睡了。

直到半小时后一通电话打上来才结束了两人短暂的休息。

临时睡了一觉，安宁精神恢复不少，在走廊上时，忍不住闹他：“你背我。”

英俊的新郎问：“不怕被人看见？”

“看见就看见，等一下又要站很久，一想到就觉得腿没力气了。”

徐莫庭笑着点头，不过不是背，而是打横抱起，粉色的裙摆在走廊里漾出片片动人的涟漪。

安宁抱住他脖子：“到了一楼放我下来。”

“你不是说不怕被人看见吗？”

“你家亲戚那么多，我害羞嘛。”

“放心，我会陪夫人荣辱与共的。”

安宁一听，撒娇状：“老公，你真好。”

“……”徐老大不知道是被冷到了还是被感动到了，总之，他沉默了。

两人进到电梯里，安宁伸手按了1键。

镜子里倒映出两人相依偎的身影……

婚礼结束后的一周里，安宁都住在徐家，中间回了一次门。

然后，那期间安宁最感兴趣的就是在徐老大从小住的房间里发掘“亮点”，虽然婚后，他们的新房搬到了三楼主卧，连着书房。

二楼是爸妈住的，以及，徐莫庭以前住的房间——宽敞舒适，没有想象中的威武，还挺平易近人的，墙上挂着两幅画，左边的书架上几乎全满，她翻过几本，没想到徐莫庭看书会做阅读记号，几年几月几号看完，安宁翻的时候不禁佩服，“初中他就看《星源集庆》了？”

徐家妈妈，也就是她婆婆，路过听到了，笑眯眯答曰：“是我让他看的。”

呃，婆婆深谋远虑，举拇指！

然后，婆婆笑容满面地进来从一只抽屉里翻出了徐莫庭的个人相册，与儿媳妇坐在书桌前，畅谈徐家独子成长史。

安宁看着1岁，2岁，10岁，15岁，20岁的徐莫庭……感觉真是无与伦比的满足啊，看到婆婆都去做晚饭了她还在看，直到徐莫庭出现，才将意犹未尽的阿喵带回三楼房间。

莫庭开了电脑，安宁躺在床上YY10岁的徐老大。

徐莫庭把笔记本拿到床上，将她抱起来圈在怀中，打开一个旅游网页，“选一个地方。”

“什么？”还在YY漂亮的小正太。

“蜜月。”

“啊？”

“南半球还是北半球？”

“南……”

“热一点还是冷一点？”

“什么热……”

“靠海还是内陆？”

“海边吗？”

徐老大综上所述一番，“那就秘鲁吧。”

“啊？”

于是，3月20号，秘鲁蜜月一周走起，说起来，安宁很郁闷，那哪是蜜月周啊，简直是H周嘛……

月底回来休养生息两天。

四月初，风和日丽，安宁返校，当然，是跟徐莫庭一道的。

她要先去见导师，所以在教师办公楼附近下了车，弯身对驾驶座上的人说：“我过去了。你自便吧。”

对方笑着点头，“出来了打我电话，中午一起吃饭。”

安宁看手表，“现在才九点。”

“提早约你，怕晚了被人捷足先登。”

“……”不就吃个饭嘛。

安宁觉得婚后，两人的相处模式和以前差不了多少，就是……徐莫庭愉快的情绪外显了一些。

她看着车子离开，转身朝办公大楼走去，迎面吹来的风是暖的，很舒服，见路边的乔木都冒出了嫩绿的新芽，恍然发觉原来已是春暖花开的时节。

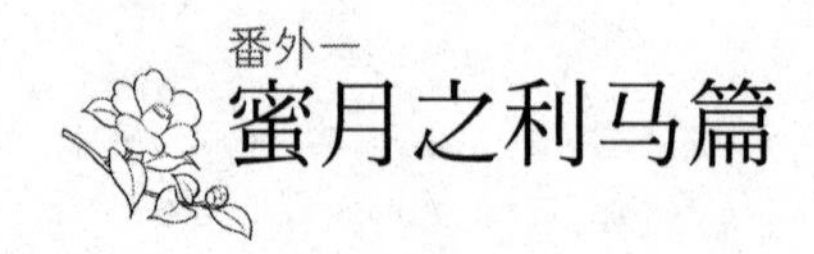

番外一

蜜月之利马篇

清早，淡灰色的烟雨笼罩着整座利马城，伴随着缥缈的大教堂钟声，与深紫色的天空一起为这座城市披上一件优雅朦胧的外衣。

作为举世闻名的无雨之都，利马居然连着下了三天雨，虽然只是淅淅沥沥的细雨，但也是件怪事了。

Gouvinho紧了紧身上的斗篷外套，看着空荡荡的武装广场轻叹了口气，今天怕是生意又不好做了。

正无奈地等待着，一个急匆匆跑过广场的女人引起了他的注意。

抱着一丝希望，Gouvinho卖力地大声叫卖："新鲜的羊奶，还有热腾腾的炸鱼！"

突然的声音很明显吓了她一跳，她停下脚步，有些迟疑地看过来。

漆黑的发色和眼眸清楚地告诉Gouvinho，她不是西方人，他有些焦急，自己用的是西班牙语，不知道她听不听得懂？

如今到秘鲁来旅游的东方人越来越多了，其中以中日韩三国为主，他懂一点儿中文，只是不确定她是哪个国家的，也罢，碰碰运气吧。

于是Gouvinho用别扭的中文发音朝她喊："你好！"

她愣了一下，然后浅浅地笑了，下一秒她跑过来带着微笑对他说："你好。"Gouvinho突然觉得连日来的阴霾心情都在刹那间因那个明朗的笑而轻松了许多。

他殷勤而期待地看着她："需要点儿什么吗？"

她似乎有些为难——看得出她并没有要买东西的打算，但她只犹豫了一下，便笑着点了点头，"鱼，三份，羊奶，三份，谢谢。"

感激地冲她笑笑，Gouvinho手脚利落地开始炸鱼，一边用生疏的中文同她攀谈："利马平时从不下雨的，不知道怎么回事这两天居然会下雨，在这里都买不到雨具，给你造成困扰了吧？"

她轻轻撩起额前有些潮湿的头发，这个女人的肤色比平常看到的亚洲人要白，她抬头打量了一下暗沉的天空，低下头，依然是那样温柔的笑容，"没有关系，这里很美。"

真是良善的人啊……Gouvinho感慨着，看她另一只手上抱着一大袋东西，究竟她亲人怎么想的，会这么狠心在这种天气让她出来买东西？

安宁又抬头看了一下天色，眼眸中有一丝焦急——时间不早了，再迟迟不回恐怕某人要起来了，然后，她会被骂，然后晚上会很惨……

只是秉持着面对劳动人民一定要友好有礼的原则，安宁这时死也说不出口什么时间太赶了、东西不要了、我要走了之类的话。

于是她只能安安静静地站在摊前，挂着温婉的笑容听着对面的人絮絮叨叨地说着天气，虽然他说的是中文，但她好多单词都没听懂。

广场上开始飘起一丝丝雾气，仿佛有生命般，渐渐地氤氲起一个深蓝的世界。

注意到她的目光，Gouvinho微笑着为她解释："这是浓湿雾形成的繁雾，是只有在这里才能看到的景致。"

"很漂亮……"虽然没听懂，但意思领悟到了，安宁点头赞叹地看着那宛若仙境般半隐半现在浓雾中的广场，如果徐莫庭知道他错过了这么美丽的景致，会不会觉得可惜呢？嗯，回去跟他复述，想象着他的神情，她不由得轻笑起来。

对方看着她愉悦的笑脸，突然冒出一句："年轻真好啊，无忧无虑，不用为什么事发愁。"

不幸这句话李安宁完全听懂了，她脸上的笑容瞬间僵了一下，背后似有一阵冷风卷着树叶刮过，她不由得打了个寒战。

在她复述美景之前，徐某人会先……怒气和欲望，他绝对会先选择发泄后者。想到这里，安宁长叹息，果然偷跑出来买东西也要挑时机吗？出门时明明只是阴着的天，在她出门没多久就开始下雨了，然后又耽搁在了这里……

"抱歉让你久等了。"Gouvinho赶紧用油纸袋包好炸鱼和羊奶递给她，"10索尔。"

接过钱，他有些担心地看着她怀里的东西，"拿得下吗？"

安宁安慰地朝他笑笑，将油纸袋装进另一个大纸袋里，然后将那个满满的大纸袋抱起，"谢谢，再见。"转身迅速朝着旅馆走去，窈窕的身影渐渐消失在清冷寥廓的街景中。

回到酒店的房间，安宁将手上的东西放到茶几上，深呼吸三次，鼓足勇气，轻轻推开卧室的门，小声地轻唤："徐莫庭？"

没有回音，于是壮着胆子走进卧房——他还没有醒？安宁差点儿喜极而泣。

徐莫庭整个人极为放松地趴躺着，只在下身盖了半条被子，修长的手指垂在床畔，窗外昏黄的光线从拉开的窗帘空隙里照进来，照得床上的人都有些朦胧了。

安宁走到床边原本想帮他盖下被子，却发展成对着他露在被子外的白皙裸背吞口水了，当机立断决定回客厅，正要偷偷溜走，倏然被一股力气拽住了手。

惊吓地回头，就看见对方慢慢地睁开眼，似醒非醒地转头看向她。

"去哪儿了？"

"没……"

被用力一扯，安宁一个踉跄便跌到了床上，不等她反应过来，他就压到了她身上，封住了她的唇。吻的时候，浑厚的手掌开始滑落下移。

安宁大惊失色，用了点儿力气推开身上的人一些，然后讨饶："我买了早点。”

“嗯？”熟悉的男音，沙哑性感的，好像在求爱一般的呢喃。

安宁觉得自己腰软了一下。

“我买了热羊奶和烤鱼。”

徐莫庭看着她，似乎还没有彻底清醒，最终笑了笑，又吻住眼前人的嘴唇，却不再激烈，只温和地摩挲着：“早上好，徐太太。”

接下来，闺房秘事一小时。

番外二

婚后之日常生活篇

徐莫庭收养的那只猫咪，后来就是安宁在养了，安宁一直勤勤恳恳地喂它吃猫粮，每一餐都喂得很丰富，第一次养宠物难免爱心泛滥，不过，小家伙的食量实在不大，于是经常性地会把余粮叼到自己的窝里藏起来，大概是以备不时之需。

某天，安宁打扫卫生的时候也给小家伙的小窝打扫了一遍，顺道把里面所有的“存货”都清理了，大扫除嘛。结果当天小家伙进去就不停地翻找，最终迷惘地瞪着安宁，婆婆过来见到它可怜巴巴的样子不由得说：“这小东西怎么就跟让人盗了号似的……”

“……”

自从安宁进了徐家的门之后，就觉得自己冷笑话的段数真是低啊低。

晚上跟莫庭说到这事儿，最后再次强调了一下猫咪依然在郁郁寡欢中，寻求对策，徐老大比较聪明嘛。

结果正刷牙的人含糊地说了一句：“郁郁寡欢？春天到了吧。”

“……”

当床上的姑娘正为猫咪头疼之际，徐老大上床来，然后……嗯，养猫嘛，一步步来，要细心，要谨慎，要有爱心，圈养中让她慢慢地对你产生依赖感，渐渐地只认你，只吃你喂的，只让你抱……

然后，安宁隔天去公司活生生迟到了。

佳佳看到某人脖子上明显的吻痕时，就笑眯眯地说了，“昨夜雨密风骤啊。”

安宁脸红加黑线。

说起来，他们公司一群女的里她是最早结婚的，又因为老公是传说中气宇轩昂、玉树临风、皱眉间还带着一股冷傲的徐某某，所以，经常有同仁好奇她的婚后生活，继而盘查。

安宁每每老实答：“吃饭，睡觉，上班……”

众女完全不信，百问无果，开始自行YY——斯文高干的帅哥跟温婉有趣的姑娘之间可歌可泣的……豪门生活。

安宁不得不折服于她们的想象力，其实她跟徐莫庭之间真的就是吃饭，睡觉，上班，偶尔逛逛超市逛逛街，发现不错的电影就去看一场。

姐姐们，真的真的没有第三者和三天之后拿出一百万美金否则就把你太太撕票的豪门绑架啊。

下午午休的时候安宁正补眠，手机响了，是短信。

安宁翻看，徐莫庭的，约她吃晚饭。

安宁想了想，回：“回家吃，我要吃你煮的玉米浓汤。”

“老三他们请客。你下班后，我过去接你。”

安宁无语，那你之前干吗还问“要不要一起吃饭？”耍人吗？

下班之后，安宁出门口就见到了那辆越野车，当然，身边阿兰她们也第一时间就看到了，“有夫如此，妇复何求？”

好吧，走过来的人美色是没得说，但是，你们就不能寻求点儿更深层次的追求？

“哎，安宁，你老公那辆车，上完牌照要将近80万吧？我一生的追求就是赚足一百万流动资金养老。”

“……”

徐莫庭走近，安宁跟同事道再见，徐莫庭也朝她们微颔首。

女士们笑眯眯地朝徐氏夫妇挥了手。老实说，徐莫庭言简意赅，虽然只偶尔跟她们客套两句，但态度十分诚恳，所以她们对他印象一直极佳，不过，隐隐也觉得年仅26岁的高干子弟骨子里有一种睥睨天下的气势，在他面前，总不敢放肆。

安宁上车后就问徐莫庭："老三大哥为什么请吃饭啊？"

徐莫庭发动车子道："说是中了奖。"

安宁惊讶："真的？恭喜恭喜！"

"通常别人第一句话都是问中了多少。把安全带系上。"

安宁系上安全带，从善如流地问："中了多少？"

"三万。"

"哇。"

徐莫庭睨了她一眼："我也中过，你怎么不'哇'？"

"你才中了一部手机好不好？"

上周末，跟他一起去看电影，看完出来瞎逛时，碰到一家商店开业，大红横幅上写着只要出示身份证就可以参加抽奖活动，安宁心血来潮拉着他去抽了奖，某人意兴阑珊，但在很多人都抽到"欢迎光顾"的安慰奖时，他倒抽中了一部手机，然后被人拉到台上说了下感言，安宁乐死了。

现在想起来都觉得乐！

徐莫庭不用猜都知道她在想什么，抓过她的手放到嘴边咬了一口。

他俩都有互咬的习惯，这个习惯很不好，得改。

安宁突然想到："我第二次见到你，呃，不对，是大学里第二次见到你，就是你来献血车上拿你的手机，你说我们算不算是'手机情缘'？"

徐莫庭没有松开手："那你当时为什么在写我的名字？"

安宁实话实说："因为你的字很漂亮。"

徐老大轻哼了一声。

安宁惆怅，每次讲到以前干吗干吗，他都特别小气。

"真的嘛，我对你的字一见钟情，然后不是都说'字如其人'嘛，所以我对你也算是'一见钟情'了啦。"安宁说完自己先笑了，肉麻就是这样练成的。

徐莫庭眼底闪过一丝玩味的笑意，说："把这句话记下来，回去写给我。"

"莫庭……你是在报复吗？"

不禁想起情书事件。

因为曾经婚前有人说过结婚后要把那封传说中的情书念给她听，于是在某一天晚上，床上，H前，她说："莫庭，念情书。"

接下来的对话是这样的："念情书，你说的。"

"李安宁，我爱你。"吻一下额头。

"不对，情书，不许耍赖！"

对方直起身看着她，眼中柔情似水，慢慢说道："李安宁，我叫徐莫庭。"

……

"他对你一见钟情。"一吻。

"再见倾心。"再吻。

"可是，当他满心满眼都是她的时候，她却还不知道他叫什么名字。"在颈项轻咬一口。

"怎么办呢？总不能每次擦肩而过时，他万分紧张、期待，她却云淡风轻？

"他只要她说一句话，当面对他说，可以或者不可以，他都接受。

"安宁，他第一次接触感情，难免胆战心惊，所以，请不要让他等太久。

"徐莫庭，2003年3月14号。"

"……"

开车的人对于那句"你是在报复吗"表示沉默，但不反对。

安宁扭头望车窗外——泪，她是无辜的啊。此时，正惆怅的人没注意到徐老大轻轻笑了笑。

到了目的地，徐莫庭去停车，安宁先进去，餐厅很显眼的位置上坐着蔷薇、朝阳、老三、张齐。

毕业半年，她跟徐莫庭，还有老三、张齐都工作了，蔷薇也留在江泞这边发展，朝阳升了博，只有毛毛回了老家。

安宁走过去，老三便立马斟上两杯茶：“大嫂，好久没见，越发美丽动人了！”

蔷薇鄙视：“你马屁怎么每回都拍一样？”

老三摇晃手指，“NO，NO，NO，‘越发’，姑娘，体会一下这词儿吧，你会发现这句话将经久不衰。”

朝阳说：“怪不得你快三十了都还没女朋友，原来是有理可证的。”

蔷薇摇头：“这有没有女朋友这种事儿，主要看长相，性格是其次。”

张齐竖拇指：“犀利。”

这时候徐莫庭过来，拉开安宁左边的位子刚坐下，老三就蹦出一句：“老大，越发英俊了！”

众人齐啧。

老三啧啧有声：“这话安在别人身上可能浮夸，但老大和嫂子那绝对是符合事实的。”

蔷薇说：“这倒是，所谓婚姻生活和谐，可使人容光焕发也！”

老三说：“要不咱俩将就将就也婚算了，每次看着老大跟嫂子我就觉得结婚真他妈不错。”

“性格长相先不说，等你年资产到这个数的时候，再来看看咱俩能不能将就吧。”蔷薇比了一个数，老三蹶倒：“哥哥我也算是小有钱财的人了，但你这数额……这是果断要找土豪啊。”蔷薇：“那是。”

吵吵闹闹地点了菜吃饭，张齐一直在跟徐老大说工作，徐莫庭提点了一下，对方受益匪浅，直道：“还是老大厉害，一句话顶外面那些××的长篇大论十倍有余。”

安宁听到，点头：“那是。”引得蔷薇笑趴，“与有荣焉，传说中的与有荣焉！”

安宁也不觉得不好意思，徐莫庭是厉害，应该说是那种天才型的人物，嗯。

朝阳说：“喵仔，别刺激我们了。我自从成了灭绝师太之后销路一直下降，情绪很不稳定。”

“……”

徐莫庭笑着拿湿巾擦了下安宁刚吃螃蟹的手，用勺子舀了小半碗鱼汤递给她，“喝点儿热的，别光吃凉菜。”

两女尖叫起来，老大刺激人的水准越来越高了。

蔷薇尖叫完了，开始转移痛苦：“老三中了三万，请顿饭太便宜他了。”

然后，众人开始提议怎么花那三万，有说去滑雪，有说去爬山，有说冬天应该去海南，众说纷纭，热闹非凡，老三很想很想告诉他们他中的是三万而不是三十万。

终于吃饱喝足，也谈得尽兴之后，老三豪爽地掏了钱付账。至于那余下的奖金怎么花，意见不一致，再议。

出了门口道别，蔷薇、张齐坐老三的车走，朝阳是骑电瓶车过来的，她跳上车，朝徐氏夫妇挥手道别：“Goodbye，Good night！”

餐厅门口只剩两人，安宁抬起头，竟然发现——下雪了？

“徐莫庭，下雪了！”

莫庭抬头，果然有雪花缓缓飘落，侧头看到她鼻尖有点儿冻红了，伸手揽住她：“回家吧。”

他的怀抱总是特别的温暖，“嗯，嗯。”

“我回去要先洗澡。我要泡热水澡。你不能跟我抢，不对，应该是你不能来闹我。”安宁说着抱紧他，“真暖和，真暖和。”

徐莫庭笑道：“我不闹你，但我洗的时候你可以来闹我。”

“……”

她的生活很简单，没有大风大浪，偶尔小无语小纠结一下，不过，小冷怡情嘛。她觉得很好，很好。

“莫庭，我突然发现自己对你二见倾心，三见深爱，怎么办呢？我真的好爱你，我补写一封情书给你吧？”

“……”

“题目就叫遇见你真好。”

灯火璀璨，湿漉漉的街道地面上折射出五彩的光晕，一对依偎而行的情侣慢慢走着，有雪花轻悄地落在他们衣发间。

这一刻成永恒。

番外三

旭日东升

一、感谢老天爷

毛晓旭决定物色并且追求一个男的！

但当计划实行时她却发现一个很严重的问题，怎么江泞大学美女如云竞争惨烈，男生却都是惨不忍睹的？最可悲的是前面还有妹夫那种贵胄人种当楷模，对比之下简直没一个能看的了！甚至有些男的比她还有女人味，毛毛不禁仰天长啸："你们长得就不能对得起点儿自己的精子！"

最终她无可奈何决定往校外发展，实在是内部资源太过紧缺。

那天温度宜人，毛毛大摇大摆地走出校门，在经过一个公交车站时不由得眼前一亮："哇哇哇，就他了！"果然要实行走出去战略，才能发现更多的资源，才能更好地发展社会主义啊。

公交站牌前站着的男生，英姿飒爽，好不勾人！毛毛正准备上前搭讪，结果下一刻就看到俩美女从一辆刚到站的公交车上下来，然后帅哥上去一手搂住一个，谈笑风生地走向了夕阳里。

毛毛又心痛又安慰："真是世风日下，世风日下！"

在走去隔壁大学物色人才的路上，毛毛倒是遇到一个很萌的小正太，"长得不错，干脆拐个小的回去养成得了。"

小男孩感受到毛某人的目光，吓得差点哭出来："呜哇！妈妈！"叫着朝不远处在买水果的妇人猛奔而去。

毛毛无语："看不起美女啊！"

之后毛某人在隔壁大学逛了半天，结果还是一无所获，"难道是上天看我太完美了，天妒英才，让我无法遇到帅哥吗？！"最终颓然返校。只是毛毛忘了，江泞大学对出校的人很宽松，对入校的人检查却很严格，她偏偏就忘记带学生证了！

跟门卫室的大叔磨了半天结果人家死活不通融，正打算打电话让朝阳来接下，旁边一道低沉却略带疲倦的男人声音说道："这是我班里的学生，放她进去吧。"

毛毛惊讶地抬起头，旁边的男人手里拿着一份快递。他们俩都站在传达室门口，不远处昏黄的路灯光线影影绰绰照过来，落在男人脸上形成一片深深浅浅的光影。

阿毛突然觉得心脏狠狠地鼓动了一下，有些微的发涨，然后愣愣地看着他礼貌地对自己笑笑后走进了校园。

毛毛揉摸着胸口数秒钟，随后猛地一下跳了起来，仰天大笑："感谢老天爷！感谢我爸我妈！感谢江泞大学！我实在是太感谢你们了！"

在路人们的纷纷侧目下，毛毛笑靥如花地冲回寝室，然后在三位朋友的注视下宣布她毛晓旭已经坠入爱河了！

蔷薇问："对方是谁？年龄？长相？性格？爱好？原产地？家庭成员？以及恋爱史？"

"哇哈哈哈！妒忌我惊人的瞬间记忆力和2.0的视力吗？我从他拿着的快递上扫描到了他的芳名，而且上面的地址我也记住了！"毛毛站在寝室中央叉腰仰天狂笑，直至岔气。

朝阳摇头："你要是能把这份热情用在学习上，也不用每学期都至少有一门课被当掉了。"

蔷薇不耐烦："讲重点，那哥们儿到底啥来头？"

毛毛兴奋地宣布："他是隔壁9班新来的班导苏洵！"

蔷薇震惊："老师？好啊，老牛吃嫩草！"想想不对，"好啊，嫩牛吃老草！"

朝阳说："不管在哪个国家，师生恋都是不被允许的吧？"

毛毛选择性听不见，"我会用我的热情和魅力征服他的！"说完风情万种地撩了一下自己的……一头乱发。

"今晚的风很大呀。"阿喵总结。

二、伤心，真伤心……

隔天，毛毛就极有效率地去盘问了隔壁9班的好兄弟阿三，问了他们新换的导师有没有女朋友，在确定没有后，瞬间高效率地站到帅老师面前——美其名曰找老师谈心。虽然是跨班谈心。当时毛某人自己班的导师就坐在旁边位子上虎视眈眈地盯着她！

毛毛说："我父母总是忙着工作，从来都不管我，我也不知道该怎么跟旁边的人交流……"

淡定淡定，不能流口水，但是，颈项真是优美啊，不知道舔起来怎么样……

"你现在班级里、寝室里都没有好友吗？"苏洵轻皱起眉，如果学生出现什么心理问题就麻烦了。

"没有。"对不起各位姐妹了为了我的性福你们就暂时被冷落一下吧——可怜兮兮地睁大眼，眼底水雾弥漫——早知道就不戴什么美瞳了！卡着真难受啊！

不过，即使泪眼模糊眼前的人还是那么唯美无比，那精瘦的胸膛，那韧性的腰，那有力的腿……来吧！

苏洵实在没碰到过这种事例——二十四五岁还来找朋友的。

毛毛再接再厉："女生都有自己的小圈子，我经常被排挤，被冷落，被打压……因为太出色。"毛某人微带疲倦无奈地轻笑着，眼眶红红的——办公室里空调太大了啊老师，隐形眼镜都快干掉了！

不过，依然不妨碍我汹涌澎湃的心，这种唇形吻起来一定超级带劲的——压在门上吻，还是床上，还是洗手台边？

床上吧！

苏洵看着她，食指轻敲着桌面，是真心头大，“你……要不再想想看怎么办才能跟周围的人合群？”苏老师其实是想说你自己找找原因看，毕竟跟人交往自身性格是关键。

毛毛很辛苦地扯出一抹笑，“如果知道该怎么办，我就不用在这里烦恼了。”语毕，她转身冲出办公室，眼角有泪滑下……眼睛痛死了！而且，帅哥用如此关怀备至的眼神看着自己，实在是太让人燥热了！

苏洵沉思地看着那扇被大力合上的门，最终摇了摇头，“真是奇怪的学生。”

毛晓旭的导师这时凑过来跟苏洵说：“你当心点儿。”

“……”

两周后9、10两班合办秋游，由毛晓旭号召起来的——本市背山面海，风景优美，以往都是去海边，而这次换换口味，去爬山。

当他没体力爬上去的时候，她可以……哇哈哈哈哈！

于是在那座海拔七百多米的某山半山腰上，苏老师无奈地看着趴在山石上死也不肯再挪动半步的毛毛，“你的那些同伴呢？”

“朝阳跟蔷薇听说山上有男女混浴的温泉就先上去了，阿喵不知道去哪儿了，我要死在这里了……”毛毛吐着舌头有气无力地回答。

一路过来她是掉队的最后一人了，“好了，如果你不想真的死在这里，就站起来继续走吧。”

“如果我能站起来继续走，我就不会说我要死在这里了。”毛毛拖着她那有气无力的声音继续呻吟。

“喝点儿水，然后起来继续走。”苏洵拿出自己的水壶递给她。

毛毛瞬即两眼发光，抢过水壶就喝——当然她的目的到底是水还是其他的什么就不得而知了——灌完之后，毛毛“啪”的一声又摊平回那块山石上，“就算你把我踹进旁边那条溪里，喝饱了水，我也一样还是爬不起来的……”

苏洵无奈地将背包改成单肩背，然后把毛某人从石头上拖起来，半扶半搂着她往山上走去，“我看你体力应该还行啊。”总是精力充沛的样子。

“不行，不行，我很柔弱的……”呜哇！他和她靠得好近！他的脸就在她旁边，他的手就在她腰上！

腿软了软了软了……

苏洵看看已经连抬脚都没力气的人，不得不又叹了一口气，蹲下身，“算了，我背你吧。”

……山神啊！感谢您！阿毛感谢天感谢地，然后毫不犹豫地扑了上去！

真是性感的背啊，摸起来也舒服，要是XXOO的时候抓出几条痕迹就更性感了，啊……不要，不要……人家已经……

“已经到了。”苏洵将人直接放下，然后去自己班里点名。

毛毛笑得隐晦，来日方长。

但直到秋游结束，毛某人都没能再找到机会和苏洵搭上话，更不用说什么亲密接触了，而她的室友以及隔壁室友在这事上出了不少力拖了她不少后腿！

不过皇天不负有心人，回来后的第二天毛晓旭终于逮到苏洵，然后表达了她的“谢意”。谢礼是电影票，情侣座。

苏洵看着那张票抽了抽嘴角，“同学，这个就不必——”

“必须的必须的。”

“你可以邀请你的朋友去。”

“我不是没朋友嘛。”委屈地低下头说，“你不是刚好也有时间嘛。我刚才听到系主任在走廊里跟你说你这周末有三天的连休，还问你要去哪里散散心什么的，你说你还没想好……”

“……”苏洵无言以对。

毛毛抬头问：“那我们到时候校门口见，没意见吧？”

“呃……”

“那就这么说定啦！”

于是这事就这么被莫名其妙地敲定了。

周日，毛毛乳鸽奔林地奔出寝室。

蔷薇摇头："真是林子大了什么鸟都有啊。"

已经跑出去的毛毛笑声传来："啦啦啦啦我是一只小小鸟！"

太过开心的毛某人忘了古人有曰，乐极生悲。

当她在校门口苦等了一小时，再一小时，再一小时……而天又从阴转细雨时，的确乐消了，生出了几分悲。

"看什么看？！"狠瞪了几个不识相的人。

脚真酸啊，有点麻了，完了完了，蹲不下去了……

阿毛看了下时间，完了！！电影散场了！

要不再等等，好歹能见上一面啊。

"啦啦啦啦，我是一只小小鸟……我寻寻觅觅寻寻觅觅……"

正在"寻寻觅觅"的时候，阿毛看到了自己一直在等的人……他从一辆出租车上下来，之后扶下来一位美女。

毛毛看着他们撑着伞走进校门，拐进那条去教师宿舍楼的小路上，她望了眼天，哆嗦着回了寝室："伤心，真伤心……"

三、我叫毛晓旭

经过三个多小时的冷雨洗礼，隔天起来竟然依然生龙活虎，毛毛觉得自己真是太可悲了。

当天阿毛赶去画廊打杂工时，事实上是刚出校门，便遇见了昨天她等的人，立即兴奋地跑上去，但又马上注意到他身边的美女——正柔弱地依偎在他怀里，不由得……快步上前！"人生何处不相逢啊，你们也来等公车啊。"

苏洵回头看到是她，礼貌道："你好。"

毛毛看了眼那美女："她脚怎么了？"刚要伸手就被苏洵拦住了，"扭到了，没事，你别碰。"

美女朝她虚弱地一笑。

毛毛嘿嘿笑："我爸是医生，其实扭一下就回来了，很简单的。"

苏洵沉吟，最后还是不愿冒险，"谢谢，不必了，我送她去医院。"

旁边有人惊叫出声："她不是这届超女的亚军张子燕吗？！"

“哎呀，真的是呀！”

“太强了，要签名！”

“……”

于是毛毛被挤到了外围。

周围好多人都涌了过来，美女马上将脸埋进苏洵颈间，后者的眉头已经皱深。

毛毛“啧”了一声，杀出一条血路进去，“你先带她走，这里我来挡。”

“喂，胖女人，你走开！”

毛毛叉腰：“此路是我开，此树是我栽，要想碰美女，留下买路钱。”

“你算老几啊？！滚开啊！”

“男生说话这么没气度，对得起你家老二吗？”

“什么？！”

“老二，胯下之物。”她随即故作惊讶道，“你不会没有吧？！”

“……”

苏洵已经拦到的士，他让张子燕先坐进去，然后侧头看了后方一眼。

“怎么了？”张子燕轻唤。

“没，没什么。”

当毛毛解决完闲杂人等回头时车子已经扬长而去，“啧，大老远也可以说声再见嘛！”甩了下手臂，真疼啊，刚哪个王八羔子拧她胳膊来着？

伤残人士下午回宿舍时见到楼下门口立着的人立马回光返照：“你找我啊？！”

苏洵看了她手一眼：“你没事吧？”

“啊？哦，没事没事，这点伤不算什么！”说着还三百六十度甩了一下手臂。

“今天谢谢你。”

毛毛摆手，“不客气不客气，不过话说回来，你那天干吗没来啊？害我等了好久！”

苏洵确实感到很抱歉，“对不起，我当时临时有事，也没有你的联系方式，所以——”

毛毛低下头，想到自己贴在他电脑上标注着她大名的电话号码……

抬起头时已经双目璀璨："那个，明天周末你陪我去趟游乐园好不？我小时候就想去了，就是没人陪。你不会再出尔反尔吧？"

"……"

于是周末，毛晓旭和苏洵两人一起站在游乐园拍大头照的地方。

今天苏洵穿得非常休闲，还戴了副眼镜，添了几分学生气息，而毛毛则是圣诞节装扮，一身粉红装束，还戴着一顶红色圣诞帽，站在那里，真是显眼至极。

"我记得圣诞节还有段时间吧？"

毛毛笑道："提前庆祝。"暗含深意。

苏洵明智地转移话题："那你现在想玩什么？"

"根据我的调查，女生不管是和男朋友还是女朋友出去玩，拍大头照都是必须要做的。"说着从随身包包里掏出一张纸，认真地看了几眼，又收了回去。

"那你去吧。"

"一个人拍有什么好玩的？"毛毛拿眼角看人，一副"你不会真的打算让我一个人去拍吧"的表情。

苏洵又头疼了："那我就进去坐一下，看你拍好了。"

毛毛一爪子抓住苏洵的衣服，亮出一排雪亮的白牙，"嘿嘿。"

数分钟之后，两人站在店员小姐跟前，看着手里几乎可以媲美20世纪40年代结婚照的大头贴，互相对视一眼。

"看来我们真不适合拍这种东西。"

毛毛点头，"剪成两半估计能直接当遗照用。"

"……"

在勉强保持住微笑的店员目送下，毛毛拉着他向下一个目标出发！

"根据我的调查，如果有男生陪同，很多女生会选去一趟鬼屋。"毛毛盯着那张纸严肃地回答。

"那如果没有男伴呢？"苏洵觉得有些有趣。

"冰淇淋屋。"

"那你选哪个？"

毛毛偏头问："你自认是我男伴还是女伴？"

"去鬼屋吧。"

数十分钟之后，鬼屋出口处。

苏洵平静地总结："音效不错，特效有点儿假。"

毛毛嘿嘿笑："跟在我们后面那女生的尖叫声倒是挺吓人的。"

"看来我们真的不适合这里，还是回去吧。"苏洵转身往游乐园门口走去。

"等等！"毛毛马上飞扑上去抱住他的手臂——这是她原本想要在鬼屋里做的，可惜现实总是不如人意，不过眼下最重要的是，"浪费会遭天打雷劈的！我们买的可是游乐园的全票啊。"

苏洵有些哭笑不得地看着像无尾熊一样挂在自己手臂上的女生，"那你还想玩什么？"

"根据调查，女生觉得最刺激的是云霄飞车，我们去玩那个吧！"她拖着他就走。

基本上苏洵已能想象到结果了。突然忍不住笑了一下，这个女孩，还真是一个特别的人……特别有趣。

这天毛毛很开心，回学校跟心上人分道时，她突然想到什么，冲已经走出十来米远的人喊过去："喂，苏洵，你知道我叫什么名字吗？"

"我叫毛晓旭！"

四、我最喜欢吃的是红烧牛肉面

毛毛现在成了勤勤恳恳的送菜工，每天早午晚三餐在自己享受完美食之后都不忘给苏老师带上一份，后者在这件事上很是为难，多次劝说无效，最终只能将伙食费交予她管理。

毛毛当时看着他拿出一张银行卡给她，然后报了密码，瞬间就不淡定了，仿佛听到了《婚礼进行曲》。

看着毛某人过分欢快地飘然离开，苏洵又忍不住摇头，但眼中却有几分笑意。

傅蔷薇对于毛晓旭送饭这点表示："你猪啊，你不好买过去跟他一起吃吗？然后啥啥一下，之后就可以那啥了嘛。”

毛毛连连点头：“哦哦哦，有道理有道理！”

之后毛毛吸取经验教训，买两份饭到办公室跟心上人一起吃，而她以前都是蝗虫过境般的饮食速度，在面对苏洵慢条斯理的吃法时也不免慢了下来，主要是吃慢点可以那啥久一点！10班班导在旁边吃得呕心沥血。

有一回10班班导忍不住问苏洵是不是真看上毛晓旭了，苏老师停顿了下，回了没有。

是啊，跟学生，怎么可能？

而且，她看起来也只是一时兴起，过段时间热情过了可能就不会再来缠他了。

这天中午，毛毛一早去某店里排队买了苏老师最爱吃的西红柿蛋炒面，“你最喜欢吃牛肉、西红柿，最讨厌的是青椒和茄子。”

苏洵有些惊讶，因为她说对了，“你怎么知道的？”

“我天天观察嘛，瞧我多关注你啊，感动不？”

“……”

“苏洵，我最喜欢吃的是红烧牛肉面，你要记得啊。”

就这样毛毛缠着苏洵一起吃饭吃了一个月，这段期间她竟然瘦了五斤，天哪，这是怎样的一种一箭双雕？！

后来一天毛毛幸福地推开办公室的门，结果却看到苏洵旁边有人坐着了，阿毛心里瞬间响起一片哀乐声，眼睛一斜，看自家班导似乎还没用餐，脸上一笑，已经蹦跶过去：“老师，我请你吃饭吧？”

10班班导第一反应是惊吓，然后看向跟张子燕吃盒饭的苏洵，对方也朝他们看来一眼，苏洵似乎微皱了下眉头，但并未说什么。

“老师啊，炒面凉了就不好吃了！”已经开动的毛某人催促道。

“呃，好，那个，毛同学，回头给你钱啊。”

毛毛摆手：“你那份是用苏老师的钱买的，你给他就成了。”

毛毛回到寝室就拉肚子了，呜哇，吃太快了！一个月慢速度下来，胃动力竟然跟不上了，太悲催了。

朝阳问："阿毛，你没事吧？"

毛毛呻吟："我要死了，番茄太难吃了。"

朝阳一点都不同情："明明最讨厌吃番茄，还吃，你这就叫自做孽不可活。"

几天不见某人来送饭，苏洵突然觉得有些……没有食欲？很奇怪的症状。

去食堂时，刚进去就看到一道熟悉的身影，不是毛晓旭是谁？他竟然第一眼就能发现她……这也很奇怪，她并不显眼。

此时毛某人正跟几个同学在吃饭，手上拿着一只烤鸡腿，坐在她旁边的男生一边笑，一边给她递纸巾。

不知道为什么苏洵看着这场景突然有点不想在食堂吃了，返身出去时，心里想着，她买的西红柿蛋炒面究竟是在哪家餐厅买的？

当毛某人在一周之后又拎着美食出现在办公室时苏洵不由得小愣了下。

"真饿真饿，吃吧，我吃完了还得去打工。"

苏洵疑惑地看着她，"你最近缺钱吗？"

说到这个毛毛就悲愤，"我老爸扣我零用钱！太缺德了，不就是骂了他一句'为老不尊'吗——你看着我干吗？"

"你可以用我的卡。"他转开头打开食盒，其实一直想跟她说这事的，毕竟她一直帮他买饭。

"你的意思是……"毛毛红心泛滥，YY值飙升到最高点！

这时苏洵的电话响了，他接听，挂断之后有些为难地问毛毛："你明天能不能陪我去逛下街？"

什么叫心花怒放，此时的毛某人就是心花朵朵开的最佳代言人，点头如捣蒜："好啊好啊！"

"子燕想买点东西，你——能跟去照应下吗？如果你有其他安排也没事。"

毛毛一愣："三P啊，没问题啊。"

"……"

当天的逛街原本一切安好，直到张子燕的太阳帽被吹掉。

充当鱼饵的毛晓旭这次被踩得脚差点废掉，妈的，这什么世道吗，她也是女人啊！不过也算不负所托，果然出门要带上鱼饵吗？

正被一猪蹄踩得差点飚出英雄泪的阿毛，在下一秒被苏洵拉到了身后，毛毛的热泪终于飚了出来，猿臂猛地抱住前面人的小蛮腰，真是死了也甘愿啊！

后来苏洵在帮她手上的小伤口擦药时说道："以后你别挡前面了。"

"嘿嘿，我喜欢挡你前面。"

"……"苏洵说，"子燕她——你也不用太拼命，没关系的，其实本来你也不需要——"

"没事没事，照顾美女是应该的嘛。"毛毛大笑，"更何况咱爱屋及乌。"说完马上趁热打铁，"这周末陪我去唱K吧？"变相约会！哦也！

我们可怜的阿毛没谈过恋爱，纸上谈兵的想法都是去电影院、游乐园、KTV啥的。

五、这年代好人难为啊

周末的KTV。

蔷薇、朝阳就不明白了："为什么连我们也要来啊？"

毛毛淫笑，"浑水好摸鱼嘛。"

苏洵进来时，毛毛正襟危坐着，但两只眼睛闪闪发光简直可以媲美某大型肉食猫科动物。

苏洵过去坐到她旁边，里面热，他就脱了西装外套。

朝阳在点歌台那边，跟蔷薇心照不宣地相视一笑，说："下面这首是阿毛你的啊。"

当熟悉的旋律响起时，毛毛一愣，她的《倾国倾城》……鉴于自己的嗓门实在不宜在此时展现出来，果断地将麦克风塞进了苏洵的手里，"你来吧！"

苏洵转头，想把麦克风给另一边的女生，即蔷薇，被回复："我不会。"

无奈，苏老师只能硬着头皮唱了，好在这歌他听过两次，而其他人没想到他居然有一副非常适合唱歌的嗓音，婉转低沉，透过麦克风放大后在整间包厢里回荡，听得人心底酥痒难耐，尤其是对他心生爱慕的人……

毛毛慢慢地就头脑发热神志不清了，一曲结束后，已经扑向苏洵准备给他献吻，然而事出突然被茶几狠狠绊了下脚，为保持平衡她不得不伸手去抓身边人的衣服。

很显然苏洵的衬衫也觉得太突然，于是，在其他人期待的目光中，“刺啦”一声，一百二十多斤的毛某人拽着衬衫的碎片以平沙落雁式趴倒在地上，而依然停在他腰上的另一只手还乱摸了一通。

苏洵猛地退后一步，当毛晓旭好不容易爬起来时，他已经穿好了西装外套，脸似乎有些红，没等毛毛回神，头也不回地走了，正所谓来去匆匆。

毛毛灵魂归位的第一句话是：“我居然没有看到！”虽然摸到了。

毛毛继续心痛：“别拦着我！我要去跳楼！”

是的，没人拦她。

接下去两周，毛毛连面都没能见着苏洵一次，怎么逮都逮不着。

“难道本姑娘要失恋了？！”毛毛抱着寝室门号啕——主要是因为门上贴着某明星的海报，“艳照门”事件之后他就成毛毛偶像了。

蔷薇反问：“你们有过开始吗？”

朝阳提意见：“阿毛，还是算了吧，我思来想去都觉得你跟他是两个世界的人。”

“王子在地狱，我不入地狱谁入地狱！”毛毛精神一振，拿起一本大号的素描本和一支记号笔雄赳赳气昂昂地再度出门了。

最近苏洵都在给本科生们监考，对于苏老师的行程毛毛自然是了如指掌的。今天他监考的那场是在2号楼112教室。

于是毛某人到了考场……的窗外，安静地努力地千变万化地探头探脑想要引起苏老师的注意，但导致的结果是考生经常看到一颗脑袋在窗外移动，瞬间思绪混乱，做题无能。而苏洵也终于在学生们飘忽的眼神中注意到了窗外的毛毛。

毛毛大喜过望，举牌，上书：苏洵，今晚你没课吧，我有事想和你谈谈！

苏洵微皱眉，本想不去理会，但又怕她极有可能会一直举着，想了想，低头撕了张白纸，写了两个字，走过去给她：没空。

毛毛毫不气馁，低头翻了页，写字，举牌：没事，我可以等你到天荒地老！

苏洵无奈，心里倒有几分好笑："你到底想干吗？"

"就聊聊，不会把你怎么样的，嘿嘿，嘿嘿。"

苏洵听到这句不由得皱了下眉。

"你先走吧，我在监考，有什么事回头再说。"

"为什么不能现在说？为什么为什么？你到底把我当成什么了？"无理取闹女主角模式启动。

苏洵深呼吸："我……对你没兴趣。"

"我对你有兴趣。"

这句话让他不禁有些耳热，想起那天被她扯破衣服，她的手滑过他腹部的温度……苏洵为自己的浮想联翩感到汗颜："你到底想干吗？"

"虽然我很想跟你这么无限循环下去，但是，咳咳，你的学生都在看你了。"

"……"

"说定了，今晚七点，学校后门的茶馆，3号包厢，我等你，不见不散！"

第二次被放鸽子，等了两个小时后，好吧，毛毛想，事不过三，再等一小时，做人要有始有终，也要有原则——然后毛毛被赶出了茶馆，十点打烊，此人已经拖了半个小时了。

毛毛郁闷地从茶馆出来时却见到了从旁边一家旅馆里出来的张子燕，被一名高龄大叔拖着……毛毛的脑子向来简单，没多想就喊过去了："嘿，美女，你没事吧？要不要帮忙？"

张子燕回头见到是她，一阵慌乱，随即拉着旁边的人就走。

毛毛感叹："随便问问嘛，不要就算了。"

结果刚转身就听到救命声，毛毛跑过去时就见那大叔甩了张子燕一巴掌，阿毛最见不得男人打女人，上去就是一阵拳打脚踢，但力气毕竟不及男人，被一掌推开："滚开！别多管闲事！"

毛毛见他又要对张子燕动粗，也顾不得自己凉茶水喝太多正胃痉挛着，一鼓作气冲上去，心里只想着：苏洵，你这次可一定得好好补偿我啊。

哎呀呀，流血了流血了，晕头转向的毛毛听到有人喊这边在打架，然后昏倒了。

六、原来真的有一种感觉很酸很苦很闷

醒来时是在医院里，毛毛看见苏洵就坐在旁边，差点弹跳起来："你来了？！"

对方的脸色不太好，慢慢地问："子燕的伤是你害的？"

毛毛一愣，"什么东西啊？"

苏洵看着她，最后站起身："你——凡是做事要有分寸，你父母应该教过你如何为人。"

毛毛越听越糊涂，"什么跟什么啊？"

苏洵的眼睛渐渐转沉："毛晓旭，即便我对你没有兴趣，你也不应该报复在别人身上，我以为你至少秉性良善——"他最后一句话没有说全，一向温和的男人眼中竟有几分不能容忍，"你好自为之。"

"……"

朝阳推门进来时就听到阿毛在什么啊什么地咕哝。

沈朝阳放下水壶道："传言是这样的，你追不到人，就把人家的心上人叫了出去，还叫了一猥琐大叔欺负她，她反抗，你打了她，猥琐大叔最终被她感动，反过来帮她，跟你打了起来，救出了她，以上是本台记者傅蔷薇从受害者的病房听来的报道。"

毛毛听得一愣一愣的："这什么故事啊？"

"爱情故事。"

阿毛难以置信："不会有人真的相信吧？这也太离谱了！"

这时蔷薇出现在门口，笑道："还别说，真全信，你要是也去隔壁听一现场版的，我保准你也信。"

毛毛心酸，"这可怎么办啊？我被冤枉了。"

朝阳说："含冤而死吧。安宁已经跟苏洵说了，把这事私了，他似乎也不想把你供出来，学校是一定不能知道的，否则你就得提早毕业了。"

毛毛摇头："严重，真严重……"

蔷薇批判："知道严重了，谁让你半夜跑出去，还脑抽去救人。"

毛毛悲痛："如果我跟他说，他会不会相信我啊？"

朝阳说："我看还是算了吧，人家恩爱得……都要准备给她撑起一片天了。

蔷薇也同意："阿毛，也不差这一个，咱再继续物色男人，整一飞机呢！"

"不行，我是真喜欢他。"毛毛挣扎地爬起来，"我得亲自问问他。"

蔷薇气恼："你傻啊！"

朝阳拉住蔷薇："让她去吧，早死心早得道。"

毛毛扶着点滴架来到隔壁时，苏洵正在喂床上的人喝粥，她突然有些进退维艰，但对方已经听到声音，抬起头看到是她，眼中一闪，随即又暗下，"有事吗？"

张子燕已经转开头看窗户外。

毛毛摸了摸脸："我就是想说，不是我打的她。"

他的声音有些哑，轻轻说道："都过去了。你也回去好好养伤吧。"

"如果还想毕业，就别再来了。"

"还有，以后也别再来找我了。"

"……"

毛毛哭笑不得："那就是说不相信了？"

"……你走吧。"

原来真的有一种感觉很酸，很苦，很闷啊！

毛毛抓着点滴架，"如果我毕不了业，我老爸大概会把我的腿都打断吧。"

最后低头道："苏……老师，我还想毕业，我不会再来了。"

"我以后也不会再来找你了。"

毛毛一瘸一拐地拖着点滴架往回走的时候嘴里念道："这年代好人难为啊。"

张子燕见苏洵一直望着门口，心中不禁有点害怕，伸手覆住他的手，“苏洵，你不信我吗？”

苏洵回头，慢慢抽出手，帮她盖妥被子，“你睡会儿吧。”

他没有正面回答，张子燕紧张了，“苏大哥，我们相依为命那么多年，你会一直陪着我的是不是？她是你的学生，她长得又不好看，你怎么会在意一个学生呢，是不是？苏大哥？”

他低声道：“睡吧。”

苏洵一如既往地温和，张子燕却觉得哪里不一样了，但也不敢再多说话，怕说多错多。

等张子燕出院后，苏洵销假回去复职。每天按部就班地上班，吃饭，下班，他的世界又回到应有的平静，而他却发现有点不能适应了。

走在学校里，他总是有种感觉，不知道什么时候会有一个人跳出来。

吃饭的时候也会下意识地想一些事情，才三个月，怎么会被弄得连习惯都变了。

“苏老师，早啊。”

苏洵一愣，看到跟上来的是自己班的一名学生，“早。”

跟同学聊了几句，来到办公室时看到自己桌上放着一份早点，心竟然一跳。

10班班导道：“刚才张小姐拿来的。”

苏洵按了按眉心，坐到位子上，咬了一口还热着的早餐，有些食不知味。

七、青春的执拗

离毕业只有一个月了，毛毛全力投入论文，一心只抄文不想其他杂七杂八的事。这一个月里她都没有见到过苏洵，也许是她线路改得很彻底，以前买过饭的餐厅现在一律不进，修改论文、论文答辩都走不寻常路线，所以，她算说到做到了。

除了毕业典礼后的那顿散伙饭，9班和10班一起搞的。

毛毛朋友一向多而杂，男生更是喜欢跟她称兄道弟，所以这种场合男同胞们找她拼酒是少不了的，毛毛嘿嘿笑着，技压群雄。

在敬导师时，毛毛跟10班班导连喝三杯，后者笑道："毛晓旭啊，我还真担心你毕不了业呢，状况频繁，如今能顺利结业我也是松了一大口气啊。"

"哈哈，给老师添了那么多麻烦真是不好意思！"

毛毛有点喝高了，转身要走时倒是看到了坐在自家班导旁边的另一名老师，觉得似乎应该一视同仁，于是招招手让身边兄弟倒上酒，敬对方，"苏……老师，我敬您。那啥，祝您事事如意。我先干为敬，您随意。"

旁边男同学搂着阿毛的肩膀转移阵地，"毛，还行不行啊？"

"行！我才两分醉，要灌倒我还早着呢。"

"哈哈，那就行！"

毛毛喝醉了，在洗手间里吐啊吐，安宁站在她后面帮她顺背，"酒量没我好还帮我挡酒，等会儿别再喝了知道不？"

毛毛趴在盥洗台上，"阿喵啊，我真难受啊。"

安宁叹了一声，拿出纸巾帮她擦眼泪，"我不会说出去的，你哭吧。"

从小声的抽泣到号啕大哭，安宁抱着她，柔声安慰，"乖乖乖，毛毛最勇敢，毛毛最厉害，毛毛最无敌，什么都不怕……"

安宁先从盥洗室出来，因为某人说自己已经没事了，让她先过去。阿毛洗了脸，走出来时还有点有气无力，刚出门口便与一人相撞，一下子倒在地上。

对方似乎愣了一愣，随即蹲下去，抓住她的手，要扶她起来。

"行了，谢您了，我能行。"毛毛抽回手，扶墙而起。

走了几步，毛毛回头，虽然醉醺醺的，但意识很清醒，"苏老师，估计我毕业了之后就没有机会跟您再见面了，你喜欢的那炒面汤面啊，是在北门比较偏僻的一家店里买的，叫'胖妈妈面馆'，你喜欢的那些菜啊，是在学校后门外面的'江南美食'买的，虽然名字叫得挺大，但店面很小，不过物美价廉。"毛毛说完抓了抓头发，"哦，还有一句，我这人虽然算不上优良，但是从来都没撒过谎……唉，你信不信随便吧。"

毛毛晃晃荡荡地走了，苏洵一直站在原地没动。

六月份，毛毛包袱款款地坐上火车，学成归乡。

跟蔷薇、朝阳、阿喵在火车站挥泪告别，才刚离开就想念315寝室了。以后都没人买烤鸡给她吃了，以后都没人和她斗嘴了，以后都没人陪她一起研究AV了……不过，有些人，时间到了总是要分开的。

毛毛看着火车外的景色，“毕业了，怎么感觉什么都没了？”

她们中最先结婚的是安宁，没有毕业就结婚登记了，一年后就生了一对龙凤胎。蔷薇也留在江泞市工作，也一直在相亲，交过不少男朋友，但都坚持不了半年，她自己说是“总少那么点激情”。朝阳考上了江泞大学的博士生，自然也一直留在江泞，据说她的男朋友在老家等着她回去。每个人都有一段为人知的、不为人知的故事，或平淡，或愉快，或伤感，而她毛晓旭的人生就是混吃等死中间穿插无限制的耍流氓，只是，毕业之后耍起来也不是特别来劲了。

后来，毛毛听朝阳说，他要结婚了。

她当时正在公司里偷着打游戏，被吓了一跳，而游戏里的“天间毛毛雨”也在同一时间被人秒了。

“感觉怎么样？”朝阳不怀好意地问。

“被人秒了！有种别跑，让姐姐轮你一百遍啊一百遍！”然后毛毛说，“婆婆妈妈，怎么做大事？”

“您能看开就行了。”朝阳笑道，“听说苏老师那对象，也就是上回被你‘打’了的那女的，怀上了孩子，所以才这么急着结婚的，呵，不知道是谁的种，苏洵还真大方。”

毛毛仰躺在椅子上，“唉，生活就像一场戏啊。”

晚上阿毛骑着电动车回到家，洗完澡，打开电脑，想了想，登录了邮箱，一年中，她收到过他的两封信，一封写的是：对不起。一封就是昨天收到的，他说：我要结婚了，晓旭。子燕她有了孩子，我不能不管她。你如果来，我等你。

毛毛觉得挺没劲的，她去干吗啊，他结婚，关她毛事啊！

他一年里，在很多个不开心的晚上，或者喝醉了，事业上不如意，他的子燕不开心，他都会给毛毛打电话，刚开始只聊一两句，第一通电话他打过来的时候就是喝醉了，他说，晓旭，对不起。毛毛从梦里被吵醒，直接发飙："你脑子有毛病啊，三更半夜来讲废话！"他笑了。后来两人经常联系，什么都说。她一直听着，也说话。毛毛说话大大咧咧的，什么都敢讲，苏洵听了总是会笑。毛毛一直在想，自己就当救死扶伤吧，人家虽然俊男美女风光无限，但名人多少负累。

可就算她是垃圾桶也会有装满装不下的时候啊。

关上电脑，电话铃声就响起了，上面显示着"苏洵"。

她毛晓旭再勇敢，再厉害，再无敌，也会受伤，也会难过，她又不是死人！

毛毛首次没接他的电话，等铃声停了，她发了条短信过去：苏老师，恭喜你结婚，孩子出生了我来喝满月酒吧，婚礼我就不参加了，最近忙。

对方许久之后回过来：我知道了。

毛毛倒在床上，望着天花板，用不着调的嗓音轻唱："我是一只小小鸟，想要飞呀飞却怎么飞也飞不高，我寻寻觅觅寻寻觅觅一个温暖的怀抱，这样的要求算不算太高……"

隔天毛毛起来，回光返照地去上班，刚走出家门，便见对面街道上一道儒雅的身影站在树下。

毛毛目瞪口呆地看着他走近，然后，"靠，你怎么来了？！"

他听到她说粗话也没有皱眉，笑着问："我来的路上也一直在想，为什么？你告诉我好吗？"

八、那啥近了，春天还会远吗

毛毛"莫名其妙"地跟苏洵在一起之后，那才叫真正的回光返照。吃饭也笑，走路也笑，睡觉也笑，要有多猥琐就有多猥琐。

苏洵当时在那边停留了三天，毛毛天天腻着他，旷工三天！苏洵回去之后，两人就天天打电话联络感情。虽然以前也是电话来电话去的，但现在不同了，身份不同了嘛，我们家毛毛讲话就更加随心所欲了。

"你今天穿什么衣服了？啊呀呀，灰色的呀，脱了吧！里面的呢？

衬衫？哦嚯嚯嚯，白的呀，我喜欢！”

苏洵第一次被她调戏的时候，俊逸的脸红了，想挂断电话，可又有些……舍不得，他说：“我去洗澡了，你早点睡吧。”

毛毛一听“洗澡”，热血沸腾，“等等等等！你手机能拍视频的吧？你拍下来我要看！”

苏老师从没遇到过这么无耻的女生，无力地说：“我挂了。”

“不要啊！你这样会让我欲求不满的！苍天啊，我就看看胸口还不成嘛？”

“不行。”

诸如此类的对话无限制地进行中。苏洵很多次想他自己是出于什么心态去找她的，喜欢？心疼？可能都有吧。

就这样，两人开始了远距离恋爱。远距离了半年，苏洵飞过去两次，毛毛爬过来三次，阿毛最后实在受不了这种相见时难别亦难，就跟她老爸申请去江泞市发达，她爸直接回了她一句：“拉倒吧你！”

毛毛很郁闷，“我恋爱了！”

“你？”毛老爷子当时的表情，让阿毛觉得亲情这东西真是……

最后毛毛拿出苏洵玉照给她爹看时，后者又惊呆了，“他？！”

伤人，真伤人……

“是啊，老子我谈恋爱了！而且还是这种货色，你到底让不让我走啊？你不让也没事儿，我离家出走！”

“呵，就凭你？”

“妈的！”阿毛发飙了，“我好歹也是你生的吧！你看不起我也就罢了，你一再看不起我！小心我翻脸！”

毛老先生是老来得女，心里对女儿宠得不得了，最后感慨说：“女大不中留啊。”

“唉。”毛毛叹了口气，拍了拍她爹的肩，“你也别太伤感了，我这不正是去为咱们毛家开枝散叶吗？回头我给你带俩孙女回来！”不知道苏老师听到这句话作何感想。

于是，毛毛包袱款款地又回了江泞市。苏洵当天去车站接人，一看到她就说：“你不是说下周吗，怎么今天就来了，这么突然？”

毛毛道："你不希望我早点来吗？"说完已经扑上去猛抱住他，"真想你啊！"

车站里人来人往的，苏洵微微红了耳朵，说："别闹了，去车上吧。"他拉住毛毛的手，接过她的行李，朝车站出口走去。

毛毛很开心啊很开心，拉紧他的手，心里直冒粉红色泡泡，莫非，终于……要同居了……然后就是……不要不要，人家已经……

"我已经帮你找了房子，离我那边不远，以后……见面也挺方便的。"苏洵有些赧然，他是一个温和儒雅的男人，说这种话实在是首例。

"嗷！"

毛毛"定居"江泞市了。采购、布置房间的时候，安宁、蔷薇过来帮忙，安宁生完孩子之后，更加有味道了，皮肤白嫩红润，身材玲珑有致，气质温润，漂亮得不得了。毛毛当即就感慨："我也要生娃！"

蔷薇淫笑道："月黑风高嘛，你乘他那啥的时候那啥啥啥，啥完之后就那啥，啥了之后不就啥了嘛！"

安宁无语了。

苏洵进来的时候就看到蔷薇在笑："呵呵呵呵呵。"毛毛也在笑："啊哈哈哈哈哈！"心想，她跟她的那些朋友关系不是挺好的吗。

毛毛在这边定下来之后，马上就找到了工作，其实是托阿喵……她老公，帮了点忙。生活安定了，就开始思淫欲了。

于是，苏老师经常在工作的时候收到黄色短信，"今天你寂寞吗？"他刚开始以为是垃圾短信，结果看到发件人时，他……淡定了。

苏老师："上班的时候别开小差。"

"妹夫介绍的工作也太闲了，虽然工资很不错，但是……人家真的很无聊嘛。"

苏洵："我晚上去找你。"就是简单的字面意思。

但对方："你要做什么？来找我之后就想留下来过夜了是不是？然后就强行做不道德之事了是不是？不要啊！不可以！除非你轻点……"

苏老师差点一口血喷出来，他淡定回："你想太多了。"

毛毛叹气："唉，及时行乐啊哥哥。"

他们第一次行乐那次是这样的，时间是一年半后，毛毛隐忍到极限，而苏洵觉得订婚了，可以对她负责了。

然后当夜，“不要，不要……人家已经……”

红着脸的英俊男人真的停了下来，他怕她不舒服，而身下的阿毛顿了一下，马上改口：“要要要！”

“……”

苏洵心里有些暖洋洋的，他是孤儿，从小到大没有人那么在意过他，没有人关心他吃得好不好，没有人在意他开不开心，而跟她在一起，他是真的放松，也真的快乐。

他想他是爱她的，虽然她口无遮拦，虽然她常常出状况，虽然她动不动就对他动手动脚，可就是这样的她让他真正体会到了什么叫真心实意。

番外四

我把你藏在心里最深处

一、潘青青

周锦程打电话来时，我刚下课，我在一所大学教英文。我去办公室把书本放下，跟同事们聊了会儿天，到楼下时周锦程的车刚好到。

我过去拉开车门坐上副驾驶座。旁边的人一如既往地西装革履，成熟精干。他朝我笑笑，发动了车子。这个将近四十岁的男人，手段和修为已经成精。十几年前我猜不透他的想法，现在则更是。

这次，是两个月没有见面了吧？不知道他这两个月在忙什么？我已经不再去猜测，我甚至觉得，他不来，我反而轻松很多。

我是他母亲那边远房亲戚家的孩子，我14岁的时候，双亲因意外事故去世，是他收养了我。他当时也才24岁，大学刚毕业，刚分配到单位，但论辈分我要叫他一声叔叔。

起初我的确叫他叔叔，这个唯一肯收养我的长辈。直到我15岁时来月经，他替我去买了卫生巾，教我怎么用那些东西。我沾血的床单他拿去浸在水里，搓洗干净。

从那时候开始，我不知道为什么，不再叫他叔叔。

我16岁上高中。考上的是市里排名第一的重点中学。他带我去外面吃了饭庆祝，席间我跟他说，高中我打算住校。我算是问他意见，如果他不同意，那么我就走读。但他向来不会为这种事情浪费心思，抿了一口茶，点头说随你。

高中，我第一次住寝室，很新奇，也挺喜欢，而同班的那些新同学也都很积极开朗，我从那时开始努力交了不少朋友。我以前都是一个人，尤其是父母刚去世那几年，阴沉得没人愿意亲近。后来跟周锦程住的那两年，我渐渐地改变自己，我一直告诉自己，至少不能让他讨厌，不能让他有理由赶我走，我已经无家可归，除了愿意要我的他。上高中后我更刻苦地学习，也跟老师沟通，勤工俭学，赚一些生活费，即使那点钱对于他来说不算什么。短短两年时间，他已经坐上不错的位子，他很厉害，我知道。

高中寝室里的女孩子经常聊到很晚才睡觉，她们说的不外乎是哪个男生比较帅，哪个男生聪明成绩好，她们说的时候，我心里总是想，他们再帅，再聪明，也比不过周锦程的一丝一毫。

住校后的第一个周末我回了家，心里是想念他的。但那天他却不在。第二天我起来，走到客厅时看到他正在厨房里做早餐。

那天早上我们俩一起吃了早饭，餐桌上我一直低着头，他拿着报纸，一边看一边吃，慢条斯理，好像任何事在他眼前发生他都不会多动下眼皮。

到最后的时候他问了我在新学校适应得如何。

我说挺好的。

周锦程笑笑，“那就好。”

高二的时候，我们班一个清秀的男孩子给我写了一封信，他希望跟我一起晨练，一起看书。那时候学校抓早恋抓得严，如果被抓到，是要通知家长和批评处罚的，可我却答应了下来。

我跟那男孩子相处一直很拘谨，我不懂怎么去谈恋爱，在一起晨练和看书时，我们几乎没说过几句话，更不用说牵手。甚至我跟他在一起的时候，心里想着别的事。

在“交往”一个月后的那个周末他送我回家，其实我并不乐意他这样做，不喜欢别人接近我的家。可我们是情侣，他说送我回家是应该的，我想了想，点了头。出了校门他变得积极大胆很多，在我家楼下他甚至想上来拥抱我，我吓了一跳，往后一退绊到了台阶，我就这么摔坐在了地上。

周锦程的车子刚好开进来，他下车看到我，又看了看那男生，没说什么。

我看着他走过我身边，走进楼里，委屈得想哭。我的男朋友吓到了，他以为我摔疼了，焦急地扶我起来，“青青，没事吧？！对不起，我以后不这样了！”

我站起来的时候跟他说：“谢谢你送我回来，你走吧。”

他看我真的要哭了，也不敢再多说，“那好，我们下周一学校里见。”他边走边回头，我直到看不见他的身影才转身进了楼里。

开门进到家里就看到周锦程坐在沙发上看新闻，手上捧着一杯茶。我没打招呼就进了房间。

他后来来敲门叫我吃晚饭。我没理，他也没再叫了。

夜里我出来时，看到他靠着沙发就睡着了。幽暗的台灯和电视机里跳动的光线照在他的脸上，原本端正温雅的面孔有种莫名的吸引力。他才27岁，但看起来却已有些沧桑。我走过去坐在他旁边，手轻轻覆在他放在政法书上的手上，他没有动，很久之后，我靠过去吻他的嘴唇。心里紧张得要死，告诉自己，只此一次。

他的手动了动，翻过来覆住我的手，但依然没有睁开眼睛。他慢慢地回吻我，我心如鼓跳！

这是我的初吻，给了周锦程，而他也要了，我心满意足。

后一周回校我跟我的男朋友分了手，我说了对不起。他问我为什么？我说快高三了，我要用功读书，我想考到北方去。他笑了笑说，那一起努力。我不知道我们算不算和平分手了？

高三那年我很少回家，基本上是一两个月才回一次。有时候能碰到周锦程，有时候碰不到。

碰到的时候也就只是说两三句话，内容也都是无关紧要的。他越来越忙，也越走越高，我在电视上都看到过他一次，严谨得体，笑容亲和。我想方设法地从网上找到那段新闻刻进盘里，以后的日子里时不时拿出来看看。

高考我尽了全力，成绩跟自己预想的相去不远。填志愿时我没有问周锦程。填完志愿那天班里组织吃饭和唱歌，被压榨了三年的一帮人在那天玩疯了。我也跟寝室里的人喝了几灌啤酒，去唱歌时都有点醉意。

我看着上面那帮人闹腾，心里也有点放松。旁边有人推了推我说："青青，你的手机在响。"

我拿出来看，上面闪动的名字让我心一跳。

我走到包厢外面的走廊上去接听。周锦程问我在哪里。

"在跟同学唱歌。"

他说："什么时候完？我过去接你。"他是商量的口气，要或者不要无所谓。

我这次咬了下嘴唇，说了我在哪儿，"你现在来接我可以吗？"

他好像笑了笑，"好。"

我跟包厢里的朋友说了要先走，艰难脱身后，到KTV的大门口等周锦程，不一会儿身后有人拍了拍我，我回头，是我以前交往过的那个男生。他说："这么快就走了？你都没唱歌。"

"我唱歌不好听。"

他讪讪一笑，说："我也报了北方的大学。"

"袁柏……对不起。"

他摆手，"唉，你没有对不起我。不过，潘青青，后面的四年我们在同一座城市里，如果你有什么事需要帮忙，需要跟人说，请务必第一个想到我，可以吗？"

如果没有周锦程……我会不会喜欢上眼前这个热情善意的男生？可不管答案如何，假设的都没有意义。因为我心里已经有了周锦程。我对他的感情是依赖，是情怯，是景仰，是奢望。是无人可以替代的。

周锦程到的时候，我已经在夜风里等了半个小时。他说堵车。

我说我也是刚出来。

在路上他问我："你班主任说你报了一所北方的大学？"

"嗯。"

他点点头，"也挺好的。"

那天晚上我喝了酒，有点醉，但我知道自己的意识是清醒的，清醒地去勾引了他。我揽着他的脖子缠着他吻，他愣了一下，没有拒绝。我紧张得全身发抖，但铁了心去缠他。

他笑着说："年纪小小还学会喝酒了。"

"我快二十了。"

过了一会儿，他说："先洗澡吧。"

我欣喜激越，可毕竟这种经历从来没有过，只在心底妄想过几次，慌乱在所难免。而他安抚了我的无措，主导了一切。

我们在床上坦诚相见，我攀着他的肩膀，他的声音暗沉："青青，叫我一声。"

我心绪混乱，低低道："锦程，周锦程……"

感觉到他进入了我的身体，痛感让我叫出声，他顺着我的头发，我模糊地听到他说："别哭……我只有你。"

疼痛和快感传遍全身，我觉得自己像是在水上漂荡，时而溺水，时而漂浮。我紧紧抓着那唯一可以救我的浮木，"周锦程……"

我的录取通知单拿到了，我填报的第一志愿录取了我，9月10号报到。

周锦程看到那通知单时，只是说："你去的那天我送你。"

那天他没有送我，他有一个走不开的会议。

我自己整理了东西，打车去了机场。当飞机起飞时我也没能看到他过来。

大学的生活跟我想象得差不多，空闲，自由，适合谈恋爱。

但我不再像高中时那样，因为想一个人而妄图去找别人来填补，因为那只会更糟糕。所以我大多数课余时间用在了学习和打工上。

周锦程很少与我联系，而我也变成了半年回一次家。

第一个寒假回家，周锦程忙着招待来家里拜年的人，他穿着舒适宽松的线衣，笑容温和地应付着。那些客人看到我时都有些讶异，周锦程说，她是我的侄女。

那天晚上我窝在他的怀里，双手紧紧抱着他。他闭着眼，拉开我的手说："去洗一下，睡觉吧。"

我垂下眼睑，然后翻身压在他身上。我要吻他，他皱了眉，"青青？"我自顾自吻了他的嘴唇，往下而去，在到他的腹部时他用手抬起我的下颌，"好了，够了。"

我们前一刻还在最亲密最炙热的高潮里，此时却像是隔了千山万水。我觉得冷。

大二和大三那两年我只在快年三十的时候回一趟家，其余时间都留在了学校里。

而我知道，他也不住在家里了，他去年调去了北京，当了正式的外交官。首都离我的城市并不远，但这两年，我们却一次都没有见过面。

不，是见了一次的。那两年里唯一的一次见面，是大二的寒假他叫我回去。

他带我去参加了他姐姐的婚宴。

婚礼开始的时候，我看到穿着旗袍的新娘子走出来，对于周锦程的姐姐我是要叫一声阿姨的。但因为关系太远，又不常接触，所以并不熟络。但我记得她，而我想，她应该不记得我了吧，因为以前就不曾多联系，后来周锦程收留我后就从来没有跟她见过面了。他从未带我去见过他的亲人、朋友或者别的任何人。

我看着场上那些得体从容的人，觉得自己是那么格格不入而且寒碜。

而我在这里，只是为了他。

酒宴到一半的时候我看到他，望着一个文静可人但神情疏离的女孩子，他一向无情无波的眼里有着真诚和怜惜。

我突然笑了笑，低下了头。我发现自己竟然跟那女孩子有那么点神似，只不过，她更年轻，也更漂亮。

我没有再等他。起身退出酒店的宴客厅，而他从始至终没有看向我。

我走出酒店大堂时，发现外面竟然在下大雪。我伸手挽了一片雪花，看着它融在手心，冷进心口。

我打了车回到家，自己煮了泡面吃。盘着腿，裹着薄被子坐在窗口边的藤椅上，看着外面的大雪，一筷一筷地舀着面条吃。

周锦程回来看到我在，就没多说什么。事实上，他有点喝醉了，脚步虚浮地走进浴室，我听到里面有呕吐的声音。

我拿开身上的被子走到浴室里，扶着他漱了口，最后帮他脱了衣服，扶到淋浴下面冲洗干净。他笑着抚摸我的脸，“你真乖。”

浴室里的热气迷蒙了我的脸，所以他大概看不清楚我那时候想哭。

大四那年我申请了毕业之后留校工作，我的成绩一直是优异的，为人处世也不差，所以导师那边很快给了答复，说毕业论文写完之后就先跟着他做事，之后可以一边工作一边升研。

那年的寒假，我决定留在学校里写论文。寒假留校的人比暑假明显少很多，整个大学像一座空城。平时人来人往的道路上，很难得会碰到一个人。学校的食堂也不做饭了，所以我经常要跑到外面去吃。后来天气预报说近几天要下雪，我就索性买了一箱泡面堆在寝室里，饿了又出不了门的时候就吃泡面。

年三十的前一天晚上，我接到周锦程的电话，他问我：“明天回家吗？”

“不回了。”我找不到借口，学校有事，买不到车票，这些理由对于他来说都太轻易识破，索性什么都不编了。

他在那头沉默了片刻，才说：“我知道了。”

后来有一天我碰到了袁柏，我们本来就在同一个高教园区里，碰到不巧，巧的是会在这种时候碰上。那天雪刚停，我去外面常去的那家小餐馆里吃饭，他中途进来，两人对视上，都有些意外。

后来我们一起吃了饭。

袁柏说他爸妈都在国外，要年初五才回来，所以他干脆就初四回家。他问起我的时候，我说：“家里也没人等，就不回去了。”

袁柏知道我父母已经去世了，也没再多问。吃完饭他付了钱，我很不好意思，说了谢谢。他习惯性地摆手，“哎，这么客气干吗，怎么说我们俩也算是……老同学了。”

我尴尬，没再说。

他之后坚持送我回宿舍，在离宿舍楼还有五十来米的时候，我竟然看到了穿着风衣站在雪地里的周锦程。

他看着我们，目光深沉。

我不晓得怎么了，突然转身抱住了身边的人，轻声说：“对不起，对不起，袁柏，你抱着我好吗？”

袁柏抱住了我。

我之后发着虚汗抓着袁柏的手走到他面前，低声道：“您怎么来了？”

他的声音依然很平和：“想过来跟你吃顿饭。”他看了袁柏一眼，问，“她吃过了吗？”

袁柏点头。

周锦程笑了笑，“那就好。”

周锦程没有多留，甚至没有去我寝室坐一下，只是在宿舍楼下说了几句话就走了。

他说：“你这儿有伴我就放心了。”

他说：“什么时候回来打个电话给我。”

他说：“泡面尽量少吃点。”

他说：“我走了。进去吧，外头冷。”

我看着他走远，袁柏的手还抓着我的，他说：“高中的时候我看到他来参加过家长会，他是你的叔叔？”

我一怔。

袁柏松开我的手，慢慢道：“他是你的长辈，还是你爱的人？”

“……你们让我觉得恶心。”

袁柏最后的那句话像一把尖刀刺进我心里，疼得我几乎晕眩。

“对不起。”我喃喃开口，但我自己也不知道是因为对不起利用了他，还是对不起别的。

袁柏离开后，我站在冰天雪地里，直到全身冷透才回过神来，回到宿舍便睡下了。半夜感冒，发高烧，睡梦里梦到那个人，我一直想努力追上他，可最后他还是越走越远。

大四毕业之后我如愿留了校，工作半年后第一次回家，潜意识里我一直把那里当成家。

国庆节，周锦程在家，而周兮第一次过来吃饭，周兮结婚后搬去了广庆市，很少回来江泞。而我没想到她还记得我，但她对我有着明显的疏离和忌讳。

我跟周锦程注定无法在一起。他是我的长辈，我们的亲戚都知道。他的事业蒸蒸日上，出不得差池，更不能让别人捉到他跟他养的侄女不清不楚。

后一天我跟周锦程说我要回校了，以后大概会很忙，回来的次数可能很少了。

他看着我，慢慢地用毛巾擦干刚刚洗水果的手，说："好，我知道了。"

他之后拿了一把水果刀坐在客厅沙发里削苹果，看着电视削了两个，后又像想起什么，转头问我："你要吃吗？"

我说不用了。

他把其中削好的一只苹果扔进了垃圾桶里。我不确定他是不是生气了，毕竟他一直什么都没说。

我回学校后就开始忙工作，也在后面三年读完了研，期间回家的次数屈指可数。

我26岁那年的春节回了家，家里空无一人，我一点都不意外。放下行李后去了超市，在那里我竟然碰到了周锦程。

我推着车走出日用品区的时候，在前面的过道上看到了他，他身边陪着一个端庄大方的女人。我停下脚步，看着他在看到前方的一对母女时也停了下来。他的眼里有一瞬间的温柔，他上去跟她们打了招呼，我看向那挽着母亲手臂的女孩子，原来是她。

我推着车子转了相反的方向，与他们背道而驰，越行越远。

晚上的时候，周锦程竟然回来了，一个人。他看到我时有一点惊讶，"怎么……突然回来了？也不跟我提前说一声。"

我说"嗯"，虚应着，不想回答。

他也没在意，说："晚饭吃了吗？我去做饭。"

我说："吃过了。"

他看了一眼我扔在茶几旁的垃圾桶里的泡面盒子，没说什么。我在看一部电影频道播放的惊悚片，窝在沙发的角落里，被子盖到下巴下面。

周锦程温了一杯热牛奶过来，他笑了笑，"胆子那么小，偏偏喜欢看这种片子。看完回头又要睡不着了。"他伸手过来碰我，我尖叫了一声。

两人都有些尴尬，我看着他轻声说："你别碰我。我害怕。"

他愣了愣，收回手。我转向电视，看得目不转睛。

我以为他会走开，可他却拿起遥控板关了电视机。

这次的这场性爱在沙发里被点燃。我有些抗拒，可他却像等待太久般一再索取，毫不温柔。

我感觉到有点痛，却一直咬着牙不发出一丝声音。最后在他给的高潮里我软进他怀中。

等温度冷下来，我说："我像她吗，你在超市里碰到的那个女孩子？"

他身体僵了一下。而我觉得这样的温度已经冷得让我受不了了。我要起身，周锦程却紧紧地抱住了我。

我说："我冷。"

等了好一会儿，他才放开了手。

我去浴室洗了澡，那晚一个人昏昏沉沉地睡在床上，直到凌晨一两点才睡着。

隔天吃早饭时，周锦程说："你在北方读了七年的书，我在北京四年，有四年的时间，我们离得很近……但我也不能去找你。"

我沉默地听着。他最后说："你回来工作吧，我在这里帮你联系了一所大学。"

我是他养的，我能离开是他默许的，而他要我回来，我便只能听命。

之后我回到这里待在他身边。白天见不到他，晚上他基本会过来。

可那种感觉只让我想到了同床异梦。我越来越怕冷，有时候夜里睡在那儿手脚都是冰凉的，醒来发现自己退在床的最边缘。有几次看到周锦程也醒着，他望着我，最后伸手过来将我抱回怀里。手脚暖了，可我却怎么也睡不着了。

渐渐地，周锦程回来的次数少了，有时候一周回来一次，有时候甚至是一个月。

而这次，是两个月。

我坐在车里，没有问他要带我去哪里。车子最后停在了一家豪华五星饭店的门口。他带着我进到酒店大堂时，我看到了那正中央摆着的一张甚是精美的婚宴海报，一对新人的结婚照，俊男美女，养眼得像明星。原来她今天要结婚了。

我下意识想松开牵着我的手，但身旁的人却先一步拉紧了，他笑了一下，“今天不能临阵脱逃。”

其实我现在就想走。可我还是跟着进去了。

婚宴现场布置得很有情调，全一色的白玫瑰，很干净很唯美。

他让我坐在写着他名字的位子上，走开时他对旁边的一位老太太说：“您帮我看着她一些，别让她走开。”

老太太笑道：“锦程，这是你女朋友啊？长得真好看，跟我们家宁宁有些像呢。”老太太说得无心，但周锦程却皱了皱眉，他说：“那麻烦您照顾一下，她怕生。”

老太太和蔼地道：“好，你去忙吧。”周锦程看了我一眼才离开。

老太太转头对我说：“锦程这人难得会这么紧张人。”我笑笑，并不当真。老太太又问我几岁了？我说，二十七了。

老太太惊讶道：“你看上去跟我们家宁宁差不多大嘛。”之后老太太笑着跟我说她心尖上的孙女，我安静地听着，老太太讲她孙女小时候还有点顽皮，长大了倒越来越文静。我心想，我也是，小时候顽皮，自从父母去世后就只想着怎么样才能活下去。老太太说，孙女结婚结得太早了点。我说，那是福气。

老太太笑道：“对对，是福气。”

周锦程回来后，在我旁边加了张椅子坐下，他问我跟老太太讲什么了？我说讲宁宁。

他停了一下，说："等会儿我可能要忙到很晚，你吃完了就去楼上休息一会儿，我忙好了上去接你。"他把一张酒店的房卡递给我。我没接。他就放在了我前面的桌面上。他再次走开后，老太太靠过来问我，"怎么了？跟锦程闹别扭了？唉，锦程这人呢，是正经严肃了些，不会讲甜言蜜语，有什么想法也都摆在心里头，但奶奶看得出来他很关心你，很爱护你。"

我莞尔，说："奶奶，我不是周锦程的女朋友，我是他的侄女。"

老太太好久没有声音，片刻后她"哦"了一声。

我想到一星期前，周兮给我打的电话，她说："青青，你要不来阿姨这边住吧？你也二十七了，你来，阿姨给你介绍对象，工作阿姨也可以帮你找好。"

我又一次没有听他的话，提前离开了。

我在马路上拦车，黑漆漆的夜，我看到远处有车过来，车灯照得我睁不开眼睛。

我听到有人在后面喊我："青青，青青……"

二、周锦程

第一眼看到她的时候觉得她像我，所以我收养了她。可不久之后我发现，这女孩子跟我是完全不同的，她不说话，是因为怕生，不是冷漠。她勤奋钻研，不是有野心，而是不想让别人讨厌。她认真，安静，直白。而我却跟她相反，野心，隐忍，虚伪。

这种反差虽然意外，却让我更想坚持养她。把她当成我在这个世上唯一拥有的一片净土，只属于我。

但渐渐地，这种占有变了质。看着她每次起床，模模糊糊地说："我饿了。"我去学了做菜。她不会洗衣服，总是把颜色反差很大的浸在一起。我笑着跟她说："以后你洗完了澡，就把衣服放在桶里，别动，我来洗。"她听话地点头。

我习惯了回到家里有她的气息，在外面再累再假，回到这里我便得到了救赎。第一次抱她，充满了愧疚感和罪恶感。以后她面临的压力，我的压力，我会来承担。我要把她守得滴水不漏，即使远在千里。

我周锦程竟然会爱一个人，一年，两年，五年，十年……连自己都觉得惊叹，不可思议。习惯了生命里有她，甚至害怕哪天她走了，我该如何自处？我把她藏在心里最深处，没人可以伤害，无人可以替代。

我抓起她的手，她躺在病榻上动也不动，我的手有些发颤，拉近她的手慢慢地靠到自己额头上。

“不是你像她，而是她像你。”

“明年，我们去一处没人认识我们的地方。我们可以牵手，我可以在有人的地方吻你。”

“青青啊……我只有你。”

因为徐家，我进了外交部，我想让他们知道，他们的成就不是无人可打破的。

因为她，我离开了那里，在北京，我终将永远无法拥有她。

获得一份爱情究竟有多难？

我只知道，我们相依为命已十三年。

如果失去她，那我失去的不止是爱情……

三、他和她

周锦程带着潘青青离开医院时，医生关照：“她的脚现在走路还有点跛，她要坐轮椅就让她继续坐轮椅，但定期的复健还是要做，只要坚持，复原是没问题的。而照理她头部受的伤不至于导致失忆……周先生，她最大的问题不是身体状况，而是精神上的，你带她回去后尽可能多陪着她点吧。”

“好。”周锦程淡淡道。

周锦程推着青青出来的时候，轻声说道：“你忘记了没关系，我记得就行了。”

到了家里，锦程问她：“饿吗？”

青青摇头。

周锦程推她到客厅的沙发边，开了电视，把遥控板给她，“想看什么自己换好吗？”

青青看着他，不说话。

锦程问：“你是连话都不会说了吗？”

“饿了。”

锦程笑了笑，“那我去做饭，你在这儿乖乖的。”

潘青青看着他离开，看了五分钟的新闻，最后拿起旁边放着的遥控板自己换了台。

周锦程中途出来看了她一眼，看她看电影看得很专心，就又回了厨房。

吃饭的时候，锦程递给她筷子问她：“会用筷子吗？在医院里都是我喂你吃的，别筷子也忘记怎么用了。”

“……”

潘青青拿了勺子吃饭，肉丝舀不到，周锦程夹给她，“从小就爱吃肉，怎么就不长肉，你都吃到哪里去了？”

“……”

饭后，周锦程推着她在小区里散步。

潘青青看着两人在夕阳下的倒影密不可分地重叠在一起，心里静静地想着：“如果能这样一辈子该有多好。他叫周锦程，她叫潘青青，他们幸福而快乐地生活在一起，永远永远，只要她不醒……”

番外五

今生今世

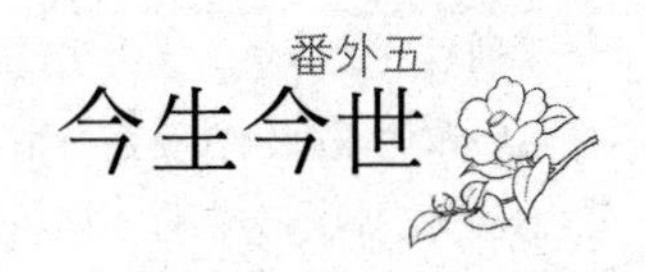

一、家猫就要有点家猫的样子

李安宁，昵称阿喵或者阿喵仔或者移动的百科全书，理科精英，也是才女，然而结婚后却一直在家待业。

过完年回来又胖了三五斤，妥妥过百了，现在去捐血完全无压力的阿喵不由得感慨万千："结婚一年后就生了孩子，这两年我都在带孩子了，早知道我会嫁给他，过这样的日子，我那研究生压根就不用读的。"

"什么叫这样的日子？"

正坐在马桶盖上的李安宁看到出现在浴室门口的徐莫庭马上炉火纯青地转了话题："毛毛，你上次说要听关于韩信的同性爱情故事是吧？唔，韩信先看上的应该是力拔山兮气盖世的霸王，只可惜霸王太直了，怎么也掰不弯。于是韩信失意走汉营，谁想刘邦不仅长得难看，而且还不解风情，当着他的面洗脚什么的就不多说了，反正韩信很失望，连夜就包袱款款走人了，结果没想到有人却暗中看上了他，那人就是萧何，

‘萧何月下追韩信’，太史公用的是追，很好，很贴切。这样那样一番之后，萧何跟韩信在花前月下立下海誓山盟，在接下来的日子里，韩信浴血战场，就是为了打下他和萧何共有的天下……可是，当韩信终于有机会可以与刘、项三足鼎立的时候，他发现，萧何不开心，为什么呢？到最后未央宫那一段‘败也萧何’，韩信才知道原来从始至终，萧何爱的都是刘邦，与他暧昧只是为了给刘邦留住一员大将。唉，真心什么的从来就是用来背叛和出卖的。”

“好虐啊……”电话那头的毛晓旭哀号连连。

靠在门口也听完了这一长段“野史”的徐莫庭摇了摇头，走上来揉了揉她的头说，“你这脑袋瓜里整天都在想些什么？”

“毛毛，先就这样了，以后再跟你说后续吧。”李安宁挂了电话笑着跟徐莫庭说，“下班了？”

“嗯，我洗澡，你呢？还要继续坐在马桶上？”

“我出去，出去，你慢慢洗！”

徐莫庭扯松了领带微微一笑，“等我洗完出来，还要请徐太太给我解释一下什么叫这样的日子。”

已经走出浴室的阿喵唉声叹气，换了别人早被她绕到外太空去了，只有这人，永远都条理清晰、神思清明地让她倍感挫败。

安宁没在房间里久留就下楼去了。楼下保姆正在跟俩两周岁的娃玩儿，安宁过去一屁股坐在那张宽敞的沙发上，抱起近一点的闺女说：“徐燕绥，回头你爸下来，要问我什么，你帮我挡挡吧？好不好？”

徐家小女儿被她妈抱着就咯咯笑，口齿不清地叫着“妈妈”，坐远一点在玩积木的大儿子徐云旗看过来一眼，又撇头继续玩积木。俩孩子的名字都是徐莫庭取的，男孩名取自《少司命》“乘回风兮载云旗”，女孩名取自《南有嘉鱼》“君子有酒，嘉宾式燕绥之”，绥念suí，乃安宁之意。

“小旗子，过来妈妈这边。”安宁招呼默不作声的粉嫩小男孩爬过来，“别玩积木了，让妈妈左拥右抱一下。”

旁边的保姆笑着说：“宁宁，你看看云旗，20颗乳牙都出齐了。”保姆是徐莫庭母亲那边的亲戚介绍过来的，也算是徐家的远亲，所以也不生疏地叫什么少爷太太的，都是喊名字。

“哦哦，小燕子呢？”

“小闺女还有两颗乳磨牙没出。”

哥哥对此不作回答，依旧玩积木中。

安宁感叹：“不就晚两分钟出生吗？怎么第一次开口叫人比哥哥慢一周，学走路比哥哥慢十天，长牙也比哥哥慢两颗呢？明明早期不是应该女孩发育要早点的吗？”说着抱着小女儿挪到儿子边上，“难道是哥哥随他爹，各方面都先人一步？”

安宁忍俊不禁地轻轻戳儿子的小圆脸，“小帅哥，别学你爸爸装酷了，那样子可一点都不可爱。”

已经洗完澡换了一身衣裳下来的徐莫庭听到这话皱了下眉头，他过去坐在儿子的另一侧，“那什么样才叫可爱？”

保姆已知情识趣地去了厨房。

阿喵道：“所谓可爱就是，呃，凡事留三分余地于人，不要总是刨根问底。”

“呵……”

周日晚上徐母从北京徐父工作的地儿回来，一进门就找宝贝孙子和孙女，开门的保姆刘阿姨笑着说：“小夫妻俩跟孩子们在楼上呢。”

徐母点头，“我上去看看，出门两天没有一天不想我那俩小宝贝的。”

刘阿姨又说：“刚刚小两口斗了两句嘴，宁宁有点生气，莫庭在哄人。囡囡们吃了东西倒是一早就睡下了。”

“吵架了？”徐母不免惊讶地问了一声。

刘阿姨赶忙摇头，“没。”说着和蔼的老阿姨又笑了，“莫庭和宁宁，真是我见过感情最好的小夫妻俩了。”

徐母莞尔：“那我去婴儿房看下囡囡们，那小两口就让他们玩小情调去吧。”

玩小情调？好吧……

此刻三楼的房间里，徐莫庭捧着阿喵的脸说：“别身在福中不知福。”

阿喵瞪他：“你有种放我出去。”读了那么多年书，竟然无用武之地，太扼腕了。

徐莫庭摸了摸她白嫩的脸：“家猫就要有点家猫的样子。”

“……”安宁惊叹，马上就要离开外事局正式进入外交部工作的徐外交官，真是越来越会说了，不行，照理我才应该是比他更能扯的人呀，阿喵直起身子说，“你听过薛定谔的猫吗？根据量子力学，在打开盒子前，盒子里的猫永远处于活与不活的叠加状态。你想掀开盒子的时候看到它是死是活？”

徐莫庭安慰徐太太：“放心，猫有九条命。”

阿喵抬起双爪，在他眼前狠狠地抓了两下，“喵呜！”回身倒床上就睡觉。

后来也上床来的徐莫庭抱住徐太太，“我不懂什么薛定谔的猫，我只知道你是我的猫，我就一定会让你成为最幸福的猫。”

“莫庭。”安宁抬起头看了他一会儿，“为什么你说这种话的时候都是面无表情的？儿子都跟你学了，小小年纪就面瘫，你要反省反省。”

“……”

当晚，徐莫庭狠狠地“反省”了下，做那种事情的时候，表情那是一如既往地性感得一塌糊涂，把李阿喵迷（做）得毫无招架之力。

二、结婚纪念日

安宁这天躺在床上刷微博，当看到系统跳出一条消息，你的好友“婆婆”关注了你的微博时，脸一下子就白了，想到自己之前发的那些微博，什么古代最残酷的刑罚，历史上男宠最多的皇后，魏晋南北朝之看杀卫玠（因为太帅而被活活围观死的帅哥）……都是重口味了吧？

安宁手忙脚乱地要去毁尸灭迹，走过来的徐莫庭夺过她手上的手机：“别一天到晚地玩手机。”

“等等等等，这次是紧急状况，把手机还我。”

徐莫庭一看她这表情，马上微笑着趁火打劫：“我可以给你，你拿什么来回报我？”

阿喵那个郁闷啊，“那手机本来就是我的。”

“夫妻财产共有，所以也是我的。”

“……别逼我写休书。”

当晚，三楼主卧大床上发生了一场由一部手机，哦不，由婆婆关注微博而引发的血案。凶手作案手段极其霸道，被害者毫无还手之力。

案发后，凶手抱着被害者慵懒地说：“情书没给我认真写过一封，一上来就休书，嗯？”

出气多进气少的阿喵仔反驳：“我有给你写过情书啊，那年冬天……我念给你听了，回去也写给你了啊。”

“嗯。”凶手闭着眼，嘴角带着点笑，“作案总要有动机的。”

阿喵欲哭无泪：“你这是赤裸裸的草菅人命。”

两人相拥着你一句我一句地说着“甜言蜜语”入了眠。自然李阿喵早忘记要去删微博什么的了。

隔天安宁起来，想起这茬儿，赶紧去看，只见自己最上面的那条微博下，婆婆评论了一句：“这卫玠得长得有多帅啊，真想现场看看。”

果然能生出徐莫庭这种人物的，一定不简单啊。安宁回复婆婆：“魏晋南北朝时期程朱理学还没有形成，MM们很开放，看到帅哥就会去火热围观，还会扔手帕、水果以表达爱慕，潘安就是每次出门都会装回一车免费水果回家的。”话说如果徐莫庭生在那个年代……会不会也会被人围堵、扔水果呢？安宁想着不由得笑了，“如果我也在场我就朝他扔榴莲。”

闻到榴莲味就会绕道走的徐莫庭擦着头发走过来，随口问：“什么榴莲？”

阿喵摇头，“今天周末，反正没事干，等会儿吃好早饭带宝宝们去公园走走吧？”

徐莫庭皱眉看向她，“你忘记了？”

“什么？”

徐老大的眉头皱得更深了点，“今天是我们的结婚纪念日。”

啊？！

忘记了……

死定了！

“你果然忘记了。”

安宁小心地问：“莫庭……你生气了吗？”

“我没有生气，我只是很遗憾。”遗憾，外交辞令，实际意思乃不满也。

安宁看着他穿好衣服出了房门，想叫又闭了嘴。

出门的徐莫庭咬了下嘴唇，保持住面无表情。

下楼的时候，坐在餐桌前的徐母看到他单独一人下来，不由得问：“宁宁呢？”

“跟我没关系。”

徐母目瞪口呆：“怎么了这是？闹矛盾了，在今天这种大日子里？”

徐莫庭本来就是装模作样，听到这话脸不禁真的沉了一下，母亲都记得，她却忘记了。忍不住有点想假戏真做了，但到底不忍对她生气。他走到保姆那边抱起小女儿，儿子已经不习惯让人抱，对着俩孩子他淡淡道：“你们妈可真厉害，总能让我感到气馁。”

阿喵下来时，徐母连忙唤她过去：“宁宁，来，吃早饭。”

“哦。”偷偷瞄了某人一眼，还摆着脸呢。

徐母小心地在小两口之间望来望去，“好了，都不是小孩子了，还闹别扭啊，今天结婚纪念日，两人去外面好好玩一天，啊？”

徐莫庭喝了口果汁，“我持保留态度。”即拒绝同意。

阿喵坐下后慢慢喝着粥，徐莫庭见她一声不吭，放下果汁冷淡地问：“贵方什么意思？”

“唔，那我也保留态度吧。”

“……”咬牙切齿，“吃好早饭去换身衣服，带你出去。”

“……哦。”阿喵终于敢笑眯眯地看向徐莫庭，但后者对她视若无睹，起身时还说了句，“我保留做出进一步反应的权利。”即回头将报复。

“……”

对于此次冲突的应对，双方算是打成平手吧。

出门的时候安宁讨好地问："莫庭，今天我们要做什么？"

没声音。

"要不……早上去游乐场，中午去哪里吃顿饭，下午看场电影，晚上去海边走走？"

还是没声音。

坐上车后徐莫庭才开口说："你去年答应的今年的今天要做什么，忘记了？"

安宁低头，徐莫庭深呼吸："那我重复一次，你记住，就我跟你，去我之前那间公寓里住一天。那边我让人打扫过，吃用的东西前一天我也已经准备好了。"

"就这样。"

"对，就这样，你都没记住。"

被凶的阿喵头越低越下，"对不起，我不是故意的。"

"道歉如果有用，世界上就不会有那么多纷争了。"徐莫庭发动车子后说，"路上给我好好想想，待会儿怎么让我不追究你的过失。"

"唔，我爱你。"

"……李安宁，你能再偷懒点吗？"

不会说花言巧语的阿喵仔愁闷，"请你当我是手心里的宝……"

"李安宁。"

"嗯？"

"你闭嘴。"

"……"

到了公寓里后，徐莫庭脱了外套就进洗手间去洗冷水脸了，估计是被气着了，需要冷静一下。

安宁磨蹭到洗手间门口，"还记得我第一次来这边吗？"

徐莫庭拿纸巾擦了脸和手，走出来的时候说："记得，你把我按在沙发上吻了。"

"那是意外。"

"意外会天天发生？"特指结婚后。

阿喵委屈："你含血喷人，明明是你把我……的那种才天天发生吧？"

"我把你怎么了？"明知故问。

老夫老妻的孩子都两岁了还害什么臊啊，阿喵果断拉下点领口，展示身上的吻痕，"看到没？假如是我主动的这些痕迹就是在你身上而不是在我身上了。"

徐莫庭平静地表示："你说假如？我一般不回答假设性问题。"

"……"

这天的二人世界，后来用安宁的话来说就是："被关小黑屋了。"

用徐老大的话来说就是："如愿以偿。"

三、那么一群人

阿喵接到蔷薇又要来江泞市的消息后跟徐莫庭说："蔷薇要从北京回来了，她说回家一趟后就过来这边，让我们给她接风洗尘。"刚毕业那会儿傅蔷薇留在江泞市混了一年，在一所小学当科学老师，但她总感觉做老师太埋汰自己了，于是辞职去了京城，北漂了两年，结果，还是在温饱线上挣扎。

"傅蔷薇？"徐莫庭作势想了想，"我跟她不熟。"

"……"

傅蔷薇来的那天，一手红格子蛇皮袋一手LV包包走出飞机场，那模样真是将落魄和装那什么完全给演绎了出来，显得是那么无与伦比，毛毛开着QQ车去接的人，远远看到蔷薇就忍不住跟旁边的沈朝阳摇头晃脑地说："LV家虽然也出过一款蛇皮袋，但那款包是中国人应该都不会买吧？"

朝阳不同意："别说，如果她有足够多的钱还真会买，不过她没钱，所以估计她手上那只是正宗国人迁徙用的蛇皮袋。"

傅蔷薇挪到车边就忍不住破口大骂："看我拿这么多东西也不下来

帮下忙，太没义气了。我家阿喵仔呢？”

毛毛道：“在家带孩子呢。”

朝阳说：“我打电话过去是妹夫接的，他说来接你的油费回头可以找他报销，人他不提供。”

蔷薇眼角抽搐：“妹夫真是越来越……”

毛毛点头：“我们都懂，不用说出来了。”

等蔷薇把东西都放进后备箱上了车，朝阳就笑问：“薇薇啊，在北京这两年混得还行吗？”

蔷薇一副大爷样坐在后面：“行啊，怎么不行，我傅蔷薇百花丛中最鲜艳，一香压众芳。”

朝阳说：“你周围的都是巨魔芋（世界上公认最丑的花）吧？”

蔷薇道：“我说灭绝师太啊，什么时候升博士后给自己造就一场彻底的灭顶之灾啊？”

毛毛开着车哈哈笑：“姐妹们，感觉又像回到了从前有没有？咱们四人毕业后就很少能凑齐一块儿活动了，刚毕业的时候蔷薇还留在这边工作呢，结果我过来没多久你就去北京了，这下终于又可以4P了哈哈哈。”

“……”

安宁终于在傍晚时分将俩娃交代给保姆看管，自己溜出去见朋友们。那会儿婆婆去朋友那边喝茶了，而徐莫庭还没下班回来。

安宁到了聚头的餐厅，就远远看到自己三位五光十色的好友坐在大厅正中央，真的是五光十色啊，很有女人味的蔷薇一身红，长得很中性的朝阳一身白色的运动装，一直让人无法准确定位的毛毛那是……荧光黄？

安宁过去一坐下，毛毛就开心地问：“咋啦阿喵，一副无精打采的样子？”

蔷薇笑着伸手搂住安宁：“阿喵，好久不见了啊。”

安宁皱眉：“我们不是常常在视频聊天吗？”

“……”

毛毛左顾右盼：“阿喵，你家俩双胞胎宝贝怎么没带出来啊，小面瘫和小软萌，我想死他们了，怎么会有这么可爱的娃呢！”

安宁叹道："我自己出来就够艰辛的了。"

朝阳很有义气地问："被妹夫囚禁了？说来听听，我们……就算不能帮你做什么，吐槽下妹夫那是绝对可以的！"

安宁无力道："说来话长，不说了。对了，薇薇，你今晚住哪里？要不先暂时住在我家，回头再找住处？"

蔷薇拍了下阿喵的肩膀："好姐们！不过某阳已经收留我了，我先在灭绝师太的宿舍里凑合住着，期间慢慢找房子，关键是工作啊。"

毛毛嘿嘿笑："我的工作是妹夫帮忙找的，真牛逼，主要是特轻松有没有，上QQ上MSN上人人上微博上小说网什么的完全没压力。"进了某工程物理研究院的某一科研分支机构里上班的毛毛开始拉仇恨值，不光蔷薇的，还有安宁的……还有朝阳："上小说网……阿毛，为什么不管时光如何流逝，我听你讲anything都有种淡淡的恶心感呢？"

毛毛骄傲："这是我最大的优点，谢谢。"

阿喵郁闷地说："我也想工作啊，唉……"

傅、沈、毛："别秀恩爱了！"

"……"

毛毛突然想到一事："对了阿喵，兰陵王很美吗？"

阿喵点头："嗯，史书记载是一名史无前例的美男子，就因为帅得惊天动地，上战场都要戴鬼神面具。"

蔷薇疑惑："为什么要戴？不戴不是更好，敌人一看就倒下一片。"

阿喵道："问题就是他的杀伤力是不分敌我的。"

朝阳笑喷："果然没阿喵仔，生活就像一道没放盐的汤啊。"

毛毛淫笑："某阳你是说阿喵重口味吗？"

"……"

简短的相聚之后各自回巢。

阿喵回到家，客厅里的徐老大在陪孩子们看益智类的儿童早教光碟，回头看到她，说："你也来看看吧。"

益智的……

"……"

毛晓旭回家一开门就扯开嗓门喊道："苏老师，我回来啦！快点出来迎接我吧，给你带消夜了哟。"

苏洵从书房出来，看着两手空空的某人，笑道："消夜呢？"

毛毛两手大拇指同时指向自己："消夜！为确保产品的原汁原味，我们毛氏肉业从始至终都恪守社会公德，秉持'你好我也好'的终身原则，绝不在肉中添加任何有害身心健康的物质，请放心食用吧！"

"……"

当晚"嗯嗯不要不要人家已经……"完了之后，毛毛抱着苏洵磨蹭了好一会儿，苏洵问她："你不累吗？"

"累。"

苏洵刚想说那就别动了睡觉吧，某毛又说："那换你磨蹭我吧。"

修养再好的老师碰上纯天然不含任何杂质的流氓学生，只能是输的结局。

朝阳、蔷薇并排着走进灭绝师太楼，纷纷感叹："这人生啊。"

一周后傅蔷薇终于找到了合适的房子，在跟房东签好合同付好钱后，给众姐妹打了电话："姐姐我搞定住处了，晚上请吃饭！"

毛毛问："要不来我家吃吧？我们去买菜，自己做来吃，怎么样怎么样？"

蔷薇表示怀疑："能吃吗？"

毛毛大声肯定道："放心，我现在已经练就了……再难吃也能吃下去的本领！"

蔷薇差点骂过去："你家苏老师会做菜的吧？"

毛毛扭捏："我不舍得让他做嘛。"

蔷薇佩服："算你狠。"

安全起见，这顿饭到底还是安排在外面吃了。

蔷薇约阿喵的时候，后者正在……徐莫庭的办公室里睡午觉。徐老大再过段时间就要正式调入外交部工作了（现在就已然有不少人称呼他为徐外交官了），徐莫庭是励志要成为杰出的大外交官的，当然这种话他不会跟外人说，只跟自己老婆说过，原话是：以后你会跟着我海外到处走，所以现在就要慢慢习惯跟在我身边，不管白天还是黑夜……最后那句是阿喵根据现实状况恨恨地补充的。

“这什么世道吗？”阿喵同学很有意见，又要带孩子，还要带孩子们的爸，关键是，还没工资领！

徐莫庭对此给予的回复是：“这是弱肉强食的年代。”

“弱肉强食？你这叫强抢民女吧。”

“……”

徐莫庭办公室里。

阿喵被手机铃声吵醒，从沙发上翻身而起，闭着眼睛接了电话：“哪位？”

“你手机上没我名字吗？禽兽啊。”蔷薇吐血，“出来吃饭，地址发你手机上了。就这样，回见，挂了。”

安宁睁开眼，办公桌后面的人也正看着她，徐莫庭笑了笑，说：“快下班了，晚点你有活动？换我陪你。”有来有往，合作才能长久嘛。

禽兽啊……阿喵弱弱地想着，小声说道：“找了学外交的人当老公，还真的是……”

“什么？”

“衣带渐宽终不悔……”

徐老大哭笑不得。

那天那顿晚饭，到场的人还挺多：徐氏夫妇，毛毛夫妻俩，徐莫庭的室友老三及其女友，沈朝阳，傅蔷薇。

在某餐厅最大的包厢里，一伙人聊着天。

蔷薇豪爽道：“这顿说了我请啊，尽管点别客气！不过接下来的日子如果我没钱吃饭了，我会记得找你们的。”

“……”

老三对蔷薇说：“美女你这几年来来去去，到底找到开豪车的帅哥了没啊？”

蔷薇鄙视：“找到我就请你们吃海鲜大餐了。”

老三一副倚老卖老样：“其实啊，说穿了世上就两件事最重要，一是情二是钱，有点情有点钱，日子就很好了。当然没有不行，可多了也未必好。小姑娘啊要求别太高。”

朝阳道：“这没什么好说的，各有所好。”

毛毛点头：“我就喜欢帅哥，嘿嘿。

苏洵无奈地笑道：“我们总会有老的一天。”

毛毛抱住苏老师：“那你也是我最爱的老帅哥！”

蔷薇强烈鄙视秀恩爱的：“大庭广众之下搂搂抱抱卿卿我我，还让不让单身的人活了？”

旁边的沈朝阳碰了碰蔷薇，示意她看对面的两人，徐氏夫妇——徐莫庭正帮老婆习惯性地将餐巾拉开，盖在膝上。

蔷薇一阵心绞痛：“这日子没法过了。”

沈朝阳附和：“就是。”

毛毛忽然嘿嘿笑道：“说起来某阳啊，你小时候救过的那枚小帅哥，还在老家等着你回去吧，以身相许、脱光了在床上等你临幸什么的。”

朝阳连连摇头：“得了吧，那么漂亮的，管不住的。”

阿喵一听这话，适时接道：“其实在爱情里不用太防备，就像一样食物，放多了防腐剂，反而在经受检验检疫时过不了关。”说完瞄了身边某人一眼。

被瞄的徐老大淡淡道：“放心，检验检疫的时候由我去交涉。”

阿喵顿时无语了。

蔷薇拍案而起：“我总有一天会报复回来的，wait and see！”

老三大笑：“拭目以待咯。”

毛毛：“阿三哥啊……”

老三：“嗯？”

毛毛却转头看向安宁，兴致勃勃地问道：“说起这阿三哥，我最近对印度很感兴趣哪，好像状况频出啊阿喵。”

“……”老三已经不止一次被毛毛无故调戏了。

众人看向阿喵。

安宁汗颜，沉思一番说："这些年我追过的印度确实……弄枚导弹做布朗运动（即无规则运动）掉进自己印度洋里，弄辆全世界最贵的坦克还没得列装（列装是指列入军队的装备序列，没得列装表明只能是实验室里用用的，军队不要），弄架全世界最贵的飞机也还是没得列装，弄只潜艇自爆了，后又买核潜艇，被俄罗斯敲诈了二十多亿……如今想着要跟我们中国比赛上月球。"

老三那文文静静的小女友听到这里终于忍不住笑了出来，看着阿喵说："我发现听你讲话真有意思！"

毛毛无比自豪道："那当然啦！我们家阿喵仔可是上知天文，下知地理，懂阴阳，明八卦，奇门遁甲信手拈来，国事房事无不精通！"

徐老大看向徐太太说："原来你懂那么多？"

"……"

生命的长河里总会有几件事让你感到很无力，其中一定包括被猪一样的队友扯后腿！

果然那天晚上回去，精通房事的某喵就被徐老大长久地"请教"了一番。

四、东边日出西边雨

毛毛问过苏老师好几次："你说我们到底什么时候能生一窝崽子出来玩啊？像阿喵他们家的娃们那样可爱的！"

苏老师对于生一窝崽子这点表示啼笑皆非也无能为力，"晓旭，生孩子这种事，不是说生就能生的，只能随缘。"

"哎哟，三分天注定，七分靠打拼啊亲。"毛毛两眼亮晶晶地望着苏洵，"所以说你每天多出力的话，那机会就会大一点儿不是吗？"

"……"

而正所谓家家有本难念的经，有孩子的人家也不一定好过……阿喵这天在喂孩子们吃米粉，俩孩子都不爱吃，安宁就哄道："你们难弄的爸就快回来了，看到你们不吃东西可就要打屁股了。现在妈妈假装喂，你们就假装吃点呗。”

进门来的徐莫庭看了那仨一眼，淡淡道：“要打假。”

“……”

徐老大叫保姆上来抱走孩子们。阿喵说了句：“我跟宝宝们再去玩会儿。”说完也溜出了房间。

徐莫庭看了眼门口，惋惜地叹了一声进了浴室。

最近好像确实过火了点……要不收敛一点？

啧，再说吧。

徐老大洗澡的时候想到一件陈年往事：研一的时候，他偶尔去旁听一门选修课，坐在最后面，她坐在很前面。有一回上课前有一男的被同伴推进来，那男的踌躇地朝她说：“你，穿红衣服的，能出来一下吗？”

她的回应是，红着脸不好意思地脱去了那件红色外套。

她一定知道那男生对她有意思，大智若愚，说的就是她这种人！

而对付大智若愚的人最好的办法就是当机立断。但是道理虽明白，却也不得不承认，自己追她的时候虽然雷厉风行，却也是忐忑不安的。

徐莫庭低着头，单手撑着瓷砖忍不住笑了笑，“所以，结婚后需要点‘补偿’也是情有可原的。”

最近阿喵太无聊，大俗大雅地将网名改成了扶桑大红花（这种花别名是妖精花），毛毛看到后马上线上找她：“阿喵仔，你叛国，扶桑是指日本吧？”

阿喵叹道：“百度下你就可知道，扶桑一词在现代可指日本，但中国史中的扶桑指中美洲某地，现多认同为墨西哥。如今的电视剧真是害死人，毛毛你还是少看点电视多看点书吧。”

毛毛：“我天天在看书啊，什么《总裁的亲亲老婆》《大老板的三日情人》《魔教教主的风流韵事》等等，我真是手不释书，学富五车啊。”

阿喵：“……”

而在安宁改网名的隔天，徐莫庭也改了网名，从最先的英文名字

“Mortimer”改成了“大雪”，安宁看到时差点喷出嘴里的果汁，要不要这么……高端大气上档次啊？

安宁放下笔记本电脑回头看在床上翻育儿宝典的徐老大，小心翼翼地叫了声：“大雪？”

徐莫庭头也不抬，“嗯。”

“噗哈哈哈哈。”安宁终于忍不住笑趴在桌子上。

这时徐莫庭放下书，过去把她拖到床上，当晚又是一番火热恩爱。

安宁睡着的时候隐约听到一句：“大雪压倒扶桑枝，没听过吗徐太太？”

阿喵没力气开口说话，只能在心里吐槽了句，“什么大雪压倒扶桑枝？我只听过黑云压城城欲摧好吧……”

阿喵隔天醒来腰酸背痛，而刚好又是周末，蔷薇跑来约她出去“逛逛”，蔷薇看她那有气无力的模样就一脸暧昧地笑了，“喵儿，你家饲主天天这么给力啊？”说到这里想到自己又马上悲痛欲绝了，“你说同样是人，生活处境怎么就差别那么大呢？”

两人相顾无言，唯有泪千行。

蔷薇问阿喵：“网上说约会时女孩子找不到路了，打电话来说我迷路了，问其在哪里，答曰马路旁边，这样的才叫软妹子。那我这种到哪儿都能瞬间报出大概经纬度的，叫什么？”

安宁沉吟：“全球定位仪？”

“……”

安宁没逛多久，徐莫庭打来电话：“孩子们找你。”

安宁：“唔，那孩子们有什么事让他们接电话跟我说吧。”

“……”

蔷薇看安宁笑眯眯地收了线，忍不住问：“咋啦？像只偷了腥的猫。”

阿喵笑道：“某人想挟天子以令诸侯，我拆了他的台。”

蔷薇汗：“那某人是天子的爹？”

阿喵：“是啊。”

蔷薇同仇敌忾状：“妹夫也太毒了吧，虎毒都不食子呢。”

阿喵郁闷地在心里嘀咕：“他是不会食子，他是要食我……”

阿喵后来问了下蔷薇找工作的情况，后者答曰：“现在不是在流行考公务员吗，我也打算考考看，监狱部门也没关系。你回头帮我问问妹夫，这里面有作弊的门道没？”

“……”

阿喵那天晚上可能是真的闲得发慌了，还真问了问，徐莫庭听后看都没看她一眼，说：“作弊为何物？”

“徐莫庭，我就不信你从来没作过弊，作业抄袭、考试的时候用手机偷偷上网查下什么的。”

徐莫庭淡淡地说：“作业、考试都是别人抄我的。至于手机上网查，大学之前没必要，上大学之后就算我想查也查不到。”

“为什么？”

“我读的专业，考的东西大凡都涉及敏感词。”

“呃，好吧。但是，你说上大学之后就算你想查……也就是说，你至少有想过要作弊吧？”

徐莫庭：“没有。”

阿喵笑眯眯道：“真的？”

徐莫庭终于说：“高三一次数学模拟考最后一道题我没做，数学老师让我去办公室，他说了一遍，我说还是不会，他就拿了隔壁班一名理科生的卷子给我说，你回去看一下她的解析步骤，她写得很清晰明了。”

“……”

徐莫庭说：“我生平唯一作的一次弊就是我没做题，拿到了叫李安宁的试卷回去‘观摩’。所有理科班里，李安宁数学成绩几乎常年排在第一。”

阿喵抹汗：“在你面前，我真心不敢称第一。”

蔷薇后来问结果，安宁有气无力地道：“往事不要再提，人生已多风雨。”

“……”

愚人节那天，也刚好是周末，安宁一家四口出去旅游，不远，所以自己开车过去，一路上两岁的儿子一直看着窗外，安宁问他："小旗子看什么呢？"小面瘫回过头来说："人生。"那白白嫩嫩的小模样配上那正儿八经的说辞，让安宁一下就笑场了，随即说："小宝贝，小孩子要有小孩子的样子，你看妹妹多可爱。"旁边的小软萌爬到妈妈身上撒娇："妈妈抱抱……"

前面开车的孩子爸说："两种类型，各有千秋。"

阿喵一手疼爱地摸着小闺女的头，一手伸过去点了点儿子的小肉脸，"Q版徐莫庭啊，你爸是不是在变相地夸自己呢？"看小男娃一本正经地闪着大眼睛，实在可爱，阿喵就忍不住俯身过去轻轻咬了咬他的小脸蛋儿。

前面的徐莫庭淡淡地道："放了孩子吧，要做什么冲我来。"

"……"徐老大，你最近是在学外交手段还是流氓手段啊？还是因为今天是愚人节啊？阿喵咳了一声，认真道，"您没听过那句老话吗？强扭的瓜不甜。"

徐莫庭抬起手，轻揉眉心。

一家四口在山清水秀的某山庄里住了两天，回来的那天晚上，孩子们不睡在身边，徐莫庭便抓住徐太太行了云雨之事，行事前说了一句："强扭的瓜不甜，但也可以吃。"

被压在身下的阿喵无语："都过去两天了，还要计较回来？太小肚鸡肠了吧。"

"这在外交里叫'君子报仇永不嫌晚，量足就行'。"

真不愧是学外交的，简单的一句话，里面的意思是一层又一层啊。

五、朝露待日晞

惯例闺蜜聚会。

安宁："我刚在微博上收到条大学教中文系小说研究课的老师邀请我吃饭的私信。"

蔷薇："小说研究？你啥时候上过这种课了？"

毛毛："现在关键是那老师为毛要请阿喵吃饭好吧？"

安宁：“他在微博上出了一道题，说答对了他请吃饭。”

毛毛：“你答对啦？”

蔷薇：“这不是明摆着嘛，她可是阿喵，活着的百科全书。”

安宁：“他问的是《山海经》里有记载女娲的是哪一篇。不能上网查。我小时候看过《山海经》的连环画，然后脑子里绕了一圈就想起来了。”

傅、毛等了很久，“哪篇啊到底？”毛毛跟着蔷薇喊完，抓了抓脸，“老实说《山海经》是啥？”

安宁：“《大荒经》啊，唔，顺便一说，女娲是人面蛇身。”

毛毛：“哦哦哦，记下来，回头我去看看这篇，好像有人兽同体什么的。”

安宁：“这老师很有趣，他本科是学物理的，硕士是学经济的，博士是学管理的，来做老师，教的是小说。很佩服。”

蔷薇摆手：“估计是那种典型的书呆子、学霸吧。”

安宁：“他很帅，三十几岁吧，非常有型。”

其余俩：“继续说！”

安宁：“我第一次见到这位老师的时候，他还不是我们学校的老师，我路过食堂看到有场讲座预告，说某某某来我们学校演讲，题目是啥我忘了，反正是文学类的，然后我就去了。一年后，我无意中发现中文系的课表里有小说研究这门课，然后就又去旁听，结果发现是他在教。”

毛毛：“我闻到了奸情的味道。”

蔷薇：“小心妹夫灭了你。”

安宁：“我挺喜欢这门课的，去旁听常常坐在第一排，但我没教材，他有一回就问我，书呢？我说我物理系的来旁听，他就送了我教材书还有他的一本小说。我觉得他讲课很有趣，可能是因为他既学过物理又学过经济的缘故吧，所以他的视角跟文科出身的老师很不同，很新颖独到。”

毛毛愤慨：“是啊，那么新颖，有帅大叔讲课那么新颖的事你怎么不叫上我啊阿喵？！”

阿喵：“那会儿是读本科，毛毛我读研才认识你的。”

蔷薇：“那你怎么不叫我啊？”

阿喵："你当时在忙着追美剧《越狱》，纠结到底该选迈克好还是林肯好！"

蔷薇："……记性要不要这么好啊你？"

阿喵笑道："没办法，天生资质过人。"

"……"

蔷薇："那你要去跟这位帅老师吃饭吗？要不别去了，让妹夫看到多不好，这种糟心事还是让好姐妹我替你分担吧！"

安宁刚要回，毛毛突然惨叫了一声，蔷薇骂道："你又怎么了？"

阿毛目不转睛地看着手机，"我刚才发了条微博，然后妹夫回了我……"

安宁隐隐有不祥的预感，"你发了什么？"

毛毛答："从前有位帅老师，后来，他想约阿喵去吃饭，未完待续。"

安宁无力道："那某人回了什么？"

毛毛颤抖着手说："妹夫说，我可以帮你现在就完结，让她回家。"

蔷薇拍了拍身边某喵的肩膀，"就算你天生资质过人，却终敌不过会玩一手天罗地网而且永远不会停的徐哥哥（徐莫庭名字躺枪）。"

阿喵："唔……别逼我鱼死网破。"

毛毛抬起头，两眼汪汪地看着安宁："阿喵仔，妹夫又说，如果李安宁不乐意，就告诉她，家里还有俩嗷嗷待哺的孩子等着她回去。我不行了，妹夫这是要清空我们的血槽啊！"

这时沈朝阳终于姗姗来迟，她跑过来拿起安宁面前的水就一饮而尽。

蔷薇取笑："这么饥渴交加啊老沈？"

沈朝阳一屁股坐在毛晓旭旁边的凳子上，喘了口大气才说："我都快心肌梗塞了。"

阿喵问："怎么了？"

朝阳摇头："别提了，有人来学校找我。"

蔷薇笑道："谁啊？能把我们的武林高手吓成这样。"

朝阳一脸苦逼相："就是我当初救过的那号妖孽啊。"

毛毛瞬间两眼放光："那位传说已久的美男？他来了？？哪呢哪呢？"说着已经起身四处张望！

朝阳摆摆手："被我甩掉了。"

毛毛颓然跌回座位上，按住心口："心如刀绞。"

阿喵："毛毛……"

阿毛伸出手挡住安宁的脸："别说了，心如死灰了，你再说什么也不会死灰复燃的。"

阿喵汗颜："我想说，那边进门来的，好像是苏老师吧？"

"什么？！"毛晓旭瞬间满血复活，一跃而起，朝后望去，可不正是她家苏洵嘛，扯开嗓子就喊过去，"属于我的美男，这边！"

苏洵望过来，笑了笑，之前她说在这里跟朋友吃甜品，果然还在。而他身后的男子，在看向阿毛那边的人时立刻冲了过去，"朝阳！"

沈朝阳呜呼哀哉。

苏洵跟过去，对朝阳不由得教导道："我想你可能跟晓旭在一起，就把他带过来了。不管你们之间有什么问题，都说清楚吧。"苏老师是从学校后门开车出来的时候，遇到了这名在马路边喊"沈朝阳沈朝阳"的男子，因为沈朝阳这名字他再熟悉不过，就下车问了下情况，得知这名五官漂亮的年轻男子是沈朝阳的同乡，千里迢迢为寻她而来，结果沈某某避而不见不说，好不容易见到了还一溜烟地跑了。苏洵见他表情难受，人民教师于心不忍就带着人来了这家饮料店，想碰碰运气，果然都在这里。

蔷薇看着眼前这美如冠玉的帅哥，伸手叫来服务生："服务员，加两把椅子，谢谢！"

于是，两男就座。

一直看着沈朝阳的美男子自我介绍："沈路。"

蔷薇老鸨样："哎哟，还跟咱们家朝阳同姓哪，无巧不成书。"

沈路全神贯注地看着沈朝阳："晚点，我们单独好好聊聊吧？"

朝阳叹气："真没什么好说的。"

沈路抿了抿嘴唇："你就那么讨厌我吗？我到底哪里不好了？"

朝阳："问题就是你哪里都好。"

沈路咬牙："我将就你还不行吗？"

围观党："……"这么细皮嫩肉、美轮美奂的帅哥竟然缺心眼？

沈朝阳起身道："沈路，咱俩真不合适，真的，不说我比你大两岁，这外形、气场、性格就不是能搭配在一起的。找对象就跟穿衣服一样，一定得合适，不合适再好看穿上去那都只会不伦不类。"

沈路气得脸都红了："那你当初干吗跟我订婚？我不管合适不合适，我只知道跟你在一起我就开心，我喜欢你。你现在想一条短信就跟我解除婚约？我告诉你沈朝阳，没门！我来这里，就是要跟你说明白，无论你要在外面待多少年，我都不会多说一句话，我会一直等你。等你回家，我们结婚。"

围观党们面面相觑，毛毛抽出纸巾抹泪，擦完举了下爪子："我去趟WC，你们能不能先暂停一下，等我回来再继续？"

沈朝阳、沈路同时怒瞪毛晓旭，毛毛无辜，嘴上咕哝："这不是挺合拍的吗！"

沈朝阳再度叹了声，回头语重心长地跟沈路说："你到底喜欢我什么？如果是因为小时候那些坏小子欺负你我救了你两回，你想报答，可以，但以身相许什么的真的算了，你要是真有心……我最近缺钱。而关于咱俩当初会订婚这事……"朝阳深呼吸，"我读博的第一年夏天，天清气朗，我回家，然后……你跑来跟我说你得绝症了，想死而无憾！是不是你说的？是不是？最后知道真相的我眼泪都掉下来了。"

蔷薇差点拍桌子："太渣了。"

毛毛弱弱地问："谁渣？"

蔷薇："还有谁？沈朝阳啊！在爱情里谈金钱就已经很渣了，还见死不救。"

朝阳怒极反笑："最在意钱的是你吧，还有什么见死不救，没听明白吗？他得绝症是纯属扯淡！"

这时，安宁终于开口了，"咳，他的意思可能是，在遇见你之后，得了不跟你在一起就会死的绝症。"

"……"众人抖了抖。

沈路望向阿喵，很诚心地说："你懂我。"

阿喵笑而不语。她不会说，她遇到过相似的案例。在她怀胎十月期间，徐莫庭说："这一年，我就当自己隔离治疗了吧，而想来大难不死必有后‘福’。”

至于朝阳，解除婚约什么的自然失败了。而且最终不仅没能解除，据说之后沈路就此赖在沈博士的宿舍门口不走了。

沈朝阳来徐家找阿喵求助：“我质问他，你不是说回家等我吗，他面不改色地说我反悔了怎么样？有这样的人吗？！”

阿喵想了想，看向沙发上的另一个人，徐莫庭目不斜视地道：“我没兴趣干涉别家内政。”

朝阳差点使出降龙十八掌来……自我了结了！

沈朝阳走后，阿喵沉吟：“其实，如果朝阳一点都不喜欢他，就算那人把自己说得再怎么悲惨，她也不会跟他订婚的吧？”

徐莫庭关了电视，起身上楼去了，并且说：“不管自家门前雪，还管他人瓦上霜？”

安宁现在已经不能直视“雪”字了……

六、相信幸福总会来临

安宁帮徐莫庭送落在家里的文件去他单位的时候，看到他身边站着位美女，两人有说有笑的，好吧，是徐莫庭在说着什么，旁边的美女笑得很开心。

安宁看着看着看着，果断吃醋了。

她施施然走过去，徐莫庭老早就看到她了，就站在那看着她过去，而旁边的美女止住了笑。在安宁走到他们面前时，美女又笑了，她抱手打了招呼：“徐夫人吧，久仰久仰。”

阿喵看着她，忍了一下，还是说了：“那什么，左手压右手才是‘你好，久仰’的意思，右手压左手是报丧来着……”

“……”

徐莫庭咳了一声，说：“资料给我吧，辛苦你了。回去开慢点，注意安全。”

阿喵鼓了鼓腮帮子，刚要转身走，徐莫庭又拉住了她的手臂，

“哦，对了，这位是我高中同学，刚回国，来请我们喝喜酒的。”

阿喵目瞪口呆了下，随即尴尬地笑了笑，“哦哦……”

那美女开玩笑地说：“我差不多就是来报丧的，因为当年我可是我们班暗恋徐莫庭的第一人，唉，我追不到他，就只好抛开爱情勉为其难地将就他人过日子了。”

阿喵更加尴尬了。

那天晚上安宁很郑重其事地问徐莫庭：“我们送点儿什么给她呢？我希望她幸福。”

徐老大揉了揉她的头发，“幸福都是要靠自己争取的。”

“……好吧。话说莫庭，你当年知道她暗恋你吗？”

“暗恋我的人多了。”

“……”

感情这种事啊最是人间头疼事。

好比徐程羽，最近就很头疼。

徐莫庭的堂妹徐程羽，虽说是堂妹，但其实跟徐莫庭是同岁的，只是晚出生了几天，一样念的是外交学系，长辈指的路。徐程羽觉得，她虽然没有堂哥那样牛逼，万事都能兵来将挡水来土掩，做任何事都像是他的专长，但她在这条路上走得也还算身心健康，步堂哥后尘在外事局工作了两年后，也有望在未来两年进入更高级的单位工作。

本来以为自己将“事业”按部就班妥妥地搞定后就万事无忧了，结果，还是被家长们“批判”了，快而立之年了还没对象，这说出来不是丢老徐家的脸吗？于是开始频繁地催着她去相亲，什么警官、医生、老师……徐程羽表示，不能跟长辈斗，因为肯定斗不过，但自己又实在不想连爱情都失去自主权，左右为难百般纠结之下，只能找人帮忙了，徐程羽妹妹找的不是别人，正是她家堂嫂也。

“堂嫂，你觉得结婚好吗？”

一上来就被问了这么“高深”问题的阿喵，淡定地端起茶喝了口后才说：“你堂哥让你问的吗？”

徐程羽笑喷：“不是不是，堂哥没那么无聊。我就是自己想知道。”

安宁心说，你是没见识过，他比这更无聊的也问过，“其实要说结婚这事好不好吧，真的因人而异，有些人觉得婚姻是可以安身立命的港湾，有些人却觉得它是坟墓。”

徐程羽感慨道:“老实说吧，我挺不想谈恋爱的。这人心是最难猜的，有那时间和精力，不如去买一株水仙养，你猜都不用猜，就知道它如果开花就一定带香气。但这人心你费尽心机一层层地剥开来，都不知道里面是香气还是毒气。”

阿喵想了想，点头说：“画虎画皮最难还是画骨。要不这样，下次你不得不去相亲时，我陪你去，我帮你去摸骨，你如果不喜欢那个人，我就算是得罪看相鼻祖某某某也会说那人不是好骨相的。”

徐程羽汗颜：“我说堂嫂，你的知识涉及面要不要这么广啊？每次都让人觉得自己这二十多年都白活了。”这时有人经过客厅，问：“你要去摸谁的骨？”

徐程羽立马起身叫了声“堂哥”，阿喵依然淡定微笑中。

吃完晚饭，徐程羽MM行色匆匆地走了，小夫妻俩上了楼。

徐莫庭一进房间就问：“夫人那么喜欢摸骨，何不帮我摸一下？”

阿喵看了某人一眼，马上笑眯眯地阿谀奉承道：“您这摸都不用摸啊，一看就是麒骨无疑，生就麒骨为人贵，呼风唤雨有神威，一生富贵声名远，不在官场也发财。而拥有此等奇骨者，亦必是形貌相当，神气清越也。”

徐莫庭笑道：“听你这么说，我还是属于内外兼修的？”

“嗯嗯，绝对的，麒麟啊，神兽哦。”

“……”

晚上安宁陪俩娃在儿童房里玩，看着俩孩子不由得说：“那我们家小旗子就是小麒麟了。小燕子则是鹏骨，生就鹏骨天性高，昊天振翅好逍遥，青云直上风送急，晚景昌荣乐陶陶，是不是啊？”

俩娃的答复分别是：小面瘫很给面子地看着妈妈说完，然后又继续低头翻手上的《小朋友》杂志；小软萌则是笑咯咯地说：“乐陶陶乐陶陶……”

“差别还真是一如既往的大……好吧，麒麟大鹏什么的，好歹等级是一样的，都是神物。”

徐莫庭母亲进来听到这话，笑着说：“什么神物啊？”

安宁指了指前面的两只小包子，婆婆立即笑了：“哎哟，明显是吉祥物嘛。”

呃，还是婆婆比较犀利啊。

晚点回房后跟徐莫庭说起这茬儿，对方淡然道：“你也是我的吉祥物。”

“什么吉祥物？”

“招财猫。”

“……”阿喵鄙视，“都不想说你世俗啥的。”

“现今的社会，有钱才好办事。”

阿喵顺口问：“你想办什么呀？”

已铺好被子的徐老大终于正视阿喵同学，云淡风轻地回：“你。”

“……”

后一周的周末，徐莫庭带着太太去参加高中同学的婚礼。

这场婚礼还挺戏剧性的。

新人敬酒环节，豪迈的新娘子在敬到徐莫庭时开口大声地对在场的宾客说道：“这位帅哥，就是我高中暗恋了三年的人。他可害我苦了三年，三年不敢吃肉，怕胖，三年不敢放松学习，怕被看不起。我今天能有这成就，多亏他哈！我得向他敬两杯！”在宾客们的笑声中，新娘子一下子干了两杯葡萄酒下去。徐莫庭站在那儿也配合地喝了两杯。

新娘子问：“徐莫庭你有什么要说的吗？”

徐莫庭笑了笑：“那行，我也说两句吧。”他看向身边的安宁平缓地说道，“我身边这位，是我太太，也是我从高中开始，暗恋了六年多的女人，高中二年级那年知道了她，三年级那年去表白了，人家没看到我的信。大学四年想着怎么把她忘了，没成功。后来，我出国读本科回国再读研，很多人说我是不是脑子坏了。我脑子一贯还好，不好的是我的不死心。我回国第一年，就看着她，什么都不敢做，第二年，我站到了她面前，后来，我们相爱，也结婚了。在人山人海里找到一人来相爱、结婚并不是件容易的事，如果两人能走进婚姻，就彼此珍惜吧。”

宾客们都鼓起掌，新娘子哭了，抹去眼角的泪又笑道：“谢谢你，也借你吉言！”然后对安宁说，“祝你们幸福。”

安宁马上回道：“你也是！”

那天晚上回家的路上，安宁轻声说：“莫庭，谢谢你。”

“嗯？”

“……我爱你。”

徐莫庭“嗯”了声，“你敢不爱试试。”

“……”

七、分别是为了下一次的相见

这年年中徐莫庭的父亲宣布了退休，有记者朋友问他：“徐老您这一生为祖国做了很多贡献，因为工作的关系常常留在北京，还要经常出国访问，最长的一次我记得您有大半年没回家，但我们知道您的家庭一直很美满，能跟我们说说您是如何做到事业和家庭双成功的吗？”

徐父颇为风趣地说：“其实首都也是我的家，你们也知道我父母他们都住在这里，我留在这边时间长的时候我的太太也会过来陪我。但我得承认，我是习惯跟着我太太走的，所以好多人都说是我嫁给我太太的。”这话引得一帮人笑了。

徐父接着说：“在外，没退休前我工作隶属中央，我夫人隶属地方，虽然部门没有关联，但很多工作上的事她都会听取一些我的意见，地方听中央，这是一定的。而在家，我太太是中央，我是地方，我都是听她的。所有的关系，都要对等、平衡，才能维持长久。”

掌声过后又有记者问道：“听说您儿子前两年结婚了？预计今年也会进入外交部工作？”

“对，我的独子已经结婚，儿媳很好，知书达理，非常孝顺。我希望他不管是事业，还是对家庭的经营，都能青出于蓝而胜于蓝。”

有人笑道："您儿子似乎比您当年进外交部的时候要年轻许多啊？"

徐父轻快地说："他的孩子比他更早会说话。江山代有才人出，我相信我们国家的人才会越来越多，也会越来越出色。"

当天在电视上看到这条新闻，阿喵笑喷了："刚才爸吃饭的时候还在说，年纪大了，到了退休的年龄不想走也得走了。说得一本正经的。结果这里，爸嫁给妈……噗，好有爱。徐莫庭，我是你的地方还是中央？"

徐莫庭："殖民地。"

"……"阿喵差点忘记了，这人手机上她的号码存着的就是"my territory（我的版图）"。

徐莫庭在国庆之后就要走马上任了，于是，他们要搬家了，一家四口。

搬家前阿喵跟姐妹们约了吃饭，结果那天她车子刚开出小区大门，就跟一辆小绵羊擦上了。

阿喵赶忙下车去看，"您没事吧？"

小绵羊的车主扶起车子发动了下说："我赶时间，就不要你负责了。"小伙子的手上一直紧紧地抱着一束玫瑰花，随后骑上车歪歪扭扭地走了。

安宁笑着摇摇头上了车，刚才这场景让她恍惚想起几年前的一幕，她骑着一辆小绵羊，撞了一辆奥迪轿车……她当时撞的……咦？刚刚开进小区的是公公的车吧？等等，她当时撞的……好像是她公公的车？！那位摇下车窗来看她的威严中年男人……就是徐莫庭他爸啊？！

后知后觉了好几年的阿喵瞬间不淡定了。

一边开车一边主动给徐莫庭打去电话，那边接起，轻声道："想我了？"

阿喵泪奔地说："莫庭，你上学都是你爸爸送你去学校的吗？"

徐莫庭沉默了下，说，"你想问什么？"

"唔，我想说，你爸会偶尔去一下我们大学吗？爸爸那么忙，没事应该不会去的吧？你那会儿也那么大了，上学什么的不需要再送了吧？"

只听到电话那头徐老大说：“他那边有朋友在。”

“谁？”

“校长。”

“……”

而那天吃完饭，安宁跟三位好友说了要离开的事情，在一番沉默后，蔷薇首先愤慨：“我才来你就走，你这是有多不愿意跟我呼吸同一座城市的空气啊？”

朝阳：“唉，从今往后见阿喵就难了，看得着摸不着想来真心酸。”

毛毛大哭：“阿喵走了，以后还有谁能随时随地告诉我那些我想知道的有趣事啊？”

阿喵也很惆怅：“我也很伤心啊，但是，人生无不散之宴席。”

毛毛哭得更凶了。

阿喵安慰道：“还好，现在飞机来去很方便，我有空就会回来的，毕竟公公婆婆在这边。”

毛毛隐隐地抽泣：“说起飞机，说好的要做彼此的天使，都不算数了吗？”

一直隐忍不发的蔷薇终于受不了了：“你这吨位能当天使？一起飞翅膀就得折。”

毛毛一把抹去眼泪说：“别当我文盲，我的座右铭可是：‘天使之所以能飞起来，是因为她把自己看得很轻。’我可是一直都把自己看得很轻！”

安宁皱眉：“毛毛，这句话里的轻，不是指体重，而是指谦虚，整句话是说谦虚的人才会成功。”

毛毛震惊：“啊？！原来……”

蔷薇也很震惊：“原来你真的是文盲。”

毛毛之后问安宁：“阿喵，我一直想问你一个问题，这个问题困扰了我好久，在你走之前可一定得告诉我答案，否则我会食不知味夜不能寝百爪挠心生不如死的！”

“什么问题？”

“李白他到底爱的是谁？！”

“……”

阿喵苦苦思索一番后说：“李白一生不得志，他想做官为民请命，可是唐明皇只找他写杨贵妃的美貌，写宫廷的盛宴，他一直很郁闷，然后好不容易发生安史之乱了……”

蔷薇笑喷：“等等，好不容易？这话说的，阿喵，你内心深处有暴力因子哦。”

阿喵汗：“我说的好不容易是从李白的角度出发，动乱之下出英雄的机会大点嘛，结果……咳，他投靠错了人，被发配夜郎。对了，说到这里，顺便说一下，李白极有可能是吉尔吉斯斯坦人。”

毛毛震惊了：“什么？我从小到大背他的诗，他还不是咱们的祖先？淡淡的有种被白白嫖了的感觉有没有？”

沈、傅：“……”

阿喵：“嗯，据说不是，如果真是吉尔吉斯斯坦人，那他很有可能是一枚高眉深目的大胡子叔叔。”

毛毛痛心疾首：“他不是诗仙吗？大胡子怎么还仙得起来啊？我们那些语文课本上还总是把他画得白衣飘飘衣袂飘飘的，误导啊严重的误导啊。”

阿喵拍了拍毛毛的背：“回到正题哈，当年李白发配夜郎，途中遇到郭子仪，郭可是军功卓著的大将军，他用自己的功名力保李白，于是乎李白就不用去夜郎了。”

蔷薇摸下巴沉吟道：“我闻到奸情的味道了。”

阿喵：“一名大将军莫名其妙地去救一位跟他没啥交情的诗人，确实有点诡异，但他们之间没什么，因为不需要去夜郎了的李白谢过大将军后就继续游山玩水喝老酒去了。再顺便一提，有传说唐明皇曾经给过李白特权，就是他走到哪里喝酒都可以不付钱。这点真不真我不知道，但作为八卦还是很有趣的。”

毛毛：“我只想知道，他为什么不要大将军？为什么？”

阿喵：“呃，毛毛，我马上就要讲到你想听的了。‘不见李生久，佯狂真可哀。世人皆欲杀，吾意独怜才。敏捷诗千首，飘零酒一杯。匡山读书处，头白好归来。’这首诗是杜甫写的，有没有听出来呀，赤裸裸的表白哦。”

毛毛、蔷薇：“……”

朝阳：“阿喵，请记住，咱们是理科生，而你是理科生里的异类。”

“……”阿喵无语了，“好吧……‘不见李生久’，这不是表达相思之意吗，最后还说‘匡山读书处，头白好归来’，他的意思是，李白你既然不用去夜郎了，那就来跟我过吧。”

傅、沈、毛：“啊啊啊啊赤裸裸的同居请求啊。”

阿喵：“可惜李白没去。”

毛毛：“为什么啊？！”

阿喵：“杜甫写过一首关于他住处的诗，《茅屋为秋风所破歌》，咳咳，我觉得李白是觉得杜甫太穷了，所以他宁可对着月亮喝酒也不要跟着杜甫去住茅庐。”

朝阳：“噗，人嘛，都是现实的，没房没车，谁愿意跟你过日子啊。”

蔷薇：“小李有点儿渣了啊。”

阿喵：“其实，李白‘爱’过孟浩然倒是很有依据的，‘吾爱孟夫子，风流天下闻。红颜弃轩冕，白首卧松云。醉月频中圣，迷花不事君。高山安可仰，徒此揖清芬。’他说‘吾爱孟夫子’……”

朝阳：“我想说，小李他到底处在多少角恋里啊？”

阿喵：“李白是风流才子嘛。但孟浩然爱的是唐明皇，孟写过‘不才明主弃，多病故人疏’。”

毛毛有点晕：“多少P了啊？”

阿喵咳了一声，最后还是决定端正三观：“但是我觉得李白最爱的还是月亮，‘举杯邀明月，对影成三人’，其他人都是过客，是浮云。”

朝阳：“所以讨论到最后，李白爱的是月亮？”

毛毛：“我还爱太阳呢。”

蔷薇批评：“阿毛，别说脏话！”

“……”

这样的说说笑笑，就像又回到了几年前的校园里。那些记忆和现在重叠，那么鲜活，好像她们都不曾离开过那里。友谊是点缀青春最美丽的花朵，她的芳香会让人永远记住，在那一场青春年华里，她们有多么的肆无忌惮和快乐。

八、有情人终成眷属

跟朋友们分别后安宁回了家，刚进家门，就听到公公婆婆在边看电视边聊天。安宁进去叫了声爸妈，婆婆说："宁宁回来了？莫庭说，你晚饭在外面跟朋友们吃了？"

"嗯，是的，吃好了。"安宁点头。

徐父说："莫庭刚带孩子们上楼去。"

"好的。"安宁想了想，还是低头说道，"爸，我几年前不小心撞了你的车，对不起。"

徐父一愣，笑了出来："你倒还记得啊。那天，莫庭还坐在我旁边呢，还跟我说了句'让她赔偿'，哈哈哈。"

"……"安宁终于要哭了，什么人嘛这个徐莫庭！

跑上三楼的阿喵一推开房门就看到那一大两小窝在大床上好不自在地看着儿童片。

阿喵低声地有力地叫了声："徐莫庭！"

徐莫庭转头看过来："回来了？"

安宁摆着脸过去，刚要开口，床底下就慢悠悠地踏出一只猫，可不正是他们家那只金色眼瞳的黑猫吗？徐莫庭看着那猫说："我老早就跟你说过，你喂它吃太多了。"

"呃……"安宁也望着那只虽然胖但是走路依然很优雅的小胖墩。

徐莫庭叹了声："一只猫胖得跟小猪崽似的，这已经不是超重，而是跨越物种了吧？"

"……"

他们家小闺女这时"妈妈妈妈"地站起身朝她蹒跚走过来，安宁马上坐到床沿将她抱住，"哇，我们家小燕子现在走起来好快了啊。"

小软萌被妈妈抱着就咯咯咯地笑得很开心，然后朝床另一头的爸爸、哥哥招手，白白的小手一张一合。

徐莫庭微挑眉，“这是想要一家四口团圆的意思吗？”说着起身抱起儿子走到老婆和女儿旁边。

淡定的大儿子一被放下就翻过安宁的膝盖，夹在安宁和小软萌中间，孩子妈奇怪：“怎么了？”

孩子爸轻轻揽住孩子妈的腰身说：“给父母创造条件吧。”

看着身边的仨，安宁无语的同时也异常感动，之前的“算账”早不知道忘到哪儿去了，“好像有一阵子没拍过四人的合照了。”说着掏出手机打开拍照模式，“来来，一起拍张照，好了，乖，拍照了，都别动了哦，一起笑起来，茄子……”

拍好后安宁看效果，从左到右：徐莫庭，她，大儿子，小女儿。表情分别是：一本正经，笑容灿烂，小面瘫，小可爱。

安宁深深觉得，遗传可真神奇……

安宁将照片发给远在大南方的表姐看，表姐回复：“你们家这两只小包子，如果有人敢怀疑不是你跟你老公生的，你就果断地跟人家说，‘是的！是按照我们的模板克隆出来的！’哈哈哈这也太神似了吧。”

阿喵一头黑线。

在儿童房里哄了孩子们睡后，安宁回房，徐莫庭洗完澡出来，说：“今晚早点睡吧。”

“嗯。”

走前安宁去看了母亲。

墓园里很安静，只有树上一些鸟儿在低低地鸣叫。

小燕子拉着妈妈的衣角奶声奶气地说：“妈妈，哥哥说，外婆只是去天上了，那里很好，有好多好心的爷爷奶奶……”

旁边的小面瘫也在另一侧扯了扯安宁的衣角，用稚气的声音认真地说：“所以妈妈别不开心。”

安宁蹲下抱住俩孩子，身后站着的徐莫庭静静地守候着妻与子。

回去的路上俩孩子分别趴在安宁的两侧睡着了。

安宁看着窗外的秋景，慢慢地说道：“我妈做了大半辈子的老师，直到后来身体不行了才离职，很多做人的道理都是她教给我的，我记得最深的是，人的一生太短，所以为人处世上简单点就好，你不去强求反而得到的更多。”

前面开车的人轻轻“嗯”了一声。

安宁回头看向他，又看向孩子们，“除去妈走得太早，我到现在没有过一点遗憾。”

徐莫庭柔声说道：“我跟孩子会永远陪着你。”

安宁笑了，浅浅的，“嗯。”

整理行李的时候安宁突然想到北京的亲人，就问莫庭：“我一直好奇，为什么你爷爷奶奶都待在北京，不回这边，这里不是老家吗？”

“爷爷当年去北京是工作需要，后来也没回来，而是留在那里养老，是因为老人家不想回到这里触景生情。”

“嗯？”

徐莫庭把她整理好的书放进箱子里：“是关于上一辈的事。”

“是因为，你二叔吗？”

徐莫庭露出点意外表情，说:“爷爷奶奶一共生了三男三女，爸排行老大，徐程羽她爸排行老三，我二叔——死了，死在老家里的，外人不知道，都以为他又出国了。”

安宁想起以前父亲跟她说的，“他死了……”

怪不得从来没有见过他。

“嗯，我对二叔的印象一直是他在抽烟、写书法、作画，他几乎不出书房门。很多人都说他风流，可我并不觉得，他只是过得很自我……他的死是对外保密的，爷爷也嘱咐过家里人不能再提及二叔，有人问起就说出国了。爷爷跟奶奶去北京后就没再回来过，唯一一次回这边就是我们结婚那次。”

安宁听着不由得深深叹了一声，上一辈的这段往事她虽然不清楚具体是怎么回事，但是就这样听着，便有种说不出的怅然感。

阿喵忍不住抱住身边的人，心想这世上不圆满的感情真的好多，幸好自己遇到了他。真希望天下有情人都能少经受点波折，相遇已经是那么不易。

徐莫庭摸了摸她的头，“你只要知道徐莫庭跟李安宁会永远好好地走下去就行了。”

“嗯，还有小面瘫和小软萌。”

这时徐老大的手机响了，他接起，听了一会儿说了声“知道了”就挂了。

安宁不由得问：“谁呀？”

“老三。”

“哦。”阿喵没再多问，但隔天她倒是接到了老三的电话，对面号着说：“老大不是人啊！我昨天跟他打电话说我穷得饭都吃不起了，让他可怜可怜我给我寄点吃的来，他寄是寄了，但是他是到付啊到付啊！嫂子，我真不知道昨天你们那么早就在恩爱了啊，打扰到你们是我不对，可老大这做法也忒血腥了啊！于是我只能跟同事借了钱付款，我成熟稳重、做事周全、高大威猛的形象就这么破灭了啊！”

“……”

阿喵发誓，她按到扬声器绝非故意！

然而木已成舟，于是整辆越野车里，陪着过去的徐父、徐母，趁此机会跟去北京看爷爷奶奶大姨小姨顺便玩下的徐程羽纷纷看向开车的徐莫庭，心中想法不约而同：“这人，是真的坏啊。”

徐莫庭面不改色地说：“忘了。”

“……”

阿喵弱弱地道：“你还不如干脆‘忘了’寄呢。”

徐莫庭，“吃一堑，长一智”的典型人物，即让别人吃一堑，自己长一智。这样的人啊，走到哪儿都不会是吃败仗的主儿，安宁深深感叹，祖国有他我就放心了。

入冬时节，机场。

从香港回来的贺天莲坐在机场里等着司机来接。

等了大概十来分钟后，旁边坐下一对小情侣，然后就一直在那儿恩恩爱爱甜言蜜语。

贺总作为旁观者忍不住感叹，年轻真好啊。

贺天莲30岁那年，父亲坐了牢，他离开香港到了大陆，第一份事业是在一座金融业发达的一线城市开了家杂志社，这算是他年轻时的梦想，没想到经营得不错，于是一做就做了好几年，而他也是在那里认识了洛臻，他生平喜欢上的第二人，可惜人家走不出过去。他一向不强人所难，努力过还是不行，那就送上一句祝福，以后再相见也还可以喝杯咖啡聊聊天。后来一年他大伯给他打电话，让他去江泞市管理一家中外合资企业，那企业50%的股份是贺家的，如今转交给他这名贺家唯一在外的私生子。他笑了笑，说了声谢谢。对于如此慷慨的礼物，他不要就太对不起被勒令一年只能回港一次的自己了，而另一方面他当时也觉得在一个地方留得有点过久了，是该换换坏境了。于是将杂志社转手他人后，便去了江泞。

如今快四十五的贺总，名利兼收，却越来越觉得生活没意思。以前假期还会出去找点乐子玩玩，现在基本就是待在家里，甚至开始养花、泡功夫茶了。贺总不得不感慨，真的老了啊，难得出趟差才飞三个小时就觉得腰酸背痛了。

显然，这是贺老板自谦了，都说男人四十一枝花，况且还是这种成熟稳重又不乏风趣幽默、有貌多金的紫睡莲（世界上最贵的花），是多少女人梦寐以求想要得到的极品优质男人。

所以当来接先徐外交官一步回家来过“澳门回归纪念日”的阿喵和俩小包子的傅蔷薇，匆匆忙忙停好了毛毛的QQ车，风风火火地跑到机场大门口的时候，不小心擦撞了从里面走出来的贺总，后者绅士地说了声“sorry”，然后进了路边等着的轿车里，扬长离开。一直望着那辆车，直到它消失不见的蔷薇心道，如果他没结婚，那他就是她未来的孩子爹！

佛说每个人所见所遇到的都早有安排，一切都是缘。

而无论你几岁，当你遇到你爱的人时，便是你最美的时候。而不管谁，一生总有那么一刻，比夏花更灿烂。

九、最美遇见你

《我是一棵树》

如何让你遇见我

在我最美丽的时刻

为这

我已在佛前求了五百年

求佛让我们结一段尘缘

佛于是把我化作一棵树

长在你必经的路旁

阳光下

慎重地开满了花

朵朵都是我前世的盼望

……

“安宁！快点过来排队，老师要点名啦！”

“哦哦！”安宁赶紧把那本《席慕容诗集》放在凳子上，用校服外套盖了下，跑向塑胶跑道，呜呜，可怕的体育老师已经在吹哨子了。

“莫庭，看什么呢这么全神贯注？窗外有什么啊？我也看看！”

“没。看你的书吧。”

……

当你走近

请你细听

那颤抖的叶

是我等待的热情

后记

一场最美的邂逅

我记得最早动心思想写《最美遇见你》是大学临近毕业的时候，一边写论文，一边想安宁和莫庭，但真正动手写是毕业后做第一份工作那会儿。

上班的时候，电脑旁边放一本小本子，想到什么就记录下来，“安宁今天要去献血了，就要碰上徐莫庭了，碰上后两人说点什么呢？”然后大半天都在想，莫庭上了献血车会有啥表现？

晚上睡觉的时候，枕头边小本子和笔也是常伴的，睡前灵感比较多，想到什么，就摸黑写下来，然后白天，很艰辛地判断自己究竟写的是啥，莫庭到底做了啥。唔，字要不要这么难看啊。

我写文，总是习惯性地将里面的人物想象成现实中活生生存在的人。

不管我有没有在写他们，他们都是在那里的。

所以2010年写完《最美》后，我也总是会常常想起他们。

有时候跟朋友出去逛街，就会想，莫庭陪安宁逛街会是什么情形？安宁肯定会很“中肯”地夸试衣服的莫庭说：“你穿什么都……”“都差不多？”“呃，都好看！”

所以2013年，再度拿起《最美》，继续安宁跟莫庭的故事，一点都不生疏，还有蔷薇、毛毛、朝阳等，他们就像是一直在身边未曾离开过的一群朋友。

数年不见，莫庭和安宁成熟了，也有了孩子，龙凤胎，连我都羡慕。

毛毛呢，还是老样子，不耍流氓就浑身不舒服。

蔷薇，她啊，是有点腹黑的，你们看出来了吗？我是看出来了。

帅气的朝阳，不想结婚的女汉子哟。

还有老三，有女朋友了。

还有谁，如何了？

难忘青春，难忘的其实不是自己那时的年轻，而是在那些年月里跟你在一起无所忌惮享受青春的人。

《最美》再次画上句点，但我不会忘记有莫庭、阿喵他们陪伴着我的那段时光，想来以后我还会时不时想起他们，会想他们过得好吗……

你们也是吧？

我一直觉得，故事外的我们，与故事里的他们，能遇见就是一场最美的邂逅。

2013年10月20日